W9-APK-400

Виктор Суворов

АКВАРИУМ

ИЗДАТЕЛЬСТВО
Москва
2000

УДК 882
ББК 84(2Рос-Рус)6-4
С

Viktor Suvorov

AGUARIUM

Художник Ю.Д. Федичкин

Печатается с разрешения автора и литературного агентства
Andrew Nurnberg Associates Limited.

Исключительные права на публикацию книги
на русском языке принадлежат издательству АСТ.
Любое использование материала данной книги,
полностью или частично, без разрешения
правообладателя запрещается.

Суворов В.

С89 Аквариум. – М.: ООО "Фирма "Издательство АСТ",
2000. — 432 с.

ISBN 5-237-03556-6.

Эта книга впервые приоткрыла секреты самой таинственной
разведки мира — ГРУ. Книга выдержала более 70 изданий на 27
языках. «Аквариум» послужил основой для создания кинофильма,
телесериала и многочисленных литературных подражаний.

УДК 882
ББК 84(2Рос-Рус)6-4

© Viktor Suvorov
ISBN 5-237-03556-6   © ООО "Фирма "Издательство АСТ", 1999

Тане

ПРОЛОГ

— Закон у нас простой: вход — рубль, выход — два. Это означает, что вступить в организацию трудно, но выйти из нее — труднее. Теоретически для всех членов организации предусмотрен только один выход из нее — через трубу. Для одних этот выход бывает почетным, для других — позорным, но для всех нас есть только одна труба. Только через нее мы выходим из организации. Вот она, эта труба... — Седой указывает мне на огромное, во всю стену, окно. — Полюбуйся на нее.

С высоты девятого этажа передо мной открывается панорама огромного, бескрайнего пустынного аэродрома, который тянется до горизонта. А если смотреть вниз, то прямо под ногами лабиринт песчаных дорожек между упругими стенами кустов. Зелень сада и выгоревшая трава аэродрома разделены несокрушимой бетонной стеной с густой паутиной колючей проволоки на белых роликах.

— Вот она... — Седой указывает на невысокую, метров в десять, толстую квадратную трубу над плоской смоленой крышей. Черная крыша плывет по зеленым волнам сирени, как плот в океане или как старинный броненосец, низкобортный, с неуклюжей

3

трубой. Над трубой вьется легкий прозрачный дымок.

— Это кто-то покидает организацию?

— Нет,— смеется седой. — Труба — это не только наш выход, труба — источник нашей энергии, труба — хранительница наших секретов. Это просто сейчас жгут секретные документы. Знаешь, лучше сжечь, чем хранить. Спокойнее. Когда кто-то из организации уходит, то дым не такой, дым тогда густой, жирный. Если ты вступишь в организацию, то и ты в один прекрасный день вылетишь в небо через эту трубу. Но это не сейчас. Сейчас организация дает тебе последнюю возможность отказаться, последнюю возможность подумать о своем выборе. А чтобы у тебя было над чем подумать, я тебе фильм покажу. Садись.

Седой нажимает кнопку на пульте и усаживается в кресло рядом со мной. Тяжелые коричневые шторы с легким скрипом закрывают необъятные окна, и тут же на экране без всяких титров и вступлений появляется изображение. Фильм черно-белый, старый и порядочно изношенный. Звука нет, и оттого отчетливее слышно стрекотание киноаппарата.

На экране высокая мрачная комната без окон. Среднее между цехом и котельной. Крупным планом — топка с заслонками, похожими на ворота маленькой крепости, и направляющие желоба, которые входят в топку, как рельсы в туннель. Возле топки люди в серых халатах. Кочегары. Вот подают гроб. Вот оно что! Крематорий. Тот самый, наверное, который я только что видел через окно. Люди в халатах поднимают гроб и устанавливают его на направляющие желоба. Заслонки плавно разошлись в стороны, гроб слегка подтолкнули, и он понес своего неведомого обитателя в ревущее пламя. А вот крупным планом камера показывает лицо живого человека. Лицо совершенно потное. Жарко у топки. Лицо показывают со всех сторон бесконечно долго. Наконец камера отходит в сторону, показывая человека полностью. Он не в халате. На нем дорогой черный костюм, правда, совершенно измятый. Галстук на шее скручен веревкой. Человек туго прикручен стальной проволокой к медицинским носилкам, а носилки поставлены к стенке на задние ручки так, чтобы человек мог видеть топку.

Все кочегары вдруг повернулись к привязанному. Это внимание привязанному, видимо, совсем не понравилось. Он кричит. Он страшно кричит. Звука нет, но я знаю, что от такого крика дребезжат окна. Четыре кочегара осторожно опускают носилки на пол, затем дружно поднимают их. Привязанный делает невероятное усилие, чтобы воспрепятствовать этому. Титаническое напряжение лица. Вена на лбу вздута так, что готова лопнуть. Но попытка укусить руку кочегара не удалась. Зубы привязанного впиваются в его собственную губу, и черная струйка крови побежала по подбородку. Острые у человека зубы, ничего не скажешь. Его тело скручено крепко, но оно извивается, как тело пойманной ящерки. Его голова, подчиняясь звериному инстинкту, мощными ритмичными ударами бьет о деревянную ручку, помогая телу. Привязанный бьется не за свою жизнь, а за легкую смерть. Его расчет понятен: раскачать носилки и упасть вместе с ними с направляющих желобов на цементный пол. Это будет или легкая смерть, или потеря сознания. А без сознания можно и в печь. Не страшно... Но кочегары знают свое дело. Они просто придерживают ручки носилок, не давая им раскачиваться. А

5

дотянуться зубами до их рук привязанный не сможет, даже если бы и лопнула его шея. Говорят, что в самый последний момент своей жизни человек может творить чудеса. Подчиняясь инстинкту самосохранения, все его мышцы, все его сознание и воля, все стремление жить вдруг концентрируются в одном коротком рывке... И он рванулся! Он рванулся всем телом. Он рванулся так, как рвется лиса из капкана, кусая и обрывая собственную окровавленную лапу. Он рванулся так, что металлические направляющие желоба задрожали. Он рванулся, ломая собственные кости, разрывая жилы и мышцы. Он рванулся...

Но проволока была прочной. И вот носилки плавно пошли вперед. Дверки топки разошлись в стороны, озарив белым светом подошвы лакированных, давно не чищенных ботинок. Вот подошвы приближаются к огню. Человек старается согнуть ноги в коленях, чтобы увеличить расстояние между подошвами и ревущим огнем. Но и это ему не удается. Оператор крупным планом показывает пальцы. Проволока туго впилась в них. Но кончики пальцев человека свободны. И вот ими он пытается тормозить свое движение. Кончики пальцев растопырены и напряжены. Если бы хоть что-то попалось на их пути, то человек, несомненно, удержался бы. И вдруг носилки останавливаются у самой топки. Новый персонаж на экране, одетый в халат, как и все кочегары, делает им знак рукой. И, повинуясь его жесту, они снимают носилки с направляющих желобов и вновь устанавливают у стенки на задние ручки. В чем дело? Почему задержка? Ах, вот в чем дело. В зал крематория на низкой тележке вкатывается еще один гроб. Он уже заколочен. Он великолепен. Он элегантен. Он украшен бахромой и каемочками. Это почетный гроб. Дорогу почетному гробу! Кочегары устанавливают его на направляющие желоба, и вот он пошел в свой последний путь. Теперь неимоверно долго нужно ждать, когда он сгорит. Нужно ждать и ждать. Нужно быть терпеливым...

А вот теперь наконец и очередь привязанного. Носилки вновь на направляющих желобах. И я снова слышу этот беззвучный вопль, который, наверное, способен срывать двери с петель. Я с надеждой вглядываюсь в лицо привязанного. Я стараюсь найти признаки безумия на этом лице. Сумасшедшим легко в этом мире. Но нет этих признаков на красивом мужественном лице. Не испорчено его лицо печатью безумия. Просто человеку не хочется в печку, и он это старается как-то выразить. А как выразишь, кроме крика? Вот он и кричит. К счастью, крик этот не увековечен. Вот лаковые ботинки в огонь пошли. Пошли, черт побери. Бушует огонь. Наверное, кислород вдувают. Два первых кочегара отскакивают в сторону, два последних с силой толкают носилки в глубину. Дверки топки закрываются, и треск аппарата стихает.

— Он... кто? — Я и сам не знаю, зачем такой вопрос задаю.

— Он? Полковник. Бывший полковник. Он был в нашей организации. На высоких постах. Он организацию обманывал. За это его из организации исключили. И он ушел. Такой у нас закон. Силой мы никого не вовлекаем в организацию. Не хочешь — откажись. Но если вступил, то принадлежишь организации полностью. Вместе с ботинками и галстуком. Итак... я даю последнюю возможность отказаться. На размышление одна минута.

— Мне не нужна минута на размышление.

— Таков порядок. Если тебе и не нужна эта минута, организация обязана тебе ее дать. Посиди и помолчи.— Седой щелкнул переключателем, и длинная худая стрелка, четко выбивая шаг, двинулась по сияющему циферблату. А я вновь увидел перед собой лицо полковника в самый последний момент, когда его ноги уже были в огне, а голова еще жила; еще пульсировала кровь, и еще в глазах светился ум, смертная тоска, жестокая мука и непобедимое желание жить. Если меня примут в эту организацию, я буду служить ей верой и правдой. Это серьезная и мощная организация. Мне нравится такой порядок. Но, черт побери, я почему-то наперед знаю, что если мне предстоит вылететь в короткую квадратную трубу, то никак не в гробу с бахромой и каемочкой. Не та у меня натура. Не из тех я, которые с бахромой... Не из тех.

— Время истекло. Тебе нужно еще время на размышление?

— Нет.

— Еще одна минута.

— Нет.

— Что ж, капитан. Тогда мне выпала честь первым поздравить тебя с вступлением в наше тайное братство, которое именуется Главное разведывательное управление Генерального штаба, или сокращенно ГРУ. Тебе предстоит встреча с заместителем начальника ГРУ генерал-полковником Мещеряковым и визит в Центральный Комитет к генерал-полковнику Лемзенко. Я думаю, ты им понравишься. Только не вздумай хитрить. В данном случае лучше задать вопрос, чем промолчать. Иногда, в ходе наших экзаменов и психологических тестов, такое покажут, что вопрос сам к горлу подступает. Не мучь себя. Задай вопрос. Веди себя так, как вел себя сегодня тут, и тогда все будет хорошо. Успехов тебе, капитан.

ГЛАВА ПЕРВАЯ

1

Если вам захотелось работать в КГБ, то езжайте в любой областной центр. На центральной площади всенепременно статуя Ленина стоит, а позади нее обязательно огромное здание с колоннами — это обком партии. Где-то тут рядом и областное управление КГБ. Тут же на площади любого спросите, вам любой покажет: да вон то здание, серое, мрачное, да, да, именно на него Ленин своей железобетонной рукой указывает. Но можно в областное управление и не обращаться, можно в особый отдел по месту работы обратиться. Тут вам тоже каждый поможет: прямо по коридору и направо, дверь черной кожей обита. Можно стать сотрудником КГБ и проще. Надо к особисту обратиться. Особист на каждой захудалой железнодорожной станции есть, на каждом заводе, а бывает, что и в каждом цехе. Особист есть в каждом полку, в каждом институте, в каждой тюрьме, в каждом партийном комитете, в конструкторском бюро, а уж в комсомоле, в профсоюзах, в общественных организациях и в добровольных обществах их множество. Подходи и говори: хочу в КГБ! Другой вопрос — примут или нет (ну конечно же, примут!), но дорога в КГБ открыта для всех, и искать эту дорогу совсем не надо.

А вот в ГРУ попасть не так легко. К кому обратиться? У кого совета просить? В какую дверь стучать? Может, в милиции поинтересоваться? В милиции плечами пожмут: нет такой организации.

В Грузии милиция даже номерные знаки выдает с буквами «ГРУ», не подозревая, что буквы эти могут иметь некий таинственный смысл. Едет такая машина по стране — никто не удивится, никто вслед не посмотрит. Для нормального человека, как и для всей советской милиции, эти буквы ничего не говорят и никаких ассоциаций не вызывают. Не слышали честные граждане о таком, и милиция никогда не слышала.

В КГБ миллионы добровольцев, а в ГРУ их нет. В этом и состоит главное отличие ГРУ — это организация секретная. О ней никто не знает и оттого — не идет в нее по своей инициативе. Но допустим, нашелся некий доброволец, каким-то образом нашел он ту дверь, в которую стучать надо, примите, говорит. Примут? Нет, не примут. Добровольцы не нужны. Добровольца немедленно арестуют, и ждет его тяжелое мучительное следствие. Много будет вопросов. Где ты эти три буквы услышал? Как ты нас найти сумел? Но главное, кто помог тебе? Кто? Кто? Кто? Отвечай, сука! Правильные ответы ГРУ вырывать умеет. Ответ из любого вырвут. Это я вам гарантирую. ГРУ обязательно найдет того, кто добровольцу помог. И снова следствие начнется: а тебе, падло, кто эти буквы сказал? Где ты их услышал? Долго ли, коротко ли — но найдут и первоисточник. Им окажется тот, кому тайна доверена, но у кого язык превышает установленные стандарты. О, ГРУ умеет такие языки вырывать. ГРУ такие языки вместе с головами отрывает. И каждый попавший в ГРУ знает об этом. Каждый попавший в ГРУ бережет свою голову, а сберечь ее можно, только сберегая язык. О ГРУ можно говорить исключительно внутри ГРУ. Говорить можно так, чтобы голос твой не услышали за прозрачными стенами величественного здания на X...ке. Каждый попавший в ГРУ свято чтит закон Аквариума: все, о чем мы говорим внутри, пусть внутри и останется. Пусть ни одно наше слово не выйдет за прозрачные стены. И оттого, что такой порядок существует, мало кто за стеклянными стенами знает о том, что происходит внутри. А тот, кто знает, тот молчит. А потому, что все знающие молчат, лично я о ГРУ никогда ничего не слышал.

Был я ротным командиром. После освободительного похода в Чехословакию ураган перемещений подхватил и меня и бросил в 318-ю мотострелковую дивизию 13-й армии Прикарпатского военного округа. Под командование я получил вторую танковую роту в танковом батальоне 910-го мотострелкового полка. Рота моя не блистала, но и в отстающих не числилась. Жизнь свою я видел на много лет вперед: после роты — начальником штаба батальона, после этого надо будет прорваться в Бронетанковую академию им. маршала Малиновского, а потом будет батальон, полк, может быть, что и повыше. Отклонения могли быть только в скорости движения, но не по направлению. Направление я выбрал себе однажды на всю жизнь и менять его не собирался. Но судьба распорядилась иначе.

13 апреля 1969 года в 4 часа 10 минут взял меня осторожно за плечо мой посыльный:

— Вставайте, старший лейтенант, вас ждут великие дела.— Тут же он сообразил, что спросонья я к шуткам не расположен, и потому, сменив тон, коротко объявил: — Боевая тревога!

Собрался я за три с половиной минуты: одеяло в сторону, брюки, носки, сапоги. Гимнастерку — на себя, не застегивая,— это на ходу сделать можно. Теперь портупею на самые последние дырочки затянуть, командирскую сумку через плечо и фуражку на голову. Ребром ладони — по козырьку: совпадает ли кокарда с линией носа. Вот и все сборы. И бегом вперед. Мой пистолет в комнате дежурного по полку хранится. Пистолет при входе в полк я из огромного сейфа схвачу. А мой вещмешок, шинель, комбинезон и шлем всегда в танке хранятся. Бегом по лестнице вниз. Эх, в душ бы сейчас, да щеки бритвой поскоблить. Но не время. Боевая тревога! Тупорылый ГАЗ-66 уже почти полон. Все молодые офицерики да их посыльные, которые и того моложе. А в небе уже звезды тают. Они уходят тихо, не прощаясь, как уходят из нашей жизни люди, воспоминания о которых сладкой болью тревожат наши черствые души.

2

Гремит парк, ревет парк боевых машин сотнями двигателей. Серая мгла кругом да копоть солярная. Рычат потревоженные танки. По грязной бетонной дороге ползут серо-зеленые коробки, выстраиваются в нескончаемую очередь. Впереди широкогрудые плавающие танки разведывательной роты, вслед за ними бронетранспортеры штаба и роты связи, а за ними танковый батальон, а дальше за поворотом три мото-

13

стрелковых батальона вытягивают колонны, а за ними артиллерия полковая, зенитная и противотанковая батареи, саперы, химики, ремонтники. А тыловым подразделениям и места нет в громадном парке. Они свои колонны вытягивать начнут, когда головные подразделения далеко вперед уйдут.

Бегу я вдоль колонны машин к своей роте. А командир полка материт кого-то от всей души. Начальник штаба полка с командирами батальонов ругается, криком сотни двигателей перекрывает. Бегу я. И другие офицеры бегут. Скорее, скорее. Вот она, рота моя. Три танка — первый взвод, три — второй, еще три — третий. А командирский мой танк впереди. Вся десятка на месте. И уж слышу я все свои десять двигателей. Из общего рева их выделяю. У каждого двигателя свой нрав, свой характер, свой голос. И не фальшивит ни один.

Для начала неплохо. Перед своим танком я учащаю шаги, резко прыгаю и по наклонному лобовому броневому листу взбегаю к башне. Мой люк открыт, и радист протягивает мой шлем, уже подключенный к внутренней связи. Шлем из мира рева и грохота переносит меня в мир тишины и спокойствия. Но наушники оживают мгновенно, разрушая зыбкую иллюзию тишины. Сидящий рядом радист по внутренней связи (иначе пришлось бы орать на ухо) докладывает последние указания. Все о пустяках. Я его главным вопросом обрываю: война или учения? Хрен его знает — жмет плечами.

Как бы там ни было, моя рота к бою готова, и ее надо немедленно выводить из парка, таков закон. Скопление сотен машин в парке — цель, о которой наши враги мечтают. Я вперед смотрю. А разве увидишь что? Первая танковая рота впереди меня стоит. Наверное, командир еще не прибыл. Все остальные впереди тоже ждут. Я на крышу башни выскакиваю. Так виднее. Похоже на то, что в разведывательной роте танк заглох, загородив дорогу всему полку. Я на часы смотрю. Восемь минут нашему командиру полка осталось, бате нашему. Если через восемь минут колонны полка не тронутся — с командира полка погоны сорвут и выгонят из армии без пенсии, как старого пса. А к голове колонны ни один тягач из ремонтной роты сейчас не пробьется: вся центральная дорога, стиснутая серыми угрюмыми гаражами, забита танками от края до края. Я на запасные ворота смотрю. Дорога к ним глубоким рвом перерезана: там кабель какой-то или трубу начали прокладывать.

Я в люк прыгаю и водителю во всю глотку: «Влево, вперед!» И тут же всей роте: «Делай, как я!» А влево ворот нет никаких. Влево — стенка кирпичная между длинными блоками ремонтных мастерских. В командирском танке — лучший в роте водитель. Так установлено задолго до меня, и во всей армии. Я ему по внутренней связи кричу: «Ты в роте лучший! Я тебя, прохвоста, выбрал. Я тебя, проходимец, высшей чести удостоил — командирскую машину беречь да ласкать. Не посрами выбора командирского! Сокрушу, сгною!»

А водителю моему отвечать некогда. На совсем коротком отрезке разгоняет он броневого динозавра, перебрасывая передачи выше да выше. Страшен удар танком по стене кирпичной. Дрогнуло все у нас в танке, зазвенело, заныло. Кирпич битый лавиной на броню обрушился, ломая фары, антенны, срывая ящики с инструментами, калеча внешние топливные

15

баки. Но взревел мой танк и, окутанный паутиной колючей проволоки, вырвался из кирпичной пыли на сонную улочку тихого украинского городка. А я в задний триплекс смотрю. Танки роты моей пошли в пролом за мной весело да хулиганисто. К пролому дежурный по парку бежит. Руками машет. Кричит что-то. Рот разинут широко. Да разве услышишь, что он там кричит. Как в немом кино, по мимике догадываться приходится. Полагаю, что матерится дежурный. Шибко матерная мимика. Не спутаешь.

Когда десятый танк моей роты через пролом выходил, там уж регулировщики появились: форма черная, портупеи и шлемы белые. Те порядок наведут. Те знают, кого первым выпускать. Разведку — вот кого. В каждом полку есть особая разведрота с особой техникой, с особыми солдатами и офицерами. Но кроме нее, в каждом мотострелковом и танковом батальоне полка подготовлено еще по одной роте, которые ни особой техники, ни особых солдат не имеют, но и они могут использоваться для ведения разведки. Вот эти роты и нужно выпускать вперед. Нас, белые шлемы, выпускайте! Нам сейчас далеко вперед вырваться надо.

3

Смотришь на роты в дивизии или в полку — все они одинаковы постороннему взгляду. Ан нет. В каждом батальоне первая рота и есть первая. Какие ни есть плохие солдаты в батальоне, а все, что есть лучшего, комбат в первую роту собирает. И если нехватка офицеров, то свежее офицерское пополнение обязательно первой роте отдадут. Потому как первая рота на главной оси батальона всегда идет. Она первая с врагом лбами сшибается. А от завязки боя и его исход во многом зависит.

Вторая рота в любом батальоне — средняя. Офицеры во вторых ротах без особых отличий, вроде меня, и солдаты тоже. Зато каждая вторая рота имеет дополнительную разведывательную подготовку. У нее вроде как смежная профессия есть. Прежде всего она тоже боевая рота, но если потребуется, то она может вести разведку в интересах своего батальона, а может и в интересах полка работать, заменяя собой или дополняя особую полковую разведроту.

В Советской Армии 2400 мотострелковых и танковых батальонов. И в каждом из них третья рота не только по номеру третья. В третьих ротах обычно служат те, кто ни в первые, ни во вторые роты не попал: совсем молодые, неопытные офицеры или перезрелые, бесперспективные. Солдат в третьих ротах всегда не хватает. Более того, на территории Союза третьи роты в подавляющем большинстве вообще солдат не имеют. Техника их боевая постоянно на консервации стоит. Война начнется — тысячи этих рот дополнят резервистами и быстро поднимут до уровня обычных боевых подразделений. В этой системе — глубокий смысл: добавить в дивизию резервистов, это в тысячу раз лучше, чем формировать новые дивизии целиком из резервистов.

Моя вторая танковая рота стремительно уходит вперед. На повороте я оглядываюсь и считаю танки. Пока скорость выдерживают все. Прямо за последним танком моей роты, выбивая искры из бетона, не отставая, идет гусеничный бронетранспортер с белым флажком. А у меня от сердца отлегло. Маленький белый флажок означает присутствие посредников. А их присутствие в свою очередь означает учения, но не войну. Значит, поживем еще.

А надо мною вертолет-стрекоза. Вниз скользит. Разворачивается и заходит прямо против ветра, чтоб не снесло его. С правого борта завис. Я на крыше башни. Рука правая над головой. Пилот рыжий совсем. Лицо как сорочье яйцо, веснушками изукрашено. А зубы — снег. Смеется. Знает он, вертолетный человек, что тем ротным, кому он сейчас приказы развез, денек выпал не из лучших. Вертолет тут же вверх и в сторону уходит. Только рыжий пилот смеется. Только зубы его блестят, лучи восходящего светила отражают.

4

Танк мой грудастый Вселенную пополам режет, и то, что единым было впереди, распадается надвое. И летят перелески справа и слева. Грохот внутри — адов. Карта на коленях. И многое становится ясно. Дивизию в прорыв бросили, и идет она стремительно на запад. Только где противник — неясно. Ничего об этом карта не говорит. И оттого впереди дивизии рвутся два десятка рот, и моя — в их числе. Роты эти, как растопыренные пальцы одной ладони. Их задача — нащупать самое уязвимое место в обороне противника, на которое командир дивизии обрушит свой тысячетонный кулак. Уязвимое место противника ищут на огромных пространствах; и поэтому каждая из высланных вперед рот идет в полном одиночестве. Знаю я, что идут где-то рядом такие же роты лихо и стремительно, но обходя очаги сопротивления, деревни и города. И моя рота тоже в изнурительные стычки не ввязывается: встретил противника, сообщил в штаб и обходи. Скорее обходи и снова вперед. А где-то вдали главные силы, как ревущий поток, прорвавший плотину. Вперед, ребята, вперед на запад!

А бронетранспортер с белым флагом не отстает. Он, проклятый, вдвое легче танка, а силищи в нем почти столько же. Пару раз пытался я оторваться, мол, высокие скорости — залог победы. Но не выгорело. Когда взводом командовал, то такие вещи вполне проходили, но с ротой не пройдет. Разорвешь колонну, танки по болотам порастеряешь. За это не жалуют, за это с роты снимают. Черт с вами, думаю, проверяйте на здоровье, а роту я растягивать не буду...

— Кран впереди! — кричит по радио командир шестого танка, высланного вперед.

Кран? Подъемный? Точно! Кран! Весь зелененький, стрела для маскировки ветками облеплена. Где на поле боя можно кран увидеть? Правильно? В ракетной батарее! Каждый ли день такая удача!

— Рота,— ору.— Ракетная батарея! К бою... Вперед!

А уж мои ребята знают, как с ракетными батареями расправляться. Первый взвод, обгоняя меня, рассыпается в боевую линию. Второй, резко увеличивая скорость, уходит вправо и, бросая в небо комья грязи из-под гусениц, несется вперед. Третий взвод уходит влево, огромным крюком охватывая батарею с фланга.

— Скорость! — рычу. А водители это и без меня понимают. Знаю, что у каждого водителя сейчас правая нога уперлась в броневой пол, вжав педаль до упора.

19

И оттого двигатели взвыли непокорно и строптиво. И оттого рев такой. И оттого копоть невыносимая: топливо не успевает сгорать полностью в двигателях, и жутким напором газа его выбрасывает через выхлопные горловины.

— Разведку прекращаю... квадрат... 13—41... стартовая позиция... принимаю бой...— Это мой радист-заряжающий кричит в эфир наше, может быть, последнее послание. Ракетные подразделения и штабы противника должен атаковать каждый при встрече, без всяких на то команд, каковы бы ни были шансы, чего бы это ни стоило.

Заряжающий щелчком обрывает связь и бросает первый снаряд на досылатель. Снаряд плавно уходит в казенник, и мощный затвор, как нож гильотины, дробящим сердце ударом запирает ствол. Башня плывет в сторону, а под моими ногами полетела влево спина механика-водителя, боеукладка со снарядами. Казенник орудия, вздрогнув, плывет вверх. Наводчик вцепился руками в пульт прицела, и мощные стабилизаторы, повинуясь его корявым ладоням, легкими рывками удерживают орудие и башню, не позволяя им следовать бешеной пляске танка, летящего по пням и корягам. Большим пальцем правой руки наводчик плавно давит на спуск. С тем чтобы страшный удар не обрушился на наши уши внезапно, во всех шлемофонах раздается резкий щелчок, заставляя барабанные перепонки сжаться, встречая всесокрушающий грохот выстрела сверхмощной пушки. Щелчок в шлемофонах опережает выстрел на сотые доли секунды, и оттого мы не слышим самого выстрела.

Сорокатонная громада летящего вперед танка дрогнула. Орудийный ствол отлетел назад и изрыгнул из себя звенящую дымную гильзу. И тут же, вторя командирской пушке, бегло залаяли остальные. А заряжающий уже второй снаряд бросил на досылатель.

— Скорость! — ору я.

А грязь из-под гусениц фонтанами. А лязг гусениц даже громче пушечного грохота. А в шлемофонах щелчок — это наводчик опять на спуск давит. И снова мы своего собственного выстрела не слышим. Только орудие судорожно назад рванулось, только гильза страшно звенит, столкнувшись с отбойником. Мы слышим выстрелы лишь соседних танков. А они слышат нас. И эти пушечные выстрелы стегают моих доблестных азиатов, как плетью между ушей. И звереют они. Я каждого из них сейчас представить могу. В пятом танке наводчик между выстрелами резиновый налобник прицела от восторга гложет. Это не только в роте, во всем батальоне знают. Нехорошо это. Отвлекается он от наблюдения за обстановкой. Его за это даже чуть в заряжающие не перевели. Но уж очень точно стреляет, прохвост. В восьмом танке командир всегда топор с собой держит, и, когда его пушка захлебывается беглым огнем, он обухом по броне лупит. А в третьем танке прошлый раз командир включил рацию на передачу — да и забыл ее выключить, забивая всю связь в ротной сети. И вся рота слышала, как он скрежетал зубами и подвывал по-волчьи...

— Круши! — шепчу я. И шепот мой на тридцать километров радиоволны разносят, вроде я каждому из своих милых свирепых азиатов это слово прямо в ушко нашептываю. — Круши-и-и-и!

А по ушам щелчок, а гильза снова звенит. Аромат у стреляных гильз дурящий. Кто тот ядовитый аромат вдыхал, тот зверел сладострастно. Круши! От грохота, от мощи небывалой, от пулеметных трелей пьянеют мои танкисты. И не удержит их теперь никакая сила. Вот и водители всех танков вроде как с цепи посрывались. Рвут рычаги ручищами своими грубыми, терзают машины свои, гонят их, непокорных, в пекло прямо. А я назад смотрю: не обошли бы с тылов. А далеко позади бронетранспортер с белым флажком. Отстал, из сил выбился. Люди в нем несчастные: нет у них такой пушки сверхмощной, нет у них грохота одуряющего, нет аромата пьянящего. Нет у них в жизни наслаждения, не познали они его. Оттого труслив их водитель, камни да пни осторожно обходит. А ты не бойся! А ты машину ухвати лапами, рви ее и терзай. Броневая машина — существо нежное. Но если почувствует машина на себе могучего седока, то озвереет и она. И понесет она тебя вскачь по валунам гранитным, по пням тысячелетних дубов, по воронкам и ямам. Не бойся гусеницы изорвать, не бойся торсионы переломать. Рви и круши, и понесет тебя танк, как птица. Он, танк, тоже боем упивается... Он рожден для боя. Круши!

...Выводи роту из боя...

Искры из-под гусениц. Влетела рота на позиции ракетной батареи. Скрежет в уши, то ли гусеницы по стальному листу, то ли зубы моего наводчика в моих наушниках.

...Выводи роту из боя...

Чтоб не задеть друг друга, танки без всякой команды огонь прекратили, только ревут, как волки, рвущие оленя на части. Бьют танки лбами своими броневыми хлипкие ракетные транспортеры, краны да пусковые установки, в жирный чернозем втаптывают красу и гордость ракетной артиллерии. Круши!

— ...Выводи роту из боя...— снова слышу я чей-то далекий скрипучий голос и вдруг понимаю, что это проверяющий ко мне обращается. Ах черт! Да кто же в такой момент наивысшего, почти сексуального блаженства людей от любимого занятия отрывает? Проверяющий, твою мать, ты же моих жеребцов в импотентов превратишь! Кто тебе право дал портить великолепную танковую роту? Ты враг народа или буржуазный вредитель? Хуль тебе в зубы! Рота, круши! И, треснув кулаком по броне, выматерив в открытый эфир всю штабную сволочь, которая порохового дыма по своим канцеляриям не нюхала, я командую:

— Роте боевой отбой! Влево на поляну повзводно марш!

Мой водитель в сердцах рвет левый рычаг до упора, отчего танк всей массой своей почти опрокидывается вправо, ломая красавицу березу. Мастерски водитель перебрасывает передачи, почти с секундным перерывом, и, мгновенно добравшись до верхней, бросает броневого динозавра вперед, через кусты и глубокие ямы, прямо на поляну, и, лихо развернувшись, снижает обороты почти до нуля, отчего машина замирает на месте, бросив нас далеко вперед, как при внезапном торможении самолета в самом конце разбега. Остальные танки с разочарованным ревом один за другим вырываются из леса и, судорожно тормозя, выстраиваются в четкую линию.

— Разряжай! Оружие к осмотру! — подаю команду и вырываю шнур шлемофона из разъема, а заряжающий щелчком вырубает всю связь.

23

5

Бронетранспортер с проверяющими далеко отстал. Пока он доковылял до роты, я успел проверить вооружение, получил рапорта о состоянии машин, о расходе топлива и боеприпасов, построил роту и замер посредине поляны в готовности рапортовать.

Стою, в уме плюсы и минусы подсчитываю, за что меня хвалить могут, а за что наказывать: рота из парка начала выход на восемь минут раньше срока — за это хвалят, за это иногда командиру роты и золотые часики подбросить могут. В начале войны счет на секунды идет. Все танки, все самолеты, все штабы должны рывком из-под удара выйти. Тогда первый, самый страшный удар противника по пустым военным городкам будет нанесен. Восемь минут! Тут мне плюс несомненный. Все танки мои исправны и весь день таковыми оставались. Это моему зампотеху — плюс. Жаль, что из-за нехватки офицеров нет у меня в роте зампотеха. Я сам за него работаю. Опорные пункты мы обходили крутым маневром, вовремя и четко сообщая о них. Это плюс командиру первого взвода. Жаль, и его в роте нет: опять же нехватка. Ракетную батарею не проморгали, не пропустили, унюхали, в землю ее втоптали. А ракетная батарея, самая захудалая, может пару Хиросим сотворить. Прекратив разведку и бросив свои коробки против ракет, я эти самые Хиросимы предотвратил. За такое на войне орденишко на грудь вешают, а на учениях хвалят долго...

А вот и проверяющий полковник. Ручки белые, чистенькие, сапожки блестят. Лужи он брезгливо обходит, как кот, чтобы лапки не испачкать. Командир полка, батя наш, тоже полковник, да только ручищи у него мозолистые, как у палача, к тяжелому труду его ручищи приучены. А рожа у нашего бати обожжена морозом, солнцем и ветрами всех известных мне полигонов и стрельбищ, не в пример бледному личику проверяющего полковника.

— Равняйсь! Смирно! Равнение направо!

Но проверяющий рапорта моего не слушает, он на полуслове обрывает:

— Увлекаетесь, старший лейтенант, в бою! Как мальчишка!

Я молчу. Я улыбаюсь ему. Вроде он не ругает меня, а медаль на грудь вешает. А он от моей улыбки еще пуще свирепеет. Свита его угрюмо молчит. Знает свита, что статья 97-я Дисциплинарного устава запрещает ругать меня в присутствии моих подчиненных. Знают майоры и подполковники, что, ругая меня в присутствии моих подчиненных, полковник не мой командирский авторитет подрывает, а авторитет всего офицерского состава доблестной Советской Армии, и в том числе свой собственный полковничий авторитет. А мне вроде бы и ничего. А я улыбаюсь.

— Это позорно, старший лейтенант, не слышать команд и не выполнять их.

Эх, полковник, а я бы на орудийных стволах вешал тех, кто в бою не увлекается, кого запах крови не пьянит. Это учения, а кабы в настоящем бою гусеницы наших танков были перепачканы настоящей кровью, не бутафорской, не театральной, так мои азиаты славные еще бы и не так распалились. Да только это не слабость. Это их сила. Их никто в мире остановить не смог бы.

25

— И еще со стенкой! Вы же стенку в парке поломали! Это преступление!

А про стенку я и думать забыл. Велика беда. Ее уж, наверно, восстановили. Долго ли? Пригони с губы десять арестантов, они за пару часов новую стенку сложат. И откуда мне, полковник, знать — учения это или война? Кто это во время тревоги знать может? А если война, и стенка целая осталась бы, а 2000 человек и сотни великолепных боевых машин все в одной куче сгорели бы? Ась, полковник? Большой титул ты носишь, именуешься ты начальником разведки 13-й армии, так поинтересуйся, сколько мои узбеки за день целей вскрыли. Они и по-русски не говорят, а цели вскрывают безошибочно. Похвали их, полковник! Не мне, так хоть им улыбнись. И я улыбаюсь ему. К роте своей я спиной сейчас стою, и повернуться мне к ней лицом никак нельзя. Только я и так знаю, что и вся моя рота сейчас улыбается. Просто так, без всякой причины. Они у меня такие, они в любой обстановке зубы скалят.

А полковнику это не нравится. Он, наверное, думает, что мы над ним смеемся. Озверел полковник. Зубами заскрежетал, как наводчик в бою. Наши улыбки он понять и оценить не способен. И оттого он кричит мне в лицо:

— Мальчишка, вы недостойны командовать ротой. Я отстраняю вас. Сдайте роту заместителю, пусть он ведет роту в казармы!

— Нет у меня сейчас заместителя, — улыбаюсь я ему.

— Тогда командиру первого взвода!

— Нет и его.— И чтобы полковнику всех командиров нижестоящих не перечислять, я объясняю: — Один я в роте офицер.

Полковник угас. Пыл с него сошел. Сошел, вроде и не было его. Ситуация, при которой в роте один только офицер, по нашей армии, особенно на территории Союза, почти стандартная. Офицерами быть много желающих, да только все полковниками быть хотят. А лейтенантский старт мало кого влечет. И оттого нехватка на самом низу. Нехватка офицеров жестокая. Но там наверху, в штабах, об этом как-то забывается. Вот и сейчас полковник просто не подумал, что я могу быть единственным офицером на всю роту. Меня он от командования отстранил, у него на это право есть. Но роту надо возвращать в казармы. А гнать роту, да еще танковую, одну, без офицеров на десятки километров нельзя. Это преступление. Это непременно расценят как попытку государственного переворота. Тут тебе, полковник, исход летальный. Если уж ты отстранил командира в обстановке, когда у него нет заместителей, то этим самым ты роту под свою персональную ответственность принял и никому эту роту доверить не имеешь права. Если бы такое право предоставили, то каждый командир дивизии мог бы вывести войска в поле, сместить командиров, заменить их теми, кто ему подходит, и — переворот. Но нет у нас переворотов, ибо не допущен каждый к деликатному вопросу подбора и расстановки командирских кадров. Снимать — твое право. Снимать легко. Снимать любой умеет. Это так же легко, как убить человека. Но возвращать командиров на их посты так же трудно, как мертвого к жизни вернуть. Ну что, полковник, думаешь меня вновь на роту поставить? Не выйдет. Недостоин я. И все это слышали. Не имеешь ты права ставить на роту недостойного. А если наверху узнают, что ты вблизи государственной грани-

27

цы снимал с танковых рот законных командиров и на их место недостойных ставил? Что с тобой будет? Ась? То-то.

Тут бы полковнику с командиром моего батальона или полка связаться, мол, заберите свою беспризорную роту. Но кончились учения. Кончились так же внезапно, как и начались. Кто же позволит боевой связью после учений пользоваться? Тех, кто допускал такие вольности, в 37-м расстреляли. После того никому не повадно такими вещами баловаться. Ну что же, полковник? Ну, веди роту. А может быть, ты уж и забыл, как ее водить? А может, ты никогда ее и не водил? Рос в штабах. Таких полковников множество. Любое занятие со стороны пустяковым кажется. И роту танковую вести тоже вроде несложно. Да только команды нужно подавать так, как они в новом Уставе записаны. Люди в роте не русские, не поймут. Хуже, если поймут, да не так. Тогда их и на вертолете по лесам и болотам не сыщешь. Тяжел танк, иногда на человека наехать может, под мост провалиться, в болоте может утонуть. А расплата всегда одна и та же.

Я не улыбаюсь больше. Ситуация серьезная, и смеяться незачем. Мне бы в самое время ладонь к козырьку: «Разрешите идти, товарищ полковник?» Все равно я тут теперь посторонний, не командир и не подчиненный. Вы кашу заварили, вы и расхлебывайте. Захотелось покомандовать, вот, товарищ полковник, и командуйте. Но злость и злорадство во мне быстро погасли. Рота родная, люди мои и машины мои. За роту я больше не отвечаю, но и не брошу ее просто так.

— Разрешите, товарищ полковник, — бросил я ладонь к козырьку, — последний раз роту провести. Вроде как попрощаться с ней.

28

— Да,— коротко согласился он. На одно мгновение показалось мне, что по привычке хочет он обычное наставление дать, мол, не гони, не увлекайся, колонну не растягивай. Но не сделал он этого. Может, у него и намерения такого не было, просто мне так показалось.

— Да, да, ведите роту. Считайте, что мой приказ еще в силу не вошел. Приведете роту в казарму, там ее и сдадите.

— Есть! — Поворачиваюсь я резко кругом, только заметил усмешки в свите полковника. Как это так, пока командуйте? Понимает свита, что нет такого положения — пока командуйте. Командир или достоин своего подразделения и полностью за него отвечает, или он недостоин, и тогда его немедленно отстраняют. Пока командуйте — это не решение. И за такой подход может полковник дорого поплатиться. Мне это ясно, и свите его. Но не до этого мне сейчас. У меня дело серьезное. Я ротой командую. И нет мне дела до того, что и кто подумал, кто как поступил и как за это будет наказан.

Перед тем как первую команду подать, обязан командир свое подразделение воле своей подчинить. Обязан он глянуть на своих солдат так, чтобы по строю легкая зыбь побежала, чтобы замерли они, чтобы каждый почувствовал, что сейчас командирская команда последует. А команды в танковых войсках беззвучны. Два флажка в моих руках. Ими я и командую.

Белый флажок резко вверх. Это первая моя команда. Жестом этим, коротким и резким, я своей роте длинное сообщение передал: «Ротой командую — я! Работу радиостанций на передачу до встречи с противником запрещаю! Внимание!» Команды бывают предварительные и исполнительные. Предварительной командой командир как бы ухватывает подчиненных железной уздой своей воли. И, натянув поводья, должен командир выждать пять секунд перед подачей главной команды. Должен строй застыть, ожидая ее, должен каждый почувствовать железные удила, должен каждый чуть вздрогнуть, должны мускулы заиграть, как перед хлестким ударом, должен каждый исполнительной команды ждать, как хорошая лошадь ждет удара плетью.

Красный флажок резко вверх, и оба — через стороны — вниз. Дрогнула рота, рассыпалась, коваными сапогами по броне загрохотала.

Может, прощалась со мной рота, может, проверяющим выучку свою демонстрировала, может, просто злость разобрала, и никак эту злость по-другому выразить невозможно было. Ах, если бы секундомер кто включил! Но и без секундомера я в тот момент знал, что бьет моя рота рекорд дивизии, а может, и какой повыше. Знал я в тот момент, что много в свите полковника настоящих танкистов и что каждый сейчас моими азиатами любуется. Много я сам видел рекордов в танковых войсках, знаю цену тем рекордам. Повидал я и руки поломанные, и зубы выбитые. Но везло ребятам в тот момент. И знал я как-то наперед, что не оступится ни один, не скользнет, совершая немыслимый прыжок в люк. Знал я, что и пальцы никому не отдавит. Не тот момент.

Десять двигателей хором взвыли. Я в люке командирском. Теперь белый флажок вверх в моей руке означает: «Я — готов!» И в ответ мне девять других флажков: «Готов! Готов! Готов!» Резкий круг над го-

нет, я им больше не ко
момент оглядываюсь: д
Командиры всех танко
резко вперед поворачи
ному шлему бросил, и
вяти танков четко по
приветствие.

Командир полка все
угрожающее вслед коло
нец поворачивает свире
Горилла лесная, атаман
выдержать может? Встр
данно для себя самого п
тонный взгляд выдержа
и ладонь широченную,
каждому батя на приве
И не ждал я этого. Хло
Танк мой уж прошел ми
командира смотрю. А о
него черная, как негати
бая всей моей роте видн
рее, которая следом за
кулачищем своим приве

Эх, командир. Не з
уже. Сняли меня, кома
ром. Вроде как публич
ничего. Думаешь, я зап
улыбаться буду. Всегда.
до улыбаться буду, вот
улыбаюсь. Роту я скоро
церов, сам знаешь. Жа
расставаться. Уж очень
Ну, ничего — пережив

ловой, и четкий жест в сторону востока: «Следуй за мной!»

Просто все. Элементарно. Примитивно? Да. Но никакая радиоразведка не может обнаружить даже выдвижение четырех танковых армий одновременно. А против других видов разведки есть столь же примитивные, но неотразимые приемы. И потому мы всегда внезапно появляемся. Плохо или хорошо, но внезапно. Даже в Чехословакии, даже семью армиями одновременно.

Проверяющий полковник вскарабкался на свой бронетранспортер. Свита за ним. Бронетранспортер взревел, круто развернулся и пошел в военный городок другой дорогой.

Свита полковника его явно ненавидит. В противном случае ему подсказали бы, что он должен идти прямо за моим танком. Я ведь теперь никто. Самозванец. Доверять мне роту — все равно как если бы начальник полиции доверил проведение ареста бывшему полицейскому, выгнанному с работы. Если уж тебе и пришла в голову такая идея, так хоть будь рядом, чтобы вовремя вмешаться. Если уж отдал роту кому-то, если не умеешь ею управлять, так хоть будь рядом, чтобы на тормоза вовремя нажать. Но не подсказал никто полковнику, что он жизнь свою в руки молодого старшего лейтенанта отдал. А старший лейтенант, отстраненный от власти, может любую гадость сотворить, он в роте посторонний. Отвечать же тебе придется. А может быть, знали все в свите, что старший лейтенант роту приведет без всяких происшествий? Знали, что не будет старший лейтенант ломать полковничью судьбу. А мог бы...

что полк вовремя по тревоге выход начал, что ты, командир, с полка не слетел. Стой тут и маши своим кулачищем. На то ты тут и поставлен. И не надо нам никакого другого командира в полку. Мы, командир, нрав твой крутой прощаем. И если надо, пойдем за тобой туда, куда ты нас поведешь. И я, командир, пойду за тобой, пусть не ротным, так взводным. А могу и простым наводчиком.

7

При возвращении боевой машины в парк что должно быть сделано в первую очередь? Правильно. Она должна быть заправлена. Исправленная или поломанная, но заправленная. Кто знает, когда новая тревога грянет? Каждая боевая машина должна быть готова повторить все сначала и в любую минуту. И оттого гудит снова парк. Сотни машин одновременно заправляются. Каждому танку минимум по тонне топлива надо. И бронетранспортеры тоже прожорливы. И артиллерийские тягачи тоже. И все транспортные машины заправить нужно. Тут же всем боевым машинам боекомплект пополнить надо. Снаряды танковые по 30 килограммов каждый. Сотни их подвезли. Каждая пара снарядов — в ящике. Каждый ящик нужно с транспортной машины снять. Снаряды вытащить. Упаковку с каждого снять. Почистить каждый, заводскую защитную смазку снять, и в танк его. А патроны — тоже в ящиках. По 880 штук в каждом. Патроны нужно в ленты снарядить. В ленте пулеметной 250 патронов. Потом ленты нужно в магазины заправить. В каждом танке по 13 магазинов. Теперь все стреляные гильзы нужно собрать, уложить их в

Так часто бывае
евой тревоги, вырв
возвращают. Глубо
вырабатывается. На
как на обычные уче
противника бдител
ветские дивизии из
внезапно. Противн
Дороги танковы
отбой дали всей ди
сколько дивизий се
нято, сколько их се
вращается! Может,
дивизии, а может,
дивизий были одно
У ворот военно
Командир полка
свои колонны встре
дирчивый. Ему взгл
нить роту, батарею,
командиры под сви
ровенный он мужик
дырочки застегнута,
полинских сапог сза
не натянешь их на
как чайник. И этим
верное, командиру т
она, бронетранспорт
в прожорливую горл
тарея этого батальон
моя очередь. И хотя
за мной, и хотя все

ящики и сдать на склад. Стволы позже чистить будем. По очереди всем взводом каждый танковый ствол, по многу часов каждый день, повторяя чистку много дней. Но сейчас, пока нужно стволы маслом залить. А вот теперь танки нужно помыть. Это грубая мойка. Основная мойка и чистка будет потом. А вот теперь солдат нужно накормить. Обеда не было сегодня, и поэтому обед совмещен с ужином. А после ужина всех на техническое обслуживание. К утру все проверить нужно: двигатели, трансмиссии, подвеску, ходовую часть. Где нужно, траки сменить. В четвертом танке торсион поломан на левом борту. В восьмом — оборачивающий редуктор барахлит. А в первой танковой роте два двигателя сразу менять будут. А с утра начнется общая чистка стволов. Чтобы готово все было! Сокрушу! И вдруг чувствую я пустоту под сердцем. И вдруг вспомнил я, что не придется мне с утра в своей роте проверять качество обслуживания. Может быть, и не пустят меня завтра вообще в танковый парк? Знаю, что все документы на меня уж готовы и что официально снимут меня не завтра утром, а уж сегодня вечером. И знаю, что положено офицеру на снятие идти в блеске, не хуже чем за орденом. И рота моя это знает. И потому, пока я с заправщиками ругался, пока ведомости расхода боеприпасов проверял, пока под третий танк лазил, уж кто-то мне и сапоги до зеркального блеска отполировал, и брюки выгладил, и воротничок свеженький пришил. Сбросил я грязный комбинезон, быстро в душ. Брился долго и старательно. А тут и посыльный из штаба полка.

Гремит парк. Через ворота разбитый бронетранспортер тягач тянет. Гильзы стреляные звенят. Гудят огромные «Уралы», доверху пустыми снарядными ящиками переполненные. Электросварка салютом брызжет. Все к утру будет блестеть и сиять. А пока грязь, грязь кругом, шум, грохот, как на великой стройке. Офицера от солдата не отличишь. Все в комбинезонах, все грязные, все матерятся. И идет среди этого хаоса старший лейтенант Суворов. И умолкают все. Чумазые танкисты вслед мне смотрят. Ясно каждому — на снятие старший лейтенант идет. Никто не знает, за что слетел он. Но каждый знает, что зря его снимают. Чувство такое у каждого. В другое бы время и не заметили старшего лейтенанта в чужих ротах, а если и заметили бы, то сделали вид, что не заметили. Так бы в двигателях и ковырялись, выставив промасленные задницы. Но на снятие человек идет. И потому грязной пятерней под замусоленные пилотки приветствуют меня чужие, незнакомые танкисты. И я их приветствую. И улыбаюсь я им. И они мне улыбаются, мол, бывает хуже, крепись.

А за стенами парка весь городок военный. Каштаны в три обхвата. Новобранцы громко, но нестройно песню орут. Стараются, но неуклюжи еще. Лихой ефрейтор покрикивает. Вот и новобранцы меня приветствуют. Эти еще телята. Эти еще ничего не понимают. Для них старший лейтенант — это очень большой начальник, гораздо выше ефрейтора. А что как-то особо сапоги у него блестят, так это, наверное, праздник у него какой-то...

Вот и штаб. Тут всегда чисто. Тут всегда тихо. Лестницы — мрамор. Румыны до войны строили. Ковры по всем коридорам. А вот и полуовальный зал, залитый светом. В пуленепробиваемом прозрачном конусе — опечатанное гербовыми печатями знамя полка. Под знаменем часовой замер. Короткий плоский штык дробит последний луч солнца, рассыпает его искрами по мрамору. Я приветствую знамя полка, а часовой под знаменем не шелохнется. Он ведь с автоматом. А вооруженный человек не использует никаких других форм приветствия. Его оружие и есть приветствие всем остальным людям.

Посыльный — прямо по коридору, к кабинету командира полка. Странно это. Почему не к начальнику штаба? Стукнул посыльный в командирскую дверь. Вошел, плотно закрыв дверь за собой. Тут же назад вышел, молча уступив проход, — входите.

За командирским дубовым столом незнакомый подполковник небольшого роста. Этого подполковника я сегодня в свите проверяющего полковника видел. Что за черт, дивлюсь, где же батя, где начальник штаба? И почему подполковник в командирском кресле сидит? Неужели по своему положению он выше нашего бати? Ну конечно, выше. Иначе не сидел бы за его столом.

— Садитесь, старший лейтенант, — не слушая рапорта, предлагает подполковник.

Сел. На краешек. Знаю, что сейчас громкие слова последуют, и оттого вскочить придется. Оттого спина у меня прямая. Вроде в строю стою, на параде.

— Доложите, старший лейтенант, почему вы улыбались, когда вас полковник Ермолов с роты снимал?

Глаза подполковника в душу смотрят: только правду говори, я тебя, старлей, насквозь вижу.

Смотрю на подполковника, на свежий воротничок на уже ношенной, но чистенькой и выглаженной гимнастерке. А что ответишь?

— Не знаю, товарищ подполковник.

— Жалко с ротой расставаться?

— Жалко.

— Рота твоя мастерски работала. Особенно в самом конце. А со стенкой все согласны: ее лучше сломать, чем весь полк под удар поставить. Стенку восстановить нетрудно...

— Ее уже восстановили.

— Вот что, старший лейтенант, зовут меня подполковник Кравцов. Я начальник разведки 13-й армии. Полковник Ермолов, снявший тебя с роты, думает, что он начальник разведки. Но он смещен, хотя об этом еще не догадывается. На его место уже назначен я. Сейчас мы объезжаем дивизии. Он думает, что он проверяет, а на самом деле это я дела принимаю, знакомлюсь с состоянием разведки в дивизиях. Все его решения и приказы никакой силы не имеют. Он распоряжается каждый день, а по вечерам я представляю свои документы командирам полков и дивизий, и все его приказы теряют всякую силу. Он об этом не догадывается. Он не знает, что его крик — это не более чем лесной шум. В системе Советской Армии и всего нашего государства он уже ноль, частное лицо, неудачник, изгнанный из армии без пенсии. Приказ об этом ему скоро объявят. Так что его приказ о смещении тебя с роты никакой силы не имеет.

— Спасибо, товарищ подполковник!

— Не спеши благодарить. Он не имеет права тебя отстранить от командования ротой. Поэтому я тебя отстраняю. — И, сменив тон, он тихо, но властно сказал: — Приказываю роту сдать!

У меня привычка давняя встречать удары судьбы улыбкой.

Но удар оказался внезапным, и улыбки не получилось.

Я встал, бросил ладонь к козырьку и четко ответил:

— Есть! Сдать роту.

— Садись.

Сел.

— Есть разница. Полковник Ермолов снял тебя, потому что считал, что роты для тебя много. Я снимаю тебя, считая, что роты для тебя мало. У меня для тебя есть должность начальника штаба разведывательного батальона дивизии.

— Я только старший лейтенант.

— Я тоже только подполковник. А вот вызвали и приказали принять всю разведку целой армии. Я сейчас не только принимаю дела, но и формирую свою команду. Кое-кого я за собой перетащил со своей прежней работы. Я был начальником разведки 87-й дивизии. Но у меня теперь хозяйство во много раз больше, и мне нужно очень много толковых исполнительных ребят, на которых можно положиться. И штаб разведывательного батальона — это минимум для тебя. Я попробую тебя и на более высоком посту. Если справишься...— Он смотрит на часы.— Двадцать минут тебе на сборы. В 21.30 отсюда в Ровно, в штаб 13-й армии пойдет наш автобус. В нем зарезервировано место и для тебя. Я заберу тебя к себе в разведывательный отдел штаба 13-й армии, если завтра ты сдашь экзамены.

Экзамены я сдал.

ГЛАВА ВТОРАЯ

1

От офицерской гостиницы до штаба 13-й армии — двести сорок шагов. Каждое утро я не спеша иду вдоль шеренги старых кленов, мимо пустых зеленых скамеек прямо к высокой кирпичной стене. Там, за стеной, в густом саду — старинный особняк. Когда-то очень давно тут жил богатый человек. Его, конечно, убили, ибо это несправедливо, чтоб у одних большие дома были, а у других — маленькие. Перед войной в этом особняке размещалось НКВД, а во время нее — гестапо. Очень уж место удобное. После войны тут разместился штаб одной из наших многочисленных армий. В этом штабе я теперь служу.

Штаб — это концентрация власти, жестокой, неумолимой, несгибаемой. В сравнении с любым из наших противников наши штабы очень малы и предельно подвижны. Штаб армии — это семьдесят генералов и офицеров да рота охраны. Это все. Никакой бюрократии. Штаб армии может в любой момент разместиться на десяти бронетранспортерах и раствориться в серо-зеленой массе подчиненных ему войск, не теряя при этом руководства ими. В этой его незаметности и подвижности — неуязвимость. Но и в мирное время он защищен от всяких случайностей. Еще первый владелец огородил свой дом и большой сад высокой кирпичной стеной. А все последующие владельцы стену эту укрепляли, надстраивали, дополняли всякими штуками, чтобы начисто отбить охоту через стену перелезть.

У зеленых ворот — часовой. Предъявим ему пропуск. Он его внимательно рассмотрит и — рука к козырьку: проходите, пожалуйста. От контрольного пункта самого здания не видно. К нему ведет дорога между стен густых кустов. С дороги не свернешь — в кустах непролазная чаща колючей проволоки. Так что иди по дороге, как по туннелю. А дорога плавно поворачивает к особняку, спрятанному среди каштанов. Окна его первого этажа много лет назад замурованы. На окнах второго этажа крепкие решетки снаружи и плотные шторы изнутри. Площадка перед центральным входом вымощена чистыми белыми плитами и окружена стеной кустов. Если присмотреться, то, кроме колючей проволоки в кустах, можно увидеть и серый шершавый бетон. Это пулеметные казематы, соединенные подземными коридорами с подвальным помещением штаба, где размещается караул.

Отсюда, от центрального дворика, дорога поворачивает вокруг особняка к новому трехэтажному корпусу, пристроенному к главному зданию. Отсюда можно наконец попасть в парк, который зеленой мглой окутывает весь наш Белый дом.

Днем на дорожках парка можно увидеть только штабных офицеров, ночью — караулы с собаками. Тут же в парке, совсем неприметный со стороны, вход в подземный командный пункт, сооруженный глубоко под землей и защищенный тысячами тонн бетона и стали. Там, под землей, — рабочие и жилые помещения, узел связи, столовая, госпиталь, склады и все, что необходимо для жизни и работы в условиях полной изоляции. Но кроме этого подземного КП, есть еще один. Тот не только бетоном, сталью и собаками защищен, но и тайной. Тот КП — призрак. Мало кто знает, где он расположен.

До начала рабочего дня — двадцать минут, и я брожу по дорожкам, шурша первым золотом осени. Далеко-далеко в небе истребитель чертит небо, пугая журавлей, кружащих над невидимым отсюда полем.

Вот офицеры потянулись к Белому дому. Время. Двинемся и мы. По дорожке, к широкой аллее, мимо журчащего ручья, теперь обогнем левое крыло особняка, вот мы снова на центральном дворике, среди густых кустов, под тяжелыми взглядами пулеметных амбразур из-под низких бетонных лбов сумрачных казематов.

Предъявим снова пропуск козыряющему часовому и войдем в гулкий беломраморный зал, где когда-то звенели шпоры, шелестели шелком юбки и за страусовыми перьями вееров прятали томные взгляды. Теперь тут юбок нет. Редко-редко мелькнет телеграфистка с узла связи. Юбка на ней суконная, форменная, хаки, в обтяжку. Что, полковники, вслед смотрите? Нравится?

По беломраморной лестнице — вверх. Тут уж мне вслед смотрят. Там наверху часовой. Там еще одна проверка документов. И сюда наверх отнюдь не каждому штабному полковнику вход разрешен. А я только старший лейтенант, но пропускают меня часовые. Внизу удивляются. Что за птица? Отчего по мраморной лестнице вверх ходит?

Предъявим еще раз пропуск и войдем в затемненный коридор. Тут ковры совсем заглушают наши шаги. В конце коридора — четыре двери, в начале — тоже четыре. Там, в конце коридора, кабинеты командующего армией, его первого заместителя, начальника штаба и политического шамана 13-й армии, который именуется — член Военного совета.

А четыре двери в начале коридора — это самые важные отделы штаба: первый, второй, восьмой и особый. Первый отдел — оперативный, он занимается боевым планированием. Второй отдел — разведывательный, он поставляет первому отделу всю информацию о противнике. Восьмой отдел названия не имеет, у него есть только номер. Мало кто знает, чем этот отдел занимается. А у особого отдела наоборот — номера нет, только название. Чем занимается — все знают.

Наш коридор — наиболее охраняемая часть штаба, и доступ сюда разрешен очень ограниченному числу офицеров. Конечно, в наш коридор и некоторые лейтенанты ходят: особисты и генеральские адъютанты. Вот и мне вслед полковники смотрят: что за гусь? А я не особист и не адъютант. Я — офицер второго отдела. А вот наша черная кожаная дверь — первая налево. Набрали шифр на пульте — и дверь плавно открылась. А за ней еще одна, на этот раз бронированная, как в танке. Нажмем на кнопку звонка, на нас глянет бдительное око через пуленепробиваемую смотровую щель, и щелкнет замок — вот мы и дома.

Раньше тут, видимо, был один большой зал, потом его разделили на шесть не очень больших кабинетов. В тесноте, но не в обиде. В одном кабинете — начальник разведки 13-й армии, мой благодетель и покровитель, пока еще подполковник, Кравцов. В остальных пяти кабинетах работают пять групп отдела. Первая группа руководит всей нижестоящей разведкой — разведывательными батальонами дивизий, разведротами полков, внештатными разведротами, артиллерийской, инженерной и химической разведкой. Пятая группа занимается электронной разведкой. В ее подчинении два батальона пеленгации и радиоперехвата, а кроме того, эта группа контролирует электронную разведку во всех дивизиях, входящих в состав нашей 13-й армии. Вторая и третья группы для меня — терра инкогнито. Но, проработав в четвертой группе месяц, я начинаю догадываться о том, чем эти совершенно секретные группы занимаются. Дело в том, что наша четвертая группа занимается окончательной обработкой информации, поступающей из всех остальных групп отдела. А кроме того, к нам стекается информация: снизу — от штабов дивизий, сверху — из штаба округа, сбоку — от соседей, пограничных войск КГБ.

В нашей группе в мирное время три человека. В военное время должно быть десять. В кабинете три рабочих стола. Тут работают два подполковника — аналитик и прогнозист, и я — старший лейтенант. Я работаю на самой простой работе — на перемещениях. Понятно, что аналитик в нашей группе старший.

Раньше на перемещениях тоже работал подполковник. Но новый начальник разведки его изгнал из отдела, освободив место для меня. Но должность эта по штату подполковничья, и это означает, что если мне на ней удастся удержаться, то очень скоро стану капитаном, а потом через четыре года — так же автоматически — майором, а еще через пять лет — подполковником. Если за эти годы мне удастся прорваться выше, то и следующие звания будут идти автоматически по выслуге лет. Но если я скачусь вниз, то за каждую новую звезду придется грызть кому-то глотку.

Подполковникам совсем не нравится инициатива нового начальника разведки — посадить в подполковничье кресло старшего лейтенанта, мое появление унижает их авторитет и опыт, но не это главное. Главное в том, что и в их кресла новый начальник может посадить молодых и порывистых. Они оба смотрят на меня и только слабыми кивками отвечают на приветствие.

В рабочем кабинете информационной группы разведывательного отдела три стола, три больших сейфа, книжные полки во всю стену и карта Европы — тоже во всю стену. Прямо напротив входа — небольшой портрет моложавого генерала. На погонах по три звезды. Иногда, когда никто не видит, я улыбаюсь генерал-полковнику и подмигиваю ему. Но генерал-полковник с портрета никогда мне не улыбается. Взгляд его холоден, суров и серьезен. Глаза, зеркало души, жестоки и властны. В уголках губ — легкая тень презрения. Под портретом нет никакой надписи. Нет ее и на обратной стороне портрета. Я проверял, когда в комнате никого не было. Вместо имени там стоит печать «Войсковая часть 44388» и грозное предупреждение: «Содержать только в защищенных помещениях Аквариума и подчиненных ему учреждений». Командный состав Советской Армии я знаю хорошо. Офицер обязан это знать. Но совершенно уверен, что генерал-полковника с портрета я не видел ни в одном военном журнале, включая и секретные. Ладно, товарищ генерал, не мешайте работать.

Передо мной на столе пачка шифровок, поступивших за прошлую ночь. Моя работа — разобраться с ними, изменения в составе и дислокации войск противника внести в «Журнал перегруппировок» и нанести на большую карту, которая хранится в первом отделе штаба армии.

Первая шифровка сразу ставит в тупик: на железнодорожном мосту через Рейн вблизи Кельна зарегистрирован эшелон, двадцать британских танков «Чифтен». Идиоты! В каком направлении прошел эшелон? Это усиление или ослабление? 20 танков — пустяк. Но из таких крупиц, и только из них, создается общая картина происходящего. И аналитик, и прогнозист имеют на столах точно такие же копии шифровок. И оттого, что они совершенно четко представляют себе картину происходящего, оттого, что в своих головах они держат тысячи цифр, дат, имен и названий, им, конечно, не надо поднимать шифровки предыдущих дней, чтобы там найти ключ к разгадке такого пустякового вопроса. Они испытующе смотрят на меня и совсем не спешат подсказать нужный ответ. Я поднимаюсь со своего места и иду к сейфу. Если перечитать снова все шифровки предыдущих дней, то, наверное, ответ будет однозначным. А четыре злых глаза мне в спину: трудись, старлей, знай, за что подполковники свой хлеб жуют.

2

Мы работаем до 17.00 с одним часовым перерывом на обед. Тот, кто имеет срочную работу, может оставаться в кабинете до 21.00. После этого все документы полагается сдать в секретную библиотеку, а сейфы и двери опечатать. Только подземный командный пункт не спит.

Во время обострения обстановки мы по очереди остаемся в штабе. В каждой группе по одному офицеру. А в моменты кризисов — все офицеры штаба по нескольку дней живут и работают в своих кабинетах или под землей. В подземном КП условия для жизни гораздо лучше, но там нет солнца, и потому, если можно, большую часть времени мы проводим в наших немного тесных кабинетах.

Если нет шифровок, то я читаю «Разведывательную сводку» Генерального штаба. Я полюбил эту пухлую, в 600 страниц, книгу. Я зачитываюсь ею, многие страницы знаю чуть ли не наизусть, несмотря на то что каждая из них вмещает иногда по нескольку сотен цифр и названий. Когда нет кризисов и напряженного положения, то подполковники ровно в 17.00 исчезают. У них, как у павловских подопытных псов, в определенное время слюна выделяется, чтобы плюнуть на печать и вдавить ее в пластилин на сейфе. С этого момента я остаюсь один. Я читаю «Разведывательную сводку» сотый раз. А кроме общей сводки, есть такая же толстая книга о бронетанковой технике, о флоте, о системе мобилизации бундесвера, о французских ядерных исследованиях, о системе тревог НАТО и еще черт знает о чем.

— Ты спишь когда-нибудь?

Я и не заметил, как на пороге появился подполковник Кравцов.

— Иногда, а вы?

— Я тоже иногда. — Кравцов смеется. Я знаю, что Кравцов каждый вечер сидит допоздна или же неделями пропадает в подчиненных ему подразделениях.

— Тебя проверить?

— Да.

— Где находится 406-е тактическое истребительное тренировочное крыло ВВС США?

— Сарагоса, Испания.

— Что входит в состав 5-го армейского корпуса США?

— 3-я бронетанковая, 8-я механизированная дивизии и 11-й бронекавалерийский полк.

— Для начала неплохо. Смотри, Суворов, скоро будет проверка, если ты не справишься с работой, то тебя выгонят из штаба. Меня не выгонят, но по шее дадут.

— Стараюсь, товарищ подполковник.

— А сейчас иди спать.

— Еще час можно поработать.

— Я сказал, иди спать. Ты мне рехнувшийся тоже не нужен.

3

Через две недели, когда подполковник-прогнозист находился в штабе округа, мне пришлось работать вместо него. За один день и две ночи я подготовил свой первый разведывательный прогноз: два тонких печатных листа с названием «Предполагаемая боевая активность 3-го корпуса бундесвера на предстоящий месяц». Эти листы начальник разведки просмотрел и приказал передать в первый отдел. Все прошло както буднично. Меня никто не хвалил, но никто и не смеялся над моим творением.

4

Воздушная волна бумаги со столов сорвала. Подполковники их телами накрывают. Не разлетелись бы. За каждую бумажку по 15 лет получить можно. Дверь кабинета без стука на всю ширину раскрылась. В двери лейтенант.

— Здравствуйте, Константин Николаевич, — улыбаются лейтенанту подполковники. Красив лейтенант, высок, плечист. Ногти розовые, полированные. Лейтенанта в штабе только по имени-отчеству называют. Положение его завидное — адъютант начальника штаба армии. Если просто его назвать «товарищ лейтенант» — это вроде как обидеть его. Поэтому — Константин Николаевич.

— Перемещения, — небрежно бросает Константин Николаевич. Можно, конечно, сказать: «Начальник штаба требует к себе офицера по перемещениям с докладом об изменениях в группировке противника за прошлую ночь». Но можно и проще это сделать, как это Константин Николаевич делает: коротко, с легким презрением.

Я быстро шифровки в папку собираю. Адъютант генеральский чуть подобрел, даже улыбнулся: «Не суетись под клиентом».

Подполковники адъютантской шутке зубки скалят. Суки штабные. За места теплые держитесь. А я этого терпеть не буду. Мне, кроме своих цепей, терять нечего.

— Не хами, лейтенант.

Лицо адъютанта вытянулось. Подполковники умолкли, на меня звериные взгляды уставили. Дурак, выскочка, хам. Как же ты с адъютантом разговариваешь? С Константином Николаевичем? Тут тебе не батальон. Тут штаб! Тут обстановку тонко чувствовать надо. Ты, деревенщина неотесанная, и на нас гнев накликаешь!

Выхожу из кабинета, генеральского адъютанта вперед себя не пропустив. И не пропущу никогда. Подумаешь, адъютантишко! Холуй генеральский. Ты солдата видел ли когда-нибудь на огневом рубеже? На стрельбище? Когда у него автомат с патронами, а у тебя только флажок красный в руке? Почувствовав оружие, идет солдат на мишени и мыслью терзается — а не врезать ли длинную очередь по командиру своему? За свою жизнь я каждого своего солдата десятки раз через огневой рубеж водил. И не однажды видел сомнение в солдатских глазах: по фанерке стрелять или насладиться смертью настоящей? А ты, адъютантик, водил солдат на огневой рубеж? А видел ты их один на один в лесу, в поле, на морозе, в горах? А видел ты злобу солдатскую? А случалось тебе вдруг застать всю роту пьяной с боевым оружием? Ты, адъютант, на мягких коврах карьеру делаешь и не рыпайся на Витю Суворова. Я терпел бы, если б ты капитаном был или если хотя бы одного возраста со мной оказался. А ты же сопляк, мальчишка, как минимум, на год младше меня.

В коридоре генеральский адъютант как бы нечаянно мне больно на ногу наступил. Я ждал выходки какой-нибудь и готов к ней был. Шел я чуть впереди адъютанта и чуть левее. И потому правым своим локтем двинул резко назад. В мягкое попал. Что-то в адъютанте булькнуло. Охнул адъютант, ртом разинутым воздух хватает, изогнулся, к стенке привалился. Медленно разгибается адъютант. Выше он меня и в кости шире. Кисти рук огромные. Мячик баскетбольный, наверное, той кистью без труда держать можно. Но пузечко слабеньким оказалось. А может, просто не ожидал удара. Это ты, адъютант, дурака свалял.

Удара всегда ожидать нужно. Каждое мгновение. Тогда и не будет такого сокрушительного эффекта.

Медленно адъютант выпрямляется, от моей руки взгляда не отрывает. А у меня два пальца рогаткой растопырены. Во всех странах этот жест викторию означает, победу то есть. А у нас этот жест означает: «Гляделки, сука, выколю».

Поднимается он медленно по стеночке, от растопыренных пальцев взгляд не отрывает. И понимает он, что его высокий покровитель ему сейчас не защита. Мы один на один, в пустом коридоре, как единоборцы на древнем поле боя, когда перед кровавой битвой от двух несметных армий вышли на средину только двое и будут бить друг друга. Он выше меня и шире, но сейчас он понимает, что суета жизни простилась со мной, и уже ничего, кроме победы, для меня не важно, и что за победу я готов платить любую цену, даже собственную жизнь. Он уже знает, что на любое его действие или даже слово я отвечу жутким ударом растопыренных пальцев в глаза и тут же вцеплюсь ему в глотку, чтобы уже никогда ее не отпустить.

Он, не моргая, медленно поднимает свои руки к горлу и, нащупав галстук, поправляет его.

— Начальник штаба ждет...

— Вас... — подсказываю я.

— Начальник штаба ждет ВАС.

Мне трудно возвращаться в этот мир. Я уже простился с ним перед смертельной звериной схваткой. Но он боя не принял. Я втягиваю воздух в себя и тру онемевшие от напряжения руки. Он не отрывает взгляда от моего лица. Мое лицо, видимо, изменилось, что-то говорит ему, что я его пока убивать не намерен. Я поворачиваюсь и иду по коридору. Он идет сзади. Я старший лейтенант, а ты еще только лейтенант, вот и топай сзади.

В приемной два стола, один против другого. Они, как бастионы, прикрывают каждый свою дверь. Одна дверь в кабинет командующего, другая в кабинет начальника штаба. У двери командующего за полированным столом — его адъютант. Он тоже лейтенант, но и его никто по званию или по фамилии в штабе не называет — Арнольд Николаевич его имя. Тоже высокий, тоже красивый. Форма на нем не офицерского — генеральского сукна. Ко мне с его стороны тоже никакого почтения, сквозь меня смотрит, не замечая. Есть на то причина: мой шеф, начальник разведки подполковник Кравцов, назначен на свой высокий пост без согласия командующего армией, его заместителя и начальника штаба, вытеснив их человека с этого важного поста. И оттого к моему шефу презрение командующего, придирки начальника штаба. Оттого ко всем нам, кого Кравцов за собой привел, общая ненависть офицеров штаба, особенно тех, кто работает на Олимпе, на втором этаже.

Мы — чужаки. Мы незваные гости в теплой компании.

Начальник штаба генерал-майор Шевченко вопросы ставит толково, слушает, не перебивая. Я ждал придирок, но он только пристально смотрит мне в лицо. В штабе появляются новые офицеры. Чья-то невидимая мощная рука толкает их прямо на мягкие ковры второго этажа. Мнения начальника штаба теперь почему-то не спрашивают, и это не может ему нравиться. Власть мягко, как вода, струится сквозь пальцы, как ее удержать? Он отворачивается к окну и смотрит в сад, заложив руки за спину. Кожа на его щеках фиолетовая, чуть-чуть жилки проступают. Я стою у двери, не зная, что делать.

— Товарищ генерал, разрешите идти?

Не отвечает. Молчит. Может, вопроса не услышал. Нет, услышал. Помолчав еще, он коротко отвечает «да», не повернув ко мне головы.

В приемной оба адъютанта встречают меня недобрыми взглядами. Ясно, что адъютант начальника штаба уже все рассказал своему коллеге. Конечно, они еще не доложили о случившемся своим покровителям, но непременно это сделают. Для этого они должны выбрать удобный момент, когда босс в соответствующем для подобного доклада настроении.

Я иду к двери, спиной чувствуя их ненавидящие взгляды, как пистолеты в затылок. Чувства во мне два сейчас — облегчение и досада. Служба моя штабная завершена, и ждет меня белая бескрайняя ледяная пустыня за Полярным кругом или желтая раскаленная пустыня, возможно, еще и суд офицерской чести.

Подполковники встречают меня гробовым молчанием. Они, конечно, не знают того, что случилось в коридоре, но и того, что случилось тут в кабинете, вполне достаточно, чтобы уже меня не замечать. Я — выскочка. Я внезапно взлетел высоко, но, не понимая этого и по достоинству не оценив случившегося, на этом месте не удержался и сорвался в пропасть. Я — никто. И моя участь их не беспокоит. Их интересует более важный вопрос: будет ли удар по мне перенесен и на моего, столь ими ненавидимого шефа.

Я запираю документы в сейф и спешу к подполковнику Кравцову, предупредить о грозящих ему неприятностях.

— С адъютантами не надо ссориться,— назидательно говорит он, не проявляя, однако, особого беспокойства по поводу случившегося. О том, что я ему рассказал, он, кажется, забывает мгновенно.— Чем ты намерен заниматься сегодня вечером?

— Готовиться к сдаче должности.

— Тебя еще никто из штаба не выгоняет.

— Значит, скоро выгонят.

— Руки коротки. Я тебя сюда, Суворов, за собой привел, и только я тебе могу дать команду убираться отсюда. Так чем ты намерен заниматься вечером?

— Изучать 69-ю группу сил 6-го флота США.

— Хорошо. Но тебе, кроме умственных, нужны и физические нагрузки. Ты — разведчик, ты должен пройти курс нашей подготовки. Ты знаешь, чем занимается вторая группа нашего отдела?

— Знаю.

— Как ты это можешь знать?

— Догадался.

— Так чем вторая группа, по-твоему мнению, занимается?

— Руководит агентурной разведкой.

— Правильно. А может, ты знаешь и чем третья группа занимается. — Он недоверчиво смотрит на меня.

— Знаю.

Он ходит по комнате, стараясь осмыслить то, что я ему сказал. Затем он порывисто садится на стул.

— Садись.

Я сел.

— Вот что, Суворов, из второй группы ты получал для обработки крупицы информации, и поэтому ты мог догадаться об их происхождении. Но из третьей группы ты ни черта не получал...

— Из этого я сделал вывод, что силы, подчиненные третьей группе, действуют только во время войны, а дальше догадался.

— Твоя догадка могла быть неверной...

— Но офицеры в третьей группе очень высокие, все как один...

— Чем же они, по-твоему, занимаются?

— Во время войны они вырывают информацию силой...

— ...и хитростью, — вставил он.

— Они диверсанты, террористы.

— Ты знаешь, как это называется?

— Этого я знать не могу.

— Это называется Спецназ. Разведка специального назначения. Диверсионная, силовая разведка. Мог ли ты догадаться, сколько диверсантов в подчинении третьей группы?

— Батальон.

Он вскочил со стула:

— Кто тебе это сказал?

— Догадался.

— Как?

— По аналогии. В каждой дивизии одна рота занимается глубинной разведкой. Это, конечно, не Спецназ, но нечто очень похожее. Армия на ступень выше дивизии, значит, в вашем распоряжении должна быть не рота, а батальон, то есть на ступень выше.

— Четыре раза в неделю по вечерам будешь являться вот по этому адресу, имея с собой спортивный костюм. Все. Иди.

— Есть!

— Если придет новый командующий армией и новый начальник штаба, а следовательно, и новые адъютанты, постарайся иметь с ними хорошие отношения.

— Вы думаете, что командование нашей армии скоро сменится?

— Я тебе этого не говорил.

5

В нашей информационной группе разведывательного отдела небольшие изменения. Подполковник, который работал на прогнозах, внезапно уволен в запас. Его вызвали на медицинскую комиссию, которая нашла нечто такое, что мешает ему оставаться в армии. На пенсии ему будет лучше. Уходить ему никак не хотелось, ибо каждый год после двадцати пяти дает солидную надбавку к пенсии. Но доктора неумолимы: ваше здоровье дороже всего.

Вместо подполковника на должность прогнозиста назначен капитан из разведки 87-й дивизии.

6

Начальник штаба должен знать все о противнике, поэтому каждое утро, разобравшись с шифровками, я иду к нему на доклад. Он никогда не вызывает меня по телефону, просто посылает адъютанта.

После нашей стычки прошло уже две недели. Я уверен, что адъютант давно доложил своему шефу о случившемся, конечно, в выгодном для себя свете. Но я все еще хожу по коридорам второго этажа, я еще не провалился в тартарары. Это генеральским адъютантам не совсем понятно. Им ясно, что я какое-то исключение в правиле, но они не знают, какое и почему, и потому не хамят мне больше. Этот вопрос и меня самого занимает — отчего, черт побери, я исключение?

7

У нас изменения. Начальник первого отдела штаба смещен. Вместе с ним уволены старшие групп и некоторые ведущие офицеры. Вместо полковника на должность поставлен подполковник. За собой он привел целый табун капитанов и старших лейтенантов и рассадил их по подполковничьим местам.

8

— Начальник разведки 13-й армии приказал мне пройти сокращенный курс подготовки для работы в третьей группе.

— Да... да... я знаю... заходи.— Он широко улыбается. Ручищи у него, как клешни у краба.— Информаторы должны работать у нас, они должны понимать, как кусочки информации собираются и какова им цена. Переодевайся.

Сам он босиком, в зеленой куртке и в зеленых брюках, мягких, но, видимо, прочных. Руки по локоть обнажены и напоминают мне здоровенные, необычно чистые, волосатые лапы хирурга, который лет пять назад собирал меня из кусочков.

Мы в широком солнечном спортивном зале. Посреди зала два одиноких стула кажутся совсем маленькими в этой необъятной шири.

— Садись.

Мы сели на стулья лицом к лицу.

— Руки на колени положи и расслабь их, как плети. Всегда так сиди. В любой обстановке ты должен быть предельно расслаблен. Нижние зубы не должны касаться верхних. Челюсть должна отвисать, слегка, конечно. Шею расслабь. Ноги. Ступни. Ногу на ногу никогда не клади — это нарушает кровообращение. Т-а-а-к.— Он встал, обошел меня со всех сторон, придирчиво оглядывая. Потом ручищами ощупал шею, мышцы спины, кисти рук. — Никогда не барабань пальцами по столу. Так делают только неврастеники. Советская военная разведка таких в своих рядах не держит. Что ж, ты достаточно расслаблен, приступим к занятиям.

Он садится на стул, руками держится за сиденье, потом качается на двух задних ножках стула и вдруг, качнувшись резко назад, опрокидывается на спину вместе со стулом. Улыбается. Вскакивает. Поднимает стул и садится на него, скрестив руки на коленях.

— Запомни, если ты падаешь назад, сидя на стуле, с тобой ничего не может случиться, если, конечно, сзади нет стенки или ямы. Падать назад, сидя на стуле, так же просто и безопасно, как опуститься на колени или встать на четвереньки. Но природа наша человеческая противится падению назад. Нас сдерживает только наша психика... Возьмись руками за сиденье... Я тебя подстраховывать не буду, удариться ты все равно не можешь... покачайся на задних ножках стула... Стой, стой, боишься?

— Боюсь.

— Это ничего. Это нормально. Было бы странно, если бы не боялся. Все боятся. Возьмись руками за сиденье. Начинай без моих команд. Покачались...

Я качался на стуле, балансируя, затем слегка нарушил баланс, качнувшись чуть больше, и стул медленно пополз в бездну. Я вжался в сиденье. Я втянул голову в плечи. Потолок стремительно уходил вверх, но падение затянулось. Время остановилось. И вдруг спинка стула грохнулась об пол. Только тут я по-настоящему испугался и в то же мгновение радостно рассмеялся: со мной решительно ничего не случилось. Голова, повинуясь рефлексу, чуть ушла вперед, и оттого я просто не мог удариться затылком. Удар приняла спина, плотно прижатая к спинке стула. Но площадь спины гораздо больше площади ступней, и оттого падение назад менее неприятно, чем прыжок со стула на землю.

Он протянул мне руку.

— А можно я еще попробую?

— Конечно, можно,— улыбается.

Я сел на стул, ухватился руками за сиденье и повалился назад.

— Я еще попробую,— радостно кричу я.

— Да, да, наслаждайся.

9

— По нашему заказу Академия наук разработала методику прыжков из скоростного поезда, а равно из автомобиля, трамвая... Математические формулы тебе не нужны, пойми только вывод: из стремительно несущегося поезда надо прыгать задом и назад, приземляться на согнутые ноги, стараясь сохранить равновесие и не касаясь руками земли. В момент касания земли нужно мощно оттолкнуться и несколько секунд продолжать бег рядом с поездом, постепенно снижая скорость. Наши ребята прыгают с поездов на скоростях 75 километров в час. Это общий стандарт. Но есть одиночки, которые этот стандарт значительно перекрывают, прыгая с гораздо более скорых поездов, прыгая под уклон, с мостов, прыгая с оружием в руках и со значительным весом за спиной. Запомни: главное — не коснуться руками земли. Ноги вынесут тебя. Мышцы ног обладают исключительной силой, динамичностью и выносливостью. Касание рукой может нарушить стремительный ритм движения ног. За этим следуют падение и мучительная смерть. Потренируемся. Вначале тренажер. Настоящий поезд будет позже. Начинаем со скорости десять километров в час...

10

А через месяц мы вдвоем стояли на перилах железнодорожного моста. Далеко внизу холодная свинцовая река медленно несет свои воды, сворачиваясь в могучие змеиные кольца у бетонных опор. Я уже грамотен и понимаю, что человек может ходить и по телеграфному проводу над бездонной пропастью. Все дело в психической закалке. Человек должен быть уверен, что ничего плохого не случится, и тогда все будет нормально. Цирковые артисты тратят годы на элементарные вещи. Они ошибаются. У них нет научного подхода. Они базируют свою подготовку на физических упражнениях, не уделяя достаточного внимания психологии. Они тренируются много, но не любят смерть, боятся ее, стараются ее обойти, забывая о том, что можно наслаждаться не только чужой смертью, но и своей собственной. И только люди, не боящиеся смерти, могут творить чудеса вместе с богами.

— Дураки говорят, что вниз смотреть нельзя, — кричит он.— Какое наслаждение смотреть вниз на водовороты!

Я смотрю в глубину, и она больше не кажется мне жуткой и влекущей, как змеиная пасть для лягушонка. И ладони мои больше не покрываются отвратительной холодной влагой.

11

Опять изменения в руководстве 13-й армии. В каждой армии по два генерал-майора артиллерии. Один командует ракетными подразделениями и артиллерией, второй — ПВО. В 13-й смещены оба.

12

В Прикарпатском военном округе грандиозные изменения.

Скоропостижно скончался командующий Прикарпатским военным округом генерал-полковник Бисярин. Еще не прошло и года с того времени, когда он командовал Прикарпатским фронтом в Чехословакии. Он был бодр и здоров и правил четырьмя армиями своего фронта легко и свободно. Говорят, что он никогда не болел. И вот его нет.

Командование военным округом принял генерал-лейтенант танковых войск Обатуров. И тут же в штабе военного округа произошло массовое смещение людей Бисярина и их замена людьми Обатурова. И тут же волна изменений покатилась вниз в штабы армий. В округе их четыре: 57-я воздушная, 8-я гвардейская танковая, 13-я и 38-я. По мягкому ковру нашего коридора быстро прошли два новых генерала — новый командующий нашей 13-й армией и новый начальник штаба.

В этот день броневую дверь разведывательного отдела всем посетителям открывал я. Звонок. Через танковый триплекс я вижу незнакомого лейтенанта. О, я знаю, кто это.

— Пароль?

— Омск.

— Допуск?

— 106.

— Заходите. — Тяжелая дверь плавно отошла в сторону, пропуская лейтенанта.

— Доброе утро. Товарищ старший лейтенант, мне нужен начальник разведки.

— Я доложу ему. Одну минуту подождите, пожалуйста. — Я стукнул в дверь своего шефа и тут же вошел: — Товарищ подполковник, к вам адъютант нового командующего армией.

— Просите.

Лейтенант входит:

— Товарищ подполковник, вас просит командующий.

Я знаю наперед, что будут учения, что шифровки будут сыпаться как из рога изобилия, что молодые адъютанты устанут смертельно, у них будут красные, воспаленные глаза, когда ночами мы будем вместе с ними работать над большой картой. Я знаю, что после первых учений два новых адъютанта и я напьемся до зеленых чертиков и станем друзьями. Я буду рассказывать им похабные анекдоты, а они мне — смешные истории из интимной жизни их покровителей.

Но и сейчас уже, после самой первой встречи, уже по тому, как адъютант приветствовал меня, и по тому, как он входил в кабинет моего шефа, я понимаю, что мы фигуры одного цвета. Новые генералы в штабе армии — люди Обатурова. Новые начальники отделов, включая и Кравцова, — люди Обатурова. Новые адъютанты, новые офицеры в штабе — все они люди Обатурова. Я осознаю впервые, что и я член этой группы. И я знаю, что сам новый командующий Прикарпатским военным округом генерал-лейтенант Обатуров — человек какой-то мощной группы, стремительно и неудержимо идущей к власти.

Все, кто пришел в этот штаб и в другие штабы округа раньше нас, все они — фигуры другого цвета. И их время кончилось. Тех, кто стар достаточно, будут вышибать на пенсию, остальных — в раскаленные пески. Старая группа под мощным, но невидимым со стороны ударом рухнула и рассыпалась, и ее осколкам никогда не быть верными слугами воротил этого общества, никогда не нежиться в лучах могущества...

В секретной библиотеке я столкнулся с бывшим адъютантом бывшего начальника штаба. Он сдавал документы. Он едет куда-то очень далеко командовать взводом. Он более двух лет уже офицер, но никогда не имел в своем распоряжении недисциплинированных, полупьяных, совершенно неуправляемых солдат. Если бы с этого началась его служба, то все было бы нормально. Но его служба началась с мягких ковров. В любой обстановке он сытно ел и был в тепле. Теперь все ломалось. Человек привыкает быть на дне пропасти. А если он всегда там находился, то и с трудом представляет, что может быть какая-либо другая знь. Но лейтенант был вознесен к вершинам, а теперь снова падал в пропасть. На самое дно. И это падение было мучительным.

Он улыбается мне. А улыбка его кажется собачьей. Когда-то очень давно на Дальнем Востоке я видел двух псов, прибившихся к чужой своре. Но свора рычала, не желая принимать чужаков в свою среду. И тогда один из этих псов бросился на своего несчастного товарища и загрыз его. Их борьба продолжалась долго, и свора терпеливо следила за исходом поединка. Один ревел, а другой, более слабый, жутко визжал, не желая расставаться с жизнью. Убив своего товарища, а может быть, и брата, весь искусанный и изорванный пес, поджав хвост, подошел к своре, демонстрируя свою покорность. И тогда свора бросилась на него и разорвала.

Почему-то бывший адъютант мне напомнил того пса с поджатым хвостом, готового грызть кого угодно, лишь бы быть принятым в свору победителей. Дурак. Будь гордым. Езжай в свою пустыню и не виляй хвостом, пока тебя не загрызли.

13

В ту ночь снился мне старый добрый еврей дядя Миша. Было мне тогда 15 лет. Учился я в школе и работал в колхозе. Зимой работал время от времени, летом — наравне с матерыми мужиками. Поэтому когда на обсуждение встал серьезный вопрос, то на собрание позвали и меня. Дело вот в чем было: в конце августа каждый год наш колхоз отправлял в город Запорожье одного человека на две-три недели торговать арбузами. Конец августа приближался, и

нужно было решить, кто и
году торговать колхозн

Сидят мужики в к
разгаре, а мужикам не
чат. Председатель предло.
Сережку послать. Первые
свистят, стучат ногами и ска
ставит вопрос на голосование.
лову теряет. В таких случаях ну.
сить: «Кто против?» Никто, конеч
руку. Тогда и голосованию конец, зна
ны. Но председатель по ошибке спра
за?» Он привык так вопрос ставить, когда
рую политику нашей родной партии одоб
тут вопрос кровный. Тут все руки вверх едине
не будут тянуть.

— Кто за? — повторяет председатель.

А зал молчит. Ни одна рука вверх не поднялас
Просчитался председатель. Не так вопрос поставил. Сережку, зятя председателева, нельзя посылать, значит.
Махнул он рукой: сами тогда решайте. Опять шум и
крик. Все с мест повскакали. Снова все недовольны.

А я в углу сижу. О чем люди спорят, никак в толк
не возьму. Те мужики, что в прошлые годы арбузами
торговать ездили, уверяют всех, что работа эта опас-
на: шпана на базаре зарезать может. Если ошибешься в расчетах, милиция арестует или придется потом
с колхозом своими собственными деньгами рассчитываться. Но странное дело, ни один из них, раньше
торговавших, вроде бы и не очень упирается, если
его на эту опасную, неблагодарную работу вновь выд-
вигают. Зато все остальные сразу ногами топают и
кричат, что он мошенник и плут и что от него только
убыток колхозу.

е странно, если работа опасная и неблаго-
его и не сунуть на эту работу вместо себя.
е пускает собрание ни одного из названных.
овых кандидатов называют. И все так же ре-
но собрание их отклоняет. Чудеса. Нет бы пер-
кого председатель назвал, и послать на это
ятое место. Всем бы облегчение. Так нет же,
му не хочется посылать туда ни врага своего, ни
а, ни соседа. Такое впечатление, что каждый сам
а норовит попасть, да другие его не пускают. А
ли я туда не попал, так и тебя не пущу.

Спорили, спорили, утомились. Всех перебрали.
Всех отклонили.

— Кого ж тогда? Витьку Суворова, что ли? Мал
он еще.

Но мужики на этот счет другое мнение имели. Я
им не равен ни по возрасту, ни по опыту, ни по авто-
ритету, для мужиков вроде бы как никто. И послать
меня означало для них почти то же самое, что не
послать никого. Пусть Витька едет, рассуждал каждый, лишь бы мой враг туда не попал. Так и пореши-
ли. Проголосовали единогласно. Председатель и даже
зять его Сережка — и те руки вверх подняли.

Привезли меня в город два лохматых мужика в три
часа ночи. Вместе мы арбузы разгрузили, уложили их
в деревянный короб у зеленого дощатого навеса, в котором мне предстояло проработать шестнадцать дней
и проспать пятнадцать ночей.

В пять утра базар уже гудел тысячами голосов.
Мужики давно уехали, а я один со своими арбузами
остался. Торгую. Из-за прилавка не выхожу. Стесня-
юсь. Ноги босые, а в городе никто так не ходит.

Торгую, судьбу проклинаю. Еще меня никто и резать не собирается, а жизнь уж в моих глазах меркнет Арбузы у меня отменные. Очередь у прилавка огромная. Все кричат, как на колхозном собрании. А я считаю. Цена моим арбузам — 17 копеек за килограмм. Это государственная цена, отклониться от нее — в тюрьму посадят. Считаю. Математику я любил. Но ничего у меня не получается. Весит, допустим, арбуз 4 килограмма 870 граммов, если по 17 копеек за килограмм брать, то сколько такой арбуз стоит? Если б толпа не шумела, если б та баба жирная меня за волосья ухватить не норовила, то я мигом бы сосчитал. А так ни черта не получается. Ни карандаша, ни бумажки с собой нет. Откуда знать было, что потребуются?

Толстые женщины в очереди злятся на медлительность, напирают на прилавок. Те, что купили, в сторонке сдачу подсчитывают, снова к прилавку подбегают, кричат, милицию вызвать грозятся. А арбузы самые разные, и вес у них разный, и цена разная, а копейка на доли не делится. Вспомнил я слова мужиков на собрании: просчитаешься, потом с колхозом своими деньгами рассчитываться будешь. А откуда у меня свои деньги? Ни черта у меня не получается. Я толпе кричу, что закрываю торговлю. Тут меня чуть не разорвали. Уж больно арбузы хорошие.

А напротив меня в лавочке старый еврей с косматыми белыми бровями сидит. Шнурками торгует. Смотрит он на меня, морщится, как от зубной боли. Невыносимо ему на эту коммерцию смотреть. То отвернется, то глаза к небу закатит, то на пол плюнет.

Долго он так сидел, мучился. Не выдержал. Закрыл лоточек свой, встал со мной рядом и давай торговать. Я ему арбузы кидаю, на которые он длинным костлявым пальцем указывает, и, пока успеваю я арбуз из кучи выхватить, он предыдущий на лету ловит, взвешивает, подает, деньги принимает, сдачу отсчитывает, мне на следующий пальцем тычет да еще и улыбаться всем успевает. Да и тычет не на всякий арбуз, а с понятием: то меня на самый верх кучи гонит, то к основанию, то с другой стороны кучи забежать мне приходится, то обратно вернуться. А он всем улыбается. Ему все улыбаются. Все его знают. Все ему кланяются. «Спасибо, дядя Миша»,— говорят.

За час он всю очередь пропустил. А куча наполовину уменьшилась. Только мы с очередью управились, он мне кучу денег вывалил: трешки мятые, рубли рваные, кое-где и пятерки попадаются. Мелочь звенящую он отдельной кучкой сложил, сдачу чтоб давать.

— Вот,— говорит,— выручка твоя. В правый карман ее положи, тут достаточно, чтобы с твоим колхозом за сегодня рассчитаться. А все, что сегодня еще выручишь, смело в свой левый карман клади.

— Ну, дядя Миша,— говорю,— век не забуду!

— Это не все,— говорит.— Это только я практику преподал, а теперь теорию слушай.

Принес он лист бумаги. Написал цены на нем: 1 кг — 17 копеек, 2 кг — 34... и так до десяти. Но с килограммами у меня проблемы не было, с граммами проблема. Вот и их он отдельным столбиком пишет: 50, 100, 150...

— Копейка на доли не делится, поэтому за 50 граммов ничего можно не взять, а можно взять целую копейку. И так правильно, и так. За 100 граммов можешь взять 1 копейку, а можешь 2 копейки взять. С хорошего человека бери всегда минимум, а с нормального человека всегда бери максимум.

Быстро он мне цены пишет... 750 — минимум 12 копеек, максимум — 13.

— Как же вы, дядя Миша, так считаете быстро?

— А я не считаю, я просто цены знаю.

— Черт побери,— говорю,— цены же меняются!

— Ну и что,— говорит,— если завтра тебе по 18 копеек прикажут продавать, значит, например, за 5 килограмм 920 грамм можно минимум взять рубль и 6 копеек, а максимум — рубль и 8 копеек. Граммы тоже округлять нужно для хорошего человека в сторону минимума, а для нормального — в сторону максимума. Хорошему человеку хороший арбуз давай. Нормальному человеку — нормальный.

Как хороший арбуз от нормального отличить — я знаю. У хорошего арбуза хвостик засушен, а на боку желтая лысинка. А вот как хороших людей от обычных отличить? Если спрошу, ведь он смеяться будет. Вздохнул я, но ведь и мне когда-то ума набираться надо, и спросил его...

От этого вопроса он аж присел. Долго вздыхал, головой качал, глупости моей удивлялся.

— Заприметь хозяек из окрестных домов, тех, которые у тебя каждый день покупают. Вот им и давай лучшие арбузы, да по минимальной цене. Их немного, но они о тебе славу разносят, рекламу тебе делают, мол, честный, точный и арбузы сладкие. Они тебе очередь формируют. Раз две-три возле тебя стоят, значит, десять других вслед им пристроятся. Но это уж покупатели одноразовые. Им-то и давай обычные арбузы похуже, а бери максимум с них. Понял?

Картон с ценами он над моей головой приладил. Со стороны не видно, но стоит мне голову вверх задрать, вроде цены вычисляя, — все цены передо мной.

Так и пошла торговля. Быстро да с доходом. Хороши арбузы! Ах, хороши! Подходи — налетай! Через день окрестные домохозяйки меня узнавать стали. Улыбаются. Я им арбузы по минимальной цене — улыбаюсь. Всем остальным — по максимальной, тоже улыбаюсь.

С одного покупателя — доли копеечки. С другого — тоже. Вдруг я понял выражение, что деньги к деньгам липнут. Не обманывал я людей, просто доли копейки в свою пользу округлял, но появились в моем левом кармане трешки мятые, рубли рваные, иногда и пятерки.

Посчитаю доход — все лишние деньги у меня. Сдам колхозу выручку, а в моем собственном кармане все прибывает. Появилась в кармане хрустящая десятка. Пошел я к дяде Мише, протягиваю.

— Спасибо, дядя Миша, — говорю. — Научил, как жить.

— Дурак,— говорит дядя Миша,— вон милиционер стоит. Ему дай. А у меня и своих достаточно.

— Зачем же милиционеру? — дивлюсь я.

— Просто так, — говорит. — Подойди и дай. От тебя не убудет. А милиционеру приятно.

— Я же преступления не совершаю. Зачем ему давать?

— Дай, говорю.— Дядя Миша сердится.— Да когда давать будешь, не болтай. Просто сунь в карман и отойди.

Пошел я к милиционеру. Суровый стоит. Рубаха на нем серая, шея потная, глаза оловянные. Подошел к нему прямо вплотную. Аж страшно. А он и не шевелится. В нагрудный карманчик ему ту десятку, трубочкой свернутую, сунул. А он и не заметил. Стоит, как статуя, глазом не моргнет. Не шелохнется.

Пропали, думаю, мои денежки. Он и не почувствовал, как я ему сунул.

На следующее утро тот милиционер снова на посту. «Здравствуй, Витя», — говорит.

Удивляюсь я. Откуда б ему имя мое знать?

— Здравствуйте, гражданин начальник, — отвечаю.

А каждый вечер машина из колхоза приезжала. Отвалят мужики две-три тонны арбузов на новый день, а я за прошедший день отчет держу: было ровно две тонны; продал 1816 кг, остальные не проданы — битые и мятые, их 184 кг. Вот выручка — 308 рублей 72 копейки. Взвесят мужики брак, в бумагу запишут и домой поехали. А я битые арбузы корзиной через весь базар на свалку таскаю. За этим занятием меня дядя Миша застал. Охает, кряхтит, моей тупости дивится. Отчего, говорит, ты тяжелую грязную работу делаешь, да еще и без всякой для себя прибыли?

— Какая от них польза? — удивляюсь я. — Кто же их гнилые да битые купит?

Опять он сокрушается, глаза к небу закатывает. Продавать, говорит, их не надо. Но и таскать их на свалку тоже не надо. Оставь их, сохрани. Придет завтра контроль, а ты их и покажи второй раз, да вместе с теми, что завтра битыми окажутся. Продашь ты завтра, допустим, 1800 кг, а говори, что только 1650. А еще через день снова продашь 1800, но показывай все битые арбузы, что за три дня скопились, и говори, что удалось продать только 1500 килограммов.

Так и пошло.

— Не увлекайся, — учит дядя Миша. — Жадность фраера губит.

Это я и сам понимаю. Не увлекаюсь. Если 150 кг в день у меня битых, я только 300 кг показываю, но не больше. А ведь мог бы и полтонны показать. На этих битых арбузах в день я по 25 рублей в свой левый карман клал. В колхозе я и в месяц по стольку не зарабатывал. Да от долей тех копеечных в карманах оседало. Да еще несколько секретов дядя Миша шепнул.

В последний вечер захватил я шесть бутылок коньяка, надел новые туфли лакированные, пошел к дяде Мише.

— Дурак, — говорит дядя Миша. — Ты, — говорит,— эти бутылки своему председателю отдай, чтоб он и на следующее лето твою кандидатуру на собрании выдвинул.

— Нет, — говорю, — у тебя, может, и своих много, но возьми и мои тоже. Возьми их от меня на память. Если не нравятся — разбей об стенку. Но я тебе их принес и обратно не заберу.

Взял он их.

— Я, — говорю, — две недели торговал. А вы сколько?

— Мне, — отвечает, — семьдесят три сейчас, а вошел я в коммерцию с шести лет. При Государе Николае Александровиче.

— Вы за свою жизнь, наверное, всем торговали?

— Нет, — отвечает, — только шнурками.

— А если б золотом пришлось торговать, сумели бы?

— Сумел бы. Но не думай, что на золоте проще деньги делать, чем на других вещах. Вдобавок все наперед знают, что ты миллионер подпольный. На шнурках больше заработать можно, и спокойнее с ними.

— А чем тяжелее всего торговать?

— Спичками. Наука исключительной сложности. Но если овладеть ею, то миллион за год сколотить можно.

— Вы, дядя Миша, если бы в капиталистическом мире жили, то давно бы миллионером были...

На это он промолчал.

— А у нас-то в социализме не развернешься, быстро расстреляют.

— Нет,— не соглашается дядя Миша, — и при социализме не всех миллионеров расстреливают. Нужно только десятку трубочкой свернуть — и милиционеру в кармашек. Тогда не расстреляют.

А еще говорил дядя Миша, что деньги собирать не надо. Их тратить надо. Ради них на преступление идти не стоит и рисковать из-за них незачем. Не стоят они того. Другое дело, если они сами к рукам липнут — тут уж судьбе противиться не нужно. Бери их и наслаждайся.

А на земле нет такого места, нет такого человека, к которому миллион бы сам в руки не шел. Правда, многие этих возможностей просто не видят, не используют. И, сказав это, он трижды повторил, что счастье не в деньгах. А в чем счастье, он мне не сказал.

Редко дядя Миша мне снится. Трудно сказать почему, но в те ночи, когда добрый старик приходит ко мне на пыльный базар, я плачу во сне. В жизни я редко плакал, даже и в детстве. А во сне — только когда его вижу. Шепчет дядя Миша на ухо мудрость жизни, а я все запоминаю и радуюсь, что ничего не упустил. И все им сказанное в уме стараюсь удержать до пробуждения. Все просто, истины — прописные. Но просыпаюсь — и не помню ничего.

Разбудил меня лучик яркого света. Потянулся я и улыбнулся мыслям своим. Долго вспоминал, что мне дядя Миша на ухо шептал. Нет, ничего не помню. А было что-то важное, чего никак забывать нельзя. Из тысячи правил только самый маленький кусочек остался: людям улыбаться надо.

ГЛАВА ТРЕТЬЯ

1

Главный элемент снаряжения диверсанта — обувь. После парашюта, конечно.

Матерый диверсант со шрамом на щеке выдал мне со склада пару ботинок, и я их с интересом разглядываю. Обувь эта — не то что ботинки, но и не сапоги. Нечто среднее. Гибрид, сочетающий в себе лучшие качества и сапога, и ботинка. В ведомости эта обувь числится под названием Бэ-Пэ — Ботинки Прыжковые. Так их и будем называть.

Сделаны эти ботинки из толстой мягкой воловьей кожи и весят гораздо меньше, чем это кажется по их виду. Ремней и пряжек на каждом ботинке много: два ремня вокруг пятки, один широкий вокруг ступни, два — вокруг голени. Ремни тоже очень мягкие. Каждый ботинок впитал в себя опыт тысячелетий. Ведь так ходили в походы наши предки: обернув ногу мягкой кожей и затянув ее ремнями. Мои сапоги именно так и сделаны: мягкая кожа да ремни.

Но вот таких подошв наши предки не знали. Подошвы толстые, широкие и мягкие. Мягкие, конечно, не значит, что непрочные. В каждой подошве по три титановые пластинки, они, как чешуя, одна на другую наложены — и прочно, и гибко. Такие титановые пластинки-чешуйки в бронежилетах используются — пулей не пробьешь. Конечно, в подошвы они не против пуль вставлены. Эти титановые пластинки защищают ступни от шипов и кольев, что в изобилии встречаются на подступах к особо важным объектам. При случае с такими подошвами и по огню бегать можно. Пластинки и еще одну роль выполняют, они чуть выступают в стороны из подошв и служат опорами для лыжных креплений.

Рисунок на подошвах ботинок скопирован с подошв солдатской обуви наших вероятных противников. В зависимости от того, в каких районах предстоит действовать, мы можем оставлять за собой стандартный американский, французский, испанский или любой другой след.

И все же главная хитрость не в этом. Диверсионный, точнее прыжковый, ботинок имеет каблук впереди, а подошву сзади. Так что когда диверсант идет в одну сторону, его следы повернуты в другую. Понятно, что каблуки сделаны более тонкими, а подошвы более толстыми, так, чтобы ноге было удобно, чтобы перестановка каблук — вперед, подошва — назад не создавала трудностей при ходьбе.

Опытного следопыта вряд ли, конечно, обманешь. Он-то знает, что при энергичной, быстрой ходьбе носок оставляет более глубокую вмятину, чем пятка. Но много ли людей всматриваются в отпечатки солдатских подошв? Многие ли из них знают, что носок оставляет более четкий след? Многие ли обратят внимание на то, что вдруг появился след, у которого все наоборот? Многие ли смогут по достоинству оценить увиденное? Кому может прийти в голову идея сапога, у которого каблук на носке, а подошва на пятке? Кому в голову придет мысль, что, если следы ведут на восток, значит, человек прошел на запад?

Да ведь и мы не глупые. Диверсанты, как волки, они по одному не ходят. И, как волки, мы идем след в след. Пойми поди, сколько нас в группе было, трое или сто. А когда по одному следу прошло много ног, то уловить тонкий нюанс, что наши каблуки вдавили грунт больше, чем носки, почти невозможно.

К диверсионному ботинку есть только один тип носка: очень толстый, чистой шерсти. И куда бы мы ни шли, в тайгу или в знойную пустыню, носки будут всегда одинаковыми: толстые очень, шерстяные, серого цвета. Такой носок и греет хорошо, и хранит ногу от пота, не трет ее и не стирается сам. А носков у диверсанта две пары. Хоть на день идешь, хоть на месяц. Две пары. Крутись как хочешь.

Белье льняное, тонкое. Оно должно быть новым, но уже немного ношенным и минимум один раз стиранным. Поверх тонкого белья надевается «сетка» — второе белье, выполненное из толстых мягких веревок в палец толщиной. Так что между верхней одеждой и тонким бельем всегда остается воздушная прослойка почти в сантиметр. Умная голова это придумала. Если жарко, если пот катит, если все тело горит, такая сетка — спасение. Одежда к телу не липнет, и вентиляция под одеждой отменная. Когда холодно — воздушная прослойка хранит тепло, как перина, и вдобавок не весит ничего. Сетка и еще одно назначение имеет. Комариный нос, проткнув одежду, попадает в пустоту, не доставая до тела. Диверсанта в поле только злая судьба выгнать может.

Диверсант в лесу да на болоте обитает. Он часами в жгучей осоке, в огневой крапиве лежит под звенящим зудом комариным. И только сетка его и спасает. А уж сверху брюки и куртка — зеленые, из хлопчатой ткани. Швы везде тройные. Куртка и брюки мягкие, но прочные. На сгибах, на локтях и коленях, на плечах материя тройная, для большей прочности.

На голове диверсанта шлем. Зимой он кожаный, меховой, с шелковым подшлемником, летом—хлопчатый. Диверсионный шлем из двух частей: собственно шлем и маска. Шлем должен не слетать с головы ни при каких условиях, даже при десантировании. Он не должен иметь никаких пряжек, ремешков и выступов на внешней части, ибо он в момент прыжка находится прямо у парашюта. На шлеме не должно быть ничего, что могло бы помешать куполу и стропам четко раскрыться. Поэтому десантный шлем выполнен точно по форме человеческой головы и плотно закрывает голову, шею и подбородок, оставляя открытыми только глаза, нос и рот. Во время сильных морозов, а также при выполнении задания маскировки ради глаза, нос и рот закрываются маской.

Есть у диверсанта еще и куртка. Она толстая, теплая, легкая, непромокаемая. В ней можно в болоте лежать — не промокнешь, и спать в снегу — не замерзнешь. Длина куртки — до середины бедра — и ходить не мешает, и если надо на льду сутками сидеть, чтоб она и сиденьем служила. Снизу куртка широкая. При беге и быстрой ходьбе это очень важно —вентиляция. Но если нужно, нижняя часть может быть стянута туго, облегая ноги и сохраняя тепло. Раньше диверсанты и брюки такие же имели, толстые да теплые. Но это было неправильно. Когда идешь сутками, не останавливаясь, такие брюки — помеха. Они всю вентиляцию нарушают. Наши предки мудрые никогда меховых брюк не нашивали. Вместо этого они имели длинные шубы до пят. Правы они были. В меховых брюках сопреешь, а в длинной шубе — нет. Древний опыт теперь учтен, и диверсант имеет только куртку, но в случае необходимости к ней пристегиваются длинные полы, которые закрывают тело почти до самых пят: всегда тепло, но никогда не жарко. Эти полы легко отстегиваются и скручиваются рулоном, не занимая много места в багаже диверсанта.

Раньше куртки выворачивались на две стороны. Одна сторона белая, другая — серо-зеленая, пятнистая. Но и это было неправильно. Куртка изнутри нежной должна быть, как кожа женщины, она должна ласкать диверсантское тело. А снаружи она должна быть грубой, как шкура носорога. Поэтому куртки теперь не выворачиваются на две стороны. Они нежные изнутри и корявые снаружи. А цвета они светло-серого, как прошлогодняя трава или как грязный снег. Цвет выбран очень удачно. Ну а если нужда острая, поверх куртки можно надеть белый легкий маскировочный халат.

Все снаряжение диверсанта умещается в РД — ранец десантный. РД, как и вся одежда и снаряжение диверсанта, светло-серый. Он небольшой, форма его прямоугольная. Выполнен он из плотной материи. Чтобы не оттягивал плечи назад, он сделан плоским, но широким и длинным. Крепления десантного ранца выполнены так, что он может закрепляться на теле в самых разных положениях. Его можно повесить на грудь, можно закрепить высоко за спиной, можно опустить вниз на самую задницу и закрепить на поясе, высвободив на время растертые плечи.

Куда бы диверсант ни шел, у него только одна фляга воды — 810 граммов. Кроме этого, он имеет флакончик с маленькими коричневыми обеззараживающими таблетками. Такую таблетку можно бросить в воду, загрязненную нефтью, бациллами дизентерии, мыльной пеной. Через минуту вся грязь оседает вниз, а верхний слой можно слить и выпить. Чистая вода, полученная таким способом, имеет отвратительный вкус и режущий запах хлора. Но диверсант пьет ее. Тот, кто знает, что такое настоящая жажда, пьет и такую воду с величайшим наслаждением.

Если диверсант идет на задание на неделю или на месяц, время роли никакой не играет, он несет с собой всегда одинаковое количество продовольствия — 2765 граммов. Часто в ходе выполнения задания ему могут подбросить с самолета и продовольствия, и воды, и боеприпасов. Но этого может и не случиться, и тогда живи — как знаешь. Почти три килограмма продовольствия — это очень много, учитывая необычную калорийность специально разработанной и изготовленной пищи. Но если этого не хватит, продовольствие нужно добывать самостоятельно. Можно убить оленя или кабана, можно наловить рыбы, можно есть ягоды, грибы, ежей, лягушек, змей, улиток, земляных червей, можно вываривать березовую кору и желуди, можно... да мало ли что может съесть голодный человек, особенно если он владеет концентрированным опытом тысячелетий.

Кроме продовольствия, в десантном ранце диверсант несет с собой четыре коробки саперных спичек, которые не намокают, горят на любом ветру и под водой. У него сто таблеток сухого спирта. Он не имеет права разжигать костер. Поэтому он греется и готовит пищу у огонька таблетки. Этот огонек точно такой же, как огонек свечки, только более устойчив на ветру. Есть в его ранце и два десятка других таблеток, на этот раз медицинских. Это от всяких болезней и против отравлений.

А еще в десантном ранце — одно полотенце, зубная щетка и паста, безопасная бритва, тюбик жидкого мыла, рыболовный крючок с леской, иголка с ниткой. Расческу диверсант с собой не носит. Перед выброской его стригут наголо — меньше голова потеет и волосы мокрые не залепят глаза. За месяц отрастают новые волосы, но не настолько длинные, чтобы тратить драгоценное место для расчески. Он и так много несет на себе. Есть два варианта вооружения диверсанта: полный комплект вооружения и облегченный комплект.

Полный комплект — это автомат Калашникова АКМС и 300 патронов к нему. Некоторые автоматы имеют дополнительно ПБС — прибор бесшумной и беспламенной стрельбы — и НСП-3 — ночной беспподсветный прицел. Во время десантирования автомат находится в чехле, чтобы не помешать правильному раскрытию парашюта. Чтобы в первый момент после приземления не оказаться беззащитным, каждый диверсант имеет бесшумный пистолет П-8 и 32 патрона к нему. А кроме того, на правом его голенище висит огромный диверсионный нож-стропорез, а на левом голенище — четыре запасных лезвия для ножа. Диверсионный нож — не обычный. В его лезвии могучая пружина. Можно снять предохранитель, а затем нажать на кнопку спуска, и лезвие ножа с жутким свистом метнется вперед, отбрасывая руку с пустой рукояткой назад. Тяжелое лезвие ножа выбрасывается вперед на 25 метров. Если оно попадет в дерево, то вытащить его обратно не всегда возможно, и тогда диверсант вставляет в пустую рукоять новое запасное лезвие, всем своим телом наваливаясь на рукоять, чтобы согнуть мощную пружину. Затем застегивается предохранитель, и диверсионным ножом снова можно пользоваться как обычным: резать людей и хлеб, пользоваться им как напильником или саперными ножницами для резания колючей проволоки. Если диверсант несет полный комплект вооружения, то вдобавок ко всему этому в его сумке шесть гранат, пластическая взрывчатка, мины направленного действия или другое тяжелое вооружение.

Облегченный комплект вооружения несут офицеры и солдаты-радисты. В облегченный комплект входят автомат со 120 патронами, бесшумный пистолет и нож. Все это на складе выдает мне бывалый диверсант. Пистолет у меня настоящий. Я иду с группой диверсантов посредником. Я проверяющий, и потому мне не нужно стрелять. Но я тоже офицер разведки и тоже должен чувствовать вес автомата и патронов. Поэтому мой автомат учебный. Он такой же, как и боевые автоматы, но уже порядочно изношен и списан. В патроннике ствола просверлено отверстие и выбита надпись «учебный». Я вешаю автомат через плечо. Носить учебный автомат с дыркой в патроннике мне не приходилось уже много лет. С таких автоматов начинают службу самые молодые солдаты и курсанты военных училищ. Тот, кто носит такой автомат, обычно является в армии объектом легких, незлых шуток. Я, конечно, не чувствую себя молодым и желторотым. Но все же в диверсионных войсках я совсем новый человек. И, получив автомат с дыркой, вдруг совершенно автоматически решаю проверить, не считают ли они меня желторотым и не подбросили ли они мне одну из старых армейских шуток. Я быстро снимаю ранец с плеч, открываю его, из небольшого карманчика достаю ложку. На ложке, как и на казеннике автомата, просверлена дыра и красуется точно такая же надпись: «учебная».

— Извините, товарищ старший лейтенант, — матерый диверсант делает смущенное лицо, — недосмотрели.

Ему немного жаль, что я в армии не первый день, знаю все эти древние шутки и проявил достаточно бдительности. Он вызывает своего помощника, совсем молоденького солдатика, и тут же при мне отчитывает его за невнимание. И он, и я понимаем, что молоденький солдатик тут ни при чем, что учебную ложку мне подсунул сам сержант. Сержант тут же приказывает учебную ложку немедленно выбросить, чтоб такая глупая шутка больше никогда не повторялась. Конечно, я понимаю, что ее не выбросят. Она будет служить еще многим поколениям диверсантов. Но порядок есть порядок. Сержант должен дать необходимые указания, а молодой солдат должен быть наказан. Сержант быстро достает другую ложку и подает мне. Шутка не получилась, но он видит, что я армейский юмор понимаю, умею его ценить и не нарушу старых традиций криком: на шутки в армии обижаться не положено. Он снова серьезен и деловит:

— Удачи вам, товарищ старший лейтенант.

— Спасибо, сержант.

2

Каждый в Советской Армии укладывает свой собственный парашют лично. Это и к генералам относится; не знаю, прыгал ли Маргелов, став генералом армии, но будучи генерал-полковником — прыгал. Это я знаю точно. И конечно, сам для себя парашют укладывал. А кроме Маргелова, в воздушно-десантных войсках много генералов, и все прыгают. А кроме них, десятки генералов в военной разведке, и те из них, кто прыгать продолжает, сами себе парашюты укладывают. Это мудро. Если ты гробанулся, то и вся ответственность на тебе на мертвом. А живые за тебя ответственности не несут.

Все парашюты хранятся на складе. Они уложены, опечатаны, всегда готовы к использованию. На каждом парашюте расписка на шелке: «Рядовой Иванов. Этот парашют я укладывал сам».

Но если нас поднимает не ночная тревога, если нас используют по плану с полным циклом подготовки, то все парашюты распускают и укладывают вновь. И вновь каждый на нем распишется: «Этот парашют я укладывал сам».

Укладка производится в тех условиях, в которых придется прыгать. А прыгать придется на морозе, оттого и укладка тоже на морозе. Шесть часов.

Укладывает парашюты сегодня весь батальон. На широкой площади, отгороженной высоким забором от любопытных взглядов посторонних солдат.

Приготовили парашютные столы. Парашютный стол — это не стол вообще. Это просто кусок длинного брезента, который расстилают на бетоне и крепят специальными колышками. Укладка идет в две очереди. Вначале вдвоем укладываем твой парашют: ты — старший, я — помогающий. Потом уложим мой парашют: ролями поменяемся. После этого уложим твой запасной, снова ты старший, а потом мой запасной — тогда я буду старшим. Некоторых из нас будут бросать не с двумя, а с одним парашютом. Но кому выпадет этот жребий, пока неясно. И оттого каждый готовит оба своих парашюта.

Начали.

Операция первая. Растянули купол и стропы по парашютному столу. В каждой роте есть офицер — заместитель командира роты по парашютно-десантной службе — зам по ПДС. Он подает всей роте команду. И он проверяет правильность ее исполнения. Убедившись, что все ее выполнили правильно, он подает вторую команду: «Вершину купола закрепить!» И опять пошел по рядам, проверяя правильность выполнения. У каждого за плечами большой опыт укладки. Но мы люди. И мы ошибаемся. Если ошибка будет обнаружена у кого-то, то его парашют немедленно распустят и он начнет укладку с самого начала. Первая операция. Правильно. Вторая операция... Рота терпеливо ждет, пока тот, кто ошибся, выполнит все с самого начала и догонит роту. Операция семнадцать. А мороз трескучий...

Вместе с батальоном укладку парашютов ведут офицеры разведывательного отдела армии. Мы — проверяющие. Значит, и нам идти вместе с диверсантами неделями через снега...

Темнеет зимой рано. И мы полностью завершаем укладку уже при свете прожекторов в морозной мгле. Мы уйдем в теплые казармы, а наши парашюты под мощным конвоем останутся на морозе. Если их занести в помещение, то на холодной материи осядут невидимые глазу капельки влаги. А завтра их вновь вынесут на мороз, капельки превратятся в мельчайшие льдинки, крепко прихватив пласты пиркаля и шелка. Это смерть. Вещь простая. Вещь понятная даже самым молодым солдатам. А ведь случается такое, и гибнут диверсанты все вместе. Всем взводом, всей ротой. Ошибок, возможных при укладке и хранении,— сотни. Расплата всегда одна — жизнь.

Закоченевшей рукой я расписываюсь на шелковых полосках двух моих парашютов: «Старший лейтенант Суворов. Этот парашют я укладывал сам». И еще на одном: «...укладывал сам». Я разобьюсь, а виновного найдут. Это буду, конечно, я.

3

Мы греемся в приятном тепле казарм. Потом поздний ужин. А уж после того последние приготовления. Все уже пострижены наголо. Всех в баню, в парную. Попарьте, ребята, косточки, не скоро вам еще придется с горячей водой встретиться. Далеко за полночь — всем спать. Каждый должен выспаться на много недель вперед. Сон каждому по десять часов. Все окна в казармах плотно завешены, чтобы утром никто не проснулся рано. Сон у каждого глубоким должен быть. Для этого небольшой секрет есть. Нужно лечь на спину, нужно вытянуться, нужно расслабить все тело. А потом нужно закрыть глаза и под закрытыми веками закатить зрачки вверх. Это нормальное состояние глаз во время сна. И, приняв это положение, человек засыпает быстро, легко и глубоко. Поднимут нас очень поздно. Это не будет: «Рота, подъем! Построение через 30 секунд!» Нет, несколько солдат и сержантов, которые не прыгают на этот раз, которые несут охрану рот, их вооружения и парашютов, будут подходить тихо к каждому и осторожно будить:

«Вставай, Коля, время». «Вставайте, товарищ старший лейтенант, время». Время. Время. Время. Вставайте, ребята. Наше время.

4

Сорок третья диверсионная группа 296-го отдельного разведывательного батальона Спецназ в своем составе имеет 12 человек. Я, офицер информации, иду с группой тринадцатым. Я — посредник, контролер действий группы. Мне легче всех. Мне не нужно принимать решений. Моя задача — в самые неожиданные моменты задавать вопросы то солдатам, то командиру группы, то его заместителю. У меня с собой лист с сотней вопросов. На многие из них я пока не знаю точных ответов. Мое дело вопрос задать и ответ зафиксировать. После офицеры третьей группы под руководством подполковника Кравцова разберут, кто ошибался, а кто нет.

Диверсионная группа несет с собой две радиостанции типа Р-351 М, аппаратуру засекречивания, аппаратуру сверхскоростной передачи сигналов.

Сегодня ночью будет произведена массированная операция по ослеплению радиолокационных станций 8-й гвардейской танковой армии, против которой мы сейчас действуем. Одновременно с этим будет нанесен массовый ракетный и авиационный удар по ее командным пунктам и скоплениям войск, и в ходе этого удара будут высажены двадцать восемь первых диверсионных групп нашего батальона. Группы имеют разные задачи и разный состав, от трех до сорока человек. Во главе некоторых групп — сержанты, во главе других — офицеры. В последующие ночи будет производиться выброска все новых групп. От трех до восьми групп в ночь. Выброска производится в разных районах с разных маршрутов и с разных высот. Нас сегодня бросают со сверхмалой высоты. Сверхмалая — это сто метров. У каждого из нас только по одному парашюту. Раскрытие не свободное, а принудительное. Второй парашют на сверхмалой высоте совсем не нужен.

5

Страх животный видел в глазах людских? А я видел. Это когда на сверхмалой высоте с принудительным раскрытием бросают. Всех нас перед полетом взвесили вместе со всем, что на нас навешано. И сидим мы в самолете в соответствии с нашим весом. Самый тяжелый должен выходить самым первым, а за ним чуть менее тяжелый — и так до самого легкого. Так делается для того, чтобы более тяжелые не влетели в купола более легких и не погасили бы их парашютов. Первым пойдет большой скуластый радист. Фамилии его я не знаю. В группе у него кличка Лысый Тарзан. Это большой угрюмый человечище. В группе есть и потяжелее. Но его взвешивали вместе с радиостанцией, и оттого он самым тяжелым получился, а потому и самым первым. Вслед за ним пойдет еще один радист по кличке Брат Евлампий. Третьим по весу числится Чингисхан — шифровальщик группы. У этих первых троих — очень сложный прыжок. Каждый имеет с собой контейнер на длинном, метров в пятнадцать, леере. Каждый из них прыгает, прижимая тяжеленный контейнер к груди, и после раскрытия парашюта бросает его вниз. Контейнер летит вместе с парашютистом, но на пятнадцать метров ниже его. Контейнер ударяется о землю первым, и после этого парашютист становится как бы легче, и в последние доли секунды падения его скорость несколько снижается. Приземляется он прямо рядом с контейнером. От скорости и от ветра парашютист немного сносится в сторону, почти никогда не падая на свой контейнер. От этого, однако, не легче. И прыжок с контейнером — очень рискованное занятие, особенно на сверхмалой высоте. Четвертым идет заместитель командира группы старший сержант Дроздов. В группе он самый большой. Кличка у него Кисть. Я смотрю на титаническую руку и понимаю, что лучшей клички придумать нельзя. Велик человек. Огромен. Уродит же природа такое чудо! Вслед за Кистью пойдет командир группы лейтенант Елисеев. Тоже огромен, хотя и не так, как его заместитель. Лейтенанта по номеру группы называют 43-1. Конечно, и у него кличка какая-то есть, но разве в присутствии офицера кто-нибудь осмелится назвать кличку другого офицера?

А вслед за командиром сидят богатырского вида, широкие, как шкафы, рядовые диверсанты: Плетка, Вампир, Утюг, Николай Третий, Негатив, Шопен, Карл де ля Дюшес. Меня они, конечно, тоже как-то между собой называют за глаза, но официально у меня клички нет, только номер 43-К. Контроль, значит.

В 43-й диверсионной группе я самый маленький и самый легкий. Поэтому мне — покидать самолет последним. Но это не значит, что я сижу самым последним. Наоборот, я у самого десантного люка. Тот, кто выходит последним, — выпускающий. Выпускающий, стоя у самого люка, в самый последний момент проверяет правильность выхода и в случае необходимости имеет право в любой момент десантирование прекратить. Тяжелая работа у выпускающего. Хотя бы потому, что сидит он в самом хвосте и лица всех к нему обращены. Получается, что выпускающий как на сцене, все на него смотрят. Куда я ни гляну, всюду глаза диверсанта на меня в упор смотрят. Шальные глаза у всех, нет, пожалуй, командир группы исключение. Дремлет спокойно. Расслаблен совсем. Но у всех остальных глаза с легким блеском помешательства. Хорошо с трех тысяч прыгать! Красота. А тут только сто. Много всяких хитростей придумано, чтобы страх заглушить, но куда же от него уйдешь? Тут он — страх. С нами в обнимку сидит.

Уши заломило, самолет резко вниз пошел. Верхушки деревьев рядом мелькают. Роль у меня плохая: у всех вытяжные тросики пристегнуты к центральному лееру, лишь у меня он на груди покоится. Пропустив всех мимо себя, я в последний момент должен свой тросик защелкнуть над своей головой. А если промахнусь? А если сгоряча выйду, не успев его застегнуть? Открыть парашют руками будет уже невозможно: земля рядом совсем несется. Я вдруг представил себе, что валюсь вниз без парашюта, как кот, расставив лапы. Вот крику-то будет! Я представляю свой предсмертный вой, и мне смешно. Диверсанты на меня понимающе смотрят: истерика у проверяющего. А у меня не истерика. Мне просто смешно.

Синяя лампа над грузовым люком нервно замигала.
— Встать! Наклонись.

Первый диверсант, Лысый Тарзан, наклонился, выставив для устойчивости правую ногу вперед. Брат Евлампий своей тушей навалился на него. Третий навалился на спину второго, и так вся группа, слившись воедино, ждет сигнала. По сигналу задние напрут на передних, и вся группа почти одновременно вылетит в широкий люк. Хорошо им. А меня никто толкать не будет.

Гигантские створки люка, чуть шурша, разошлись в стороны. Морозом в лицо. Ночь безлунная, но снег яркий, слепящий. Все как днем видно. Земля, вот она. Кусты и пролески взбесились, диким галопом мимо несутся. ПОШЛИ!

Братцы! ПОШЛИ!!!

Хуже этого человечество ничего не придумало. Глаза сумасшедшие мимо меня все сразу. Сирена кричит, как зверь умирающий. Рев ее уши рвет. Это чтоб страх вглубь загнать. А лица перекошены. Каждый кричит страшное слово ПОШЛИ! Увернуться некуда. Напор сзади неотвратимый. Передние посыпались в морозную мглу. Ветра поток каждого вверх ногами бросает. ПОШЛИ!!! А задние, увлекаемые стадным инстинктом, тут же в черный снежный вихрь вылетают. Я руку вверх бросил. Щелчок. И вылетаю в морозный мрак, где порядочные люди не летают. Тут черти да ведьмы на помеле, да Витя Суворов с парашютом.

Все на сверхмалой высоте одновременно происходит: голова вниз, жаркий мороз плетью-семихвостой по роже, ноги вверх, жуткий рывок за шиворот, ноги вниз, ветер за пазуху, под меховой жилет, удар по ногам, жесткими парашютными стропами опять же по морде, а в перчатках и в рукавах по локоть снег горячий и сразу таять начинает. Противно...

Парашюты в снег зарыли, какой-то гадостью вокруг посыпали. Это против собак. Вся местная милиция, КГБ, части МВД — все сейчас тренируются. Все они против наших несчастных групп брошены. А у нас руки, считай, связаны. Если бы война, мы захватили бы себе несколько бронетранспортеров или машин, да и разъезжали бы по округе. Но сейчас не война, и транспорт нам захватывать запрещено. Драконовский приказ. Ножками, ножками. От собак.

Лыжи у нас короткие, широкие. Снизу настоящим лисьим мехом отделаны. Такие легко на парашюте бросать. Такие лыжи скользят вперед, а назад отдачи нет. Лисий мех дыбом тогда становится, не пускает. Лыжи эти диверсионные, часто следа не оставляют, особенно на плотном лежалом снегу. Они широкие очень, не проваливаются. Из таких лыж и избушку в снегу сложить можно — мехом внутрь, спи, ребята, по очереди. Но самое главное, лыжи эти не обмерзают, ледяной коркой не покрываются.

6

К утру выбились из сил. Три часа из района выброски уходили, следы путали. Куртки мокрые. Лица красные. Пот ручьями. Сердце наружу рвется. Язык вываливается, как у собаки на жаре. Это всегда так сначала бывает. На четвертый-пятый день втянемся и будем идти, как машины. Но первый день всегда очень тяжелый. Первая ночь и двое последующих суток — ужасны. Потом легче будет.

— Командир, в деревне собаки брешут. Не к добру. Значит, там чужие люди.

Это любому понятно. Кто в такой глуши в такую рань деревенских собак потревожить мог?

— Обходить будем. Влево пойдем.

— Влево засада КГБ. Вон в том лесочке. Смотри, командир, птицы над лесом кружат.

Тоже правильно. Кто их в такой мороз с мест поднял? Птицы сейчас на ветках нахохлившись сидят, инеем покрытые. Туда идти, конечно, нельзя. Остается только путь через овраги, через бурелом, где добрые люди не ходят. Только волкам дорога да диверсантам из Спецназа.

— Готовы? Вперед.

7

Нормы жестокие. Восемь километров в час.

Вечер. Мороз силу набирает. За день прошли 67 километров. Отдыхали дважды. Пора бы и еще в снегу полежать.

— Ни черта, дармоеды, — командир подбадривает, — вчера спать надо было.

Злой командир. Группа маршевой скорости не выдерживает. Группа злая. Ночь надвигается. Плохо это. Днем иногда группа может залечь, в снегу, в кустах, в болоте, и переждать. Но ночью этого никогда не случается. Ночь для работы придумана. Мы как проститутки — ночами работаем. Если днем не отдыхал, то ночью не дадут.

— Снег не жрать! — Командир суров. — Сокрушу! Это не ко мне относится. Это он Чингисхану и Утюгу угрозы адресует. Меня положение обязывает. Проверяющий. Нельзя мне снег в рот брать. А если бы не проверяющим я был, то обязательно тайком белой влаги наглотался бы. Горстями бы в глотку снег запихивал. Жарко. Пот струйками по лбу катит. Хорошо, голова бритая, иначе волосы в один комок слиплись бы. Куртки у всех на спинах парят. Все потом пропитано, все морозом прихвачено. Одежда вся колом стоит, как из досок сшитая. Перед глазами оранжевые круги. Группа маршевой скорости не выдерживает... Не жрите снег!.. Сокрушу... Лучше вниз смотреть, на концы лыж. Если далеко вперед смотреть, сдохнешь. Если под ноги смотришь, дуреешь, идешь чисто механически, недосягаемый горизонт не злит.

— Окорока чертовы! Желудки! — Командир свиреп. — Вперед смотреть! В засаду влетим! Негатив слева огонек не заметил. Смотри, Негатив, зубы палкой лыжной вышибу!

Группа знает, что командир шуток не любит. Вышибет. Вперед, желудки!

8

Над миром встает кровавая заря. В морозной мгле над лиловыми верхушками елей выкатилось лохматое надменное солнце. Мороз трещит по просекам леса.

Мы в ельнике лежим. За ночь второй раз. Ждем высланный вперед дозор. Лица у всех белые, ни кровиночки, как у мертвецов. Ноги гудят. Их вверх поднять надо. Так кровь отливает. Так ногам легче. Радисты спинами на снегу лежат, ноги на свои контейнеры положили. Все остальные тоже ноги вверх подняли. После десантирования прошло уже более суток. Мы все время идем. Останавливаемся через три-четыре часа на пятнадцать — двадцать минут. За обстановкой наблюдают двое, и двое выходят вперед, остальные ложатся на спины и засыпают сразу. Карл де ля Дюшес запрокинул спящую голову, из-под расстегнутой куртки медленно струится пар. Аккуратно вырезанная снежинка медленно опустилась на его раскрытое горло и плавно исчезла. Мои глаза слипаются. Под веки вроде бы золы насыпали. Проморгать бы, да и закрыть их и не раскрывать минут шестьсот.

Командир группы подбородок трет: нехороший признак. Мрачен командир. И заместитель его Кисть мрачен. К узлу связи танковой армии шли одновременно с разных сторон пять диверсионных групп. Приказ прост был: кто до трех ночи к узлу связи доберется, тот в 3.40 атакует его. Те, кто к условленному времени не успеет, в бой не вступают, обходя узел связи большим крюком, и идут к следующей цели. Наша 43-я группа ко времени не успела. Мрачен потому командир. Вдали мы слышали взрывы и стрельбу длинными очередями. В упор били, значит. С нулевой дистанции. Ко времени успели минимум три группы. Но если даже и только одна группа ко времени успела, сняла часовых и появилась на узле связи в конце холодной неуютной ночи... О, одна группа много может сделать против узла связи, пригревшегося в теплых контейнерах, против очкастых ожиревших связистов, против распутных телефонисток, погрязших в ревности и блуде. Жаль командиру, что не успели его солдаты к такой заманчивой цели. Знает командир наверняка, что группа лейтенанта Злого уж точно ко времени поспела. Наверное, и старший сержант Акл своих молодцов вовремя успел привести. Акл — это Акула значит. У старшего сержанта зубы острые, крепкие, но неровные, вроде как в два ряда. За то его Акулой величают. А может быть, и не только за это. Скрипит наш командир зубами. Ясно, что он сегодня группе расслабляться не позволит. Держитесь, желудки!

9

Спим. Идет одиннадцатый день после выброски. Днями поднять головы невозможно. Вертолеты в небе. На всех дорогах кордоны. На опушке каждого леса — засада. Появилось много ложных объектов: ракетные батареи, узлы связи, командные пункты. Диверсионные группы выходят на них, но попадают в ловушки. Батальон уже потерял десятки своих диверсионных групп. Мы не знаем сколько. Нам бросают посылки с неба каждую ночь: боеприпасы, взрывчатка, продовольствие, иногда спирт. Такое внимание означает только одно: нас мало осталось. За эти дни наша группа нашла линию радиорелейной связи, неизвестную нашему штабу раньше. По ориентировке приемных и передающих антенн группа нашла мощный узел связи и тыловой командный пункт. Тогда на пятый день операции группа впервые вышла в эфир, сообщив о своем открытии. Группа получила благодарность лично от командующего 13-й армией и приказ из этого района уходить. Наверное, его обработали ракетами или авиацией. На седьмой день группа объединилась с четырьмя другими, образовав диверсионный отряд капитана по кличке Четвертый Лишний. Отряд в полном составе успешно атаковал аэродром прямо днем, прямо во время проведения взлета истребительного авиаполка. Отряд без потерь ушел от преследования и рассыпался на мелкие группы. Наша 43-я временно не существовала, превратившись в две — 431-ю и 432-ю. Теперь они вновь объединились. Но работать активно пока не удается: вертолеты в небе, кордоны на дорогах, засады в лесах, ловушки у объектов. А все же мы свое дело делаем: 8-я гвардейская танковая армия парализована почти полностью, и, вместо того чтобы воевать, она ловит нас по своим тылам.

День угасает. Никто нас днем не тревожил. Отдохнули. Нашу группу пока не накрыли, ибо командир хитер как змей. Змеем его, оказывается, и зовут. Он нашел склад боеприпасов наших врагов, у этого склада мы проводим дни. Тут у нас база, все тяжелое снаряжение тут свалено. А по ночам часть группы налегке уходит далеко от базы и там проводит дерзкие нападения, а потом на базу возвращается. Все группы, которые по лесам непроходимым прятались, давно уже уничтожены. А мы пока нет. Трудно нашим противникам поверить и понять, что наша база прямо под самым носом спрятана, и потому вертолеты нам не докучают. А с засадами и кордонами надо быть просто осторожным.

— Готовы, желудки?

Группа готова. Лыжи подогнаны, ремни проверены.

— Попрыгали.

Перед выходом на месте попрыгать положено, убедиться, не гремит ли что, не звенит ли.

— Время. Пошли.

10

— Слушай, Шопен, представь себе, что мы на настоящей войне. Заместитель командира убит, а у командира прострелена нога. Тащить с собой — всех погубишь, бросить его — тоже смерть группе. Враги из командира печень вырежут, а говорить заставят. Эвакуации у нас в Спецназе нет. Представь себе, Шопен, что ты руководство группой принял, что ты с раненым командиром делать будешь?

мной толстые папки с разведывательными сводками, приказами, шифровками. За двадцать три дня мир изменился неузнаваемо. Я понимаю, что начальник разведки пощадил мое самолюбие и задал легкий вопрос о неподвижном объекте, об авиабазе. Если бы он спросил о 6-й мотопехотной дивизии бундесвера, например, то я непременно попал бы в неловкое положение. За обстановкой нужно следить постоянно, иначе превратишься в носителя устаревшей информации. Итак... Совершенно секретно... Агентурной разведкой Белорусского военного округа обнаружено усиление охраны стартовых батарей ракет «Першинг» на территории Западной Германии... Совершенно секретно... 5-й отдел разведывательного управления Балтийского флота зарегистрировал полную смену системы кодирования в правительственных и военных каналах связи Дании... Совершенно секретно... Агентурной разведкой Генерального штаба вскрыты... Совершенно секретно... Агентурной разведкой 11-й гвардейской армии Прибалтийского военного округа на территории Западной Германии зарегистрированы работы по строительству колодцев для ядерных фугасов. Приказываю начальнику 2-го Главного управления Генерального штаба, начальникам разведки ГСВГ, СГВ, ЦГВ, Прибалтийского, Белорусского и Прикарпатского военных округов обратить особое внимание на сбор информации о системе ядерных фугасов на территории ФРГ. Начальник Генерального штаба генерал армии Куликов.

Двадцать три дня назад никто не слышал ничего о ядерных фугасах... А теперь колоссальные силы агентурной разведки брошены на вскрытие этой таинственной системы самозащиты Запада... Меняется

101

лицо и нашей армии... Секретно... О результатах экспериментальных учений 8-й воздушно-штурмовой бригады Забайкальского военного округа... Не было таких бригад еще двадцать три дня назад... Совершенно секретно... Приказываю принять на вооружение истребительно-противотанковой артиллерии изделие «Малютка-М» с системой наведения по двум точкам... Министр обороны Маршал Советского Союза А. Гречко... Совершенно секретно... Только для офицеров Спецназа... Расследование обстоятельств гибели иностранных курсантов Одесского особого центра подготовки в ходе учебных боев с куклами... Приказываю усилить контроль и охрану... Особое внимание обратить...

Этот приказ я перечитываю три раза. Ясно, как нужно обходиться с куклой, как ее содержать и охранять. Только неясно, что такое кукла.

3

Нелегко готовить иностранных бойцов и агентуру Спецназа. Мы — советские бойцы Спецназа — будем действовать во время войны, а эти ребята действуют уже сейчас и по всему миру. Они бесстрашно умирают за свои светлые идеалы, не подозревая, что и они бойцы Спецназа. Удивительные люди! Мы их готовим, мы тратим миллионы на их содержание, мы рискуем репутацией нашего государства, а они наивно считают себя независимыми. Тяжело иметь дело с этой публикой. Приходя к нам на подготовку, они приносят с собой дух удивительной беззаботности Запада. Они наивны, как дети, и великодушны, как герои романов Их сердца пылают, а головы забиты предрассудками. Говорят, что некоторые из них считают, что нельзя убивать людей во время свадьбы, другие думают, что нельзя убивать во время похорон. Чудаки. Кладбище на то и придумано, чтобы там мертвые были.

Особый центр подготовки эту романтику и дурь быстро вышибает. Их тоже рвут собаками, их тоже по огню бегать заставляют. Их учат не бояться высоты, крови, скорости, не бояться смерти. Эти ребята часто демонстрируют всему миру свое презрение к смерти чужой и собственной, когда молниеносным налетом они захватывают самолет или посольство. Особый центр их учит убивать. Убивать умело, спокойно, с наслаждением. Но что же в этой подготовке может скрываться под термином «кукла»?

Наша система сохранения тайн отработана, отточена, отшлифована. Мы храним свои секреты путем истребления тех, кто способен сказать лишнее, путем тотального сокрытия колоссального количества фактов, часто и не очень секретных. Мы храним тайны особой системой отбора людей, системой допусков, системой вертикального и горизонтального ограничения доступа к секретам. Мы охраняем свои тайны собаками, караулами, сигнальными системами, сейфами, печатями, стальными дверями, тотальной цензурой. А еще мы охраняем их особым языком, особым жаргоном. Если кто-то и проникнет в наши сейфы, то и там он немногое поймет.

Когда мы говорим о врагах, то употребляем нормальные, всем понятные слова: ракета, ядерная боеголовка, химическое оружие, диверсант, шпион. Те же самые советские средства именуются: изделие ГЧ, специальное оружие, Спецназ, особый источник.

Многие термины имеют разное значение. «Чистка» в одном случае — исключение из партии, в другом — массовое истребление людей.

Одно нормальное слово может иметь множество синонимов на жаргоне. Советских диверсантов можно называть общим термином «Спецназ», а кроме того, глубинной разведкой, туристами, любознательными, рейдовиками. Что же в нашем языке кроется под именем «кукла»? Используют ли кукол и для тренировки советских бойцов, или это привилегия для иностранных курсантов? Существовали ли куклы раньше, или это нововведение наподобие воздушно-штурмовых бригад?

Я закрываю папку с твердым намерением узнать значение этого странного термина. Для этого есть только один путь: сделать вид, что я понимаю, о чем идет речь, и тогда в случайном разговоре кто-либо действительно знающий может сказать чуть больше положенного. А одной крупицы иногда достаточно, чтобы догадаться.

4

296-й отдельный разведывательный батальон Спецназа спрятан со знанием дела, со вкусом. Есть в 13-й армии полк связи. Полк обеспечивает штаб и командные пункты. Через полк проходят секреты государственной важности, и потому он особо охраняется. А на территории полка отгорожена особая территория, на которой и живет наш батальон. Все диверсанты носят форму войск связи. Все машины в батальоне — закрытые фургоны, точно как у связистов. Так что со стороны виден только полк связи, и ничего больше. Мало того, и внутри полка большинство солдат и офицеров считают, что есть три обычных батальона связи, а один необычный, особо секретный, наверное, правительственная связь.

Но и внутри батальона Спецназа немало тайн. Многие диверсанты думают, что в их батальоне три парашютные роты, укомплектованные обычными, но очень сильными и выносливыми солдатами. Только сейчас я узнал, что это не все. Кроме трех рот, существует еще особый взвод, укомплектованный профессионалами. Этот взвод содержится в другом месте, вдали от батальона. Он предназначен для выполнения особо сложных заданий. Узнал я о его существовании только потому, что мне, как офицеру информации, предстоит обучать этих людей вопросам моего ремесла: правильному и быстрому обнаружению важных объектов на территории противника. Я еду в особый взвод впервые и немного волнуюсь. Везет меня туда полковник Кравцов лично. Он представит меня.

— Догадайся, какую маскировку мы для этого взвода придумали?

— Это выше всех моих способностей, товарищ полковник. У меня нет никаких фактов для анализа.

— Все же попытайся это сделать. Это тебе экзамен на сообразительность. Представь их, на то у тебя воображение, и попытайся их спрятать, вообразив себя начальником разведки 13-й армии.

— Им нужно четко представлять местность, на которой предстоит действовать, поэтому они должны часто выезжать за рубеж. Они должны быть отлично натренированы... Я бы их, товарищ полковник, объединил в спортивную команду. И маскировка, и возможность за рубеж ездить...

— Правильно... — смеется он. — Все просто. Они — спортивная команда общества ЦСКА: парашютисты, бегуны, стрелки, боксеры, борцы. Каждая армия и флотилия имеют такую команду. Каждый военный округ, флот, группа войск имеют еще более мощные и еще лучше подготовленные спортивные команды. На спорт мы денег не жалеем. А где бы ты своим спортсменам учебный центр спрятал?

— В Дубровице.

Он разведчик. Он владеет собой. Только зубы слегка заскрипели, да желваки на щеках заиграли.

— Отчего же в Дубровице?

— В составе нашей любимой 13-й только один штрафной батальон для непокорных солдат, и он в Дубровице. Военная тюрьма. Из нашей дивизии часто туда солдатиков загребали. Заборы там высокие, собаки злые, колючей проволоки много рядов. Отгородил себе сектор, да и размещай любой особо секретный объект. Людей нужных туда в арестантских машинах возить можно — никто не дознается...

— Мало ли в нашей 13-й объектов хорошо охраняемых. АПРТБ*, к примеру...

— В АПРТБ, товарищ полковник, куклу негде содержать...

Он только подарил мне долгий тяжелый взгляд, но ничего не сказал.

---

* АПРТБ — армейская подвижная ракетно-техническая база — подразделение в составе общевойсковых и танковых армий, занимается транспортировкой, хранением и техническим обслуживанием ракет для ракетной бригады армии и ракетных подразделений дивизий, входящих в состав данной армии.

5

Только осенней ночью так много звезд. Только холодной сентябрьской ночью их можно видеть так отчетливо, словно серебряные гвоздики в черном бархате.

Сколько их смотрит на нас из холодной черной пустоты! Если смотреть на Большую Медведицу, то рядом с яркой звездой, той, что на переломе ручки ковша, можно разглядеть совсем маленькую звездочку. Она, может быть, совсем и не маленькая, просто она очень далеко. Может быть, это громадное светило с десятками огромных планет вокруг. А может быть — это галактика с миллиардами светил...

Во Вселенной мы, конечно, не одни. В космосе миллиарды планет, очень похожих на нашу. На каком основании мы должны считать себя исключением? Мы не исключение. Мы такие же, как и все. Разве только форма и цвет глаз у нас могут быть разными. У жителей одних планет глаза голубые, как у полковника Кравцова, а у кого-то — зеленые, треугольные, с изумрудным отливом. Но на этом, видимо, и кончаются все различия.

Во всем остальном мы одинаковы — все мы звери. Звери, конечно, разные бывают: мыслящие, цивилизованные, и не мыслящие. Первые отли`аются от вторых тем, что свою звериную натуру маскировать стараются. Когда у нас много пищи, тепла и самок, мы можем позволить себе доброту и сострадание. Но как только природа и судьба ставят вопрос ребром: одному выжить, другому сдохнуть, мы немедленно впиваем свои желтые клыки в горло соседа, брата, матери.

Все мы звери. Я — точно, и не стараюсь этого скрывать. И обитатель двенадцатой планеты оранжевого светила, затерянного в недрах галактики, не имеющей названия,— он тоже зверюга, только старается добрым казаться. И начальник разведки 13-й армии полковник Кравцов — зверь. Он зверюга, каких редко встретишь. Вот он у костра сидит, палочкой угли помешивает. Роста небольшого, подтянут, лицо красивое, молодое, чуть надменное. Улыбка широкая, подкупающая, но уголки рта всегда чуть вниз, признак сдержанности и точного расчета. Взгляд сокрушающий, цепкий. Взгляд его заставляет собеседника моргать и отводить глаза. Руки точеные, не пролетарские. Полковничьи погоны ему очень к лицу. Люди такого типа иногда имеют совершенно странные наклонности. Некоторые из них, я слышал, копейки ржавые собирают. Интересно, чем наш полковник увлекается? Для меня и всех нас он — загадка. Мы знаем о нем удивительно мало, он знает о каждом из нас все. Он — зверь. Маленький, кровожадный, смертельно опасный. Он знает свою цель и идет к ней, не сворачивая. Я знаю его путеводную звезду. Зовется она власть. Он сидит у костра, и красные тени мечутся по скуластому волевому лицу. Черный правильный профиль. Красные тени. Ничего более. Никаких переходов. Никаких компромиссов. Если я совершу одну ошибку, то он сомнет меня, сокрушит. Если я обману его, он поймет это по моим глазам — интеллект у него могучий.

— Суворов, ты что-то хочешь спросить?

Мы одни у костра, в небольшом овражке, в бескрайней степи. Наша машина спрятана во-о-он там в кустах, и водителю спать разрешено. У нас впереди длинная осенняя ночь.

— Да, товарищ полковник, я давно хочу спросить вас... В вашем подчинении сотни молодых толковых перспективных офицеров с великолепной подготовкой, утонченными манерами... А я крестьянин, я не читал многих книг, о которых вы говорите, мне трудно в вашем кругу... Мне неинтересны писатели и художники, которыми восхищаетесь вы... Почему вы выбрали меня?

Он долго возится с чайником, видимо, соображая — сказать мне что-то обычное о моем трудолюбии и моей сообразительности или сказать правду. В чайнике он варит варварский напиток: смесь кофе с коньяком. Выпьешь — сутки спать не будешь.

— Я тебе, Виктор, правду скажу, потому что ты ее понимаешь сам, потому что тебя трудно обмануть, потому что ты ее знать должен. Наш мир жесток. Выжить в нем можно, только карабкаясь вверх. Если остановишься, то скатишься вниз и тебя затопчут те, кто по твоим костям вверх идет. Наш мир — это кровавая бескомпромиссная борьба систем, одновременно с этим — это борьба личностей. В этой борьбе каждый нуждается в помощи и поддержке. Мне нужны помощники, готовые на любое дело, готовые на смертельный риск ради победы. Но мои помощники не должны предать меня в самый тяжелый момент. Для этого существует только один путь: набирать помощников с самого низа. Ты всем обязан мне, и если выгонят меня, то выгонят и тебя. Если я потеряю все — ты тоже потеряешь все. Я тебя поднял, я тебя нашел в толпе не за твои таланты, а из-за того, что ты — человек толпы. Ты никому не нужен. Что-то случится со мной, и ты снова очутишься в толпе, потеряв власть и привилегии. Этот способ выбора помощников и телохранителей стар как мир. Так делали все правители. Предашь меня — потеряешь все. Меня точно так же в пыли подобрали. Мой покровитель идет вверх и тянет меня за собой, рассчитывая на мою поддержку в любой ситуации. Если погибнет он, кому я нужен?

— Ваш покровитель генерал-лейтенант Обатуров?

— Да. Он выбрал меня в свою группу, когда он был майором, а я лейтенантом... не очень успешным.

— Но и он кому-то служит. Его тоже кто-то вверх тянет?

— Конечно. Только не твоего это ума дело. Будь уверен, что ты в правильной группе, что и у генерал-лейтенанта Обатурова могущественные покровители в Генеральном штабе. Но тебя, Суворов, я знаю уже хорошо. У меня такое чувство, что это не тот вопрос, который тебя мучает. Что у тебя?

— Расскажите мне про Аквариум.

— Ты и это знаешь? Услышать это слово ты не мог. Значит, ты его где-то увидел. Дай подумать, и я тебе скажу, где ты его мог увидеть.

— На обратной стороне портрета.

— Ах, вот где. Слушай, Суворов, про это никогда никого не спрашивай. Аквариум слишком серьезно относится к своим тайнам. Ты вопрос просто задашь, а тебя на крючок подвесят. Нет, я не шучу. За челюсть или за ребро — и вверх. Рассказать тебе об Аквариуме я просто не могу. Дело в том, что ты можешь рассказать еще кому-то, а он еще кому-то. Но настанет момент, когда события начнут развиваться в другом направлении. Одного арестуют, узнают у него, где он слышал это слово, он на тебя укажет, а ты на меня.

— Вы думаете, что, если меня пытать начнут, я назову ваше имя?

— В этом я не сомневаюсь, и ты не сомневайся. Дураки говорят, что есть сильные люди, которые могут пытки выдержать, и слабые, которые не выдерживают. Это чепуха. Есть хорошие следователи и есть плохие. В Аквариуме следователи хорошие... Если попадешь на конвейер, то сознаешься во всем, включая и то, чего никогда не было. Но... я верю, Виктор, что мы с тобой на конвейер не попадем, и потому тебе об Аквариуме немного расскажу...

— Что за рыбы там водятся?

— Там только одна порода — пираньи.

— Вы работали в Аквариуме?

— Нет, этой чести меня не удостоили. Может, в будущем... Там, наверное, считают, что зубы у меня еще недостаточно остры. Итак, слушай. Аквариум — это центральное здание 2-го Главного управления Генерального штаба, то есть Главного разведывательного управления — ГРУ. Военная разведка под различными названиями существует с 21 октября 1918 года. В это время Красная Армия уже была огромным и мощным организмом. Управлял армией Главный штаб — мозг армии. Но реакция штаба была замедленной и неточной, оттого что организм был слепым и глухим. Информация о противнике поступала из ЧК. Это как если бы мозг получал информацию не от своих глаз и ушей, а со слов другого человека. Да и чекисты всегда рассматривали заявки армии как нечто второстепенное. По-другому и быть не может: у тайной полиции свои приоритеты, а у Генерального штаба свои. И сколько Генеральному штабу ни давай информации со стороны, ее никогда не будет достаточно. Представь себе, случилась неудача, с кого спрашивать? Генеральный штаб всегда может сказать, что информации о противнике было недостаточно, оттого и неудача. И он всегда будет прав, потому что, сколько ее ни собирай, начальник

Генерального штаба сможет поставить еще миллион вопросов, на которые нет ответа. Вот поэтому и было решено отдать военную разведку в руки Генерального штаба — пусть начальник Генерального штаба ею управляет: если недостаточно сведений о противнике, так это вина самого Генерального штаба.

— И КГБ никогда не стремилось установить власть над ГРУ?

— Всегда стремилось. И сейчас стремится. Это однажды удалось Ежову: он был одновременно шефом НКВД и военной разведки. За это его пришлось немедленно уничтожить. В его руках оказалось слишком много власти. Он стал монопольным контролером всей тайной деятельности. Для верховного руководства это страшная монополия. Пока существуют минимум две тайные организации, ведущие тайную борьбу между собой,— можно не бояться заговора внутри одной из них. Пока есть две организации — есть качество работы, так как существует конкуренция. Тот день, когда одна организация поглотит другую, станет последним днем для Политбюро. Но Политбюро этого не допустит. Деятельность КГБ ограничена деятельностью враждебных организаций. Внутри страны МВД делает очень сходную работу. МВД и КГБ готовы сожрать друг друга. Кроме того, внутри страны действует еще одна тайная полиция — Народный контроль. Сталин стал диктатором, придя с поста руководителя именно этой тайной организации — из Народного контроля. А за рубежом тайную деятельность КГБ уравновешивает деятельность Аквариума. ГРУ и ГБ постоянно дерутся за источники информации, и оттого обе организации так успешны.

Я молчу, переваривая смысл сказанного. Долгая ночь впереди. Метрах в тридцати от нас в ивняке спрятана большая резиновая надувная ракета «Першинг» — точная копия американского оригинала. Прошлой ночью весь диверсионный батальон Спецназа был выброшен небольшими группами вдали от этого места. Соревнования. Маршрут — 307 километров. На маршруте пять контрольных точек: ракеты, радиолокатор, штаб. Группа, которая первой пройдет весь маршрут, обнаружив все объекты и сообщив их точные координаты, получит отпуск и золотые часы каждому солдату. Все солдаты победившей группы станут младшими сержантами, а сержанты — старшими сержантами. Высший командный состав разведывательного отдела контролирует прохождение групп. Сам Кравцов обычно на вертолете вдоль трассы соревнований летает. Но сегодня он почему-то решил находиться на контрольной точке, и в помощники он выбрал меня.

— Кажется, идут.

— Поговорим потом.

6

Камешки чуть шуршат под ногами и катятся вниз. В овраг тихо, по-змеиному скользя, спускается гигантская тень. Огонь костра в ночи чуть ослепил широкого диверсанта. Он всматривается в наши лица и, узнав Кравцова, докладывает: «Товарищ полковник, 29-я рейдовая группа 2-й роты Спецназа. Командир сержант Полищук».

— Добро пожаловать, сержант.

Сержант оборачивается к группе и тихо свистит, как свистят суслики. По откосу вниз зашуршали диверсантские подошвы. Двое занимают позицию на гребне: наблюдение и оборона. Радист быстро разбрасывает антенну. Двое растягивают брезент: под брезентом будет колдовать шифровальщик группы. Как он готовит сообщение, знать обычным смертным не положено, и оттого во время работы его всегда накрывают брезентом. В боевой обстановке командир группы головой за шифры и шифровальщика отвечает. В случае, если группе угрожает опасность, командир обязан шифровальщика убить, шифры и шифровальную машину уничтожить. Если он этого не сделает, отвечать жизнью будет не только он сам, но и вся группа.

Вот готово сообщение. Теперь мы все его видим: обыкновенная кинопленка с несколькими рядами аккуратных дырочек на ней. Сообщение вкладывается в радиостанцию. Станция еще не включена и не подстроена. Радист на хронометр смотрит. И вот жмет на кнопку. Радиостанция включается, автоматически подстраивается, протаскивает сквозь недра кусок пленки, тут же выплевывая его. Несколько цветных лампочек на радиостанции сразу гаснут. Весь сеанс связи длится не более секунды. Заряд информации радиостанция практически выстреливает.

Шифровальщик подносит спичку к пленке, и та мгновенно исчезает, злобно шипя. Кинопленка только кажется обычной. Горит она так же быстро, как радиостанция передает шифрованное сообщение.

— Готовы? Попрыгали. Время. Пошли.

Жесток сержант Полищук и на руку дерзок. Группу сгрызет, а гнать будет без остановки. Да только цыплят на финише считают. Пока все хорошо. А если группа на первых двух сотнях сдохнет? Командирам групп большие права даны. На то и соревнования. Хочешь, останови группу. Хочешь, спать ее положи. Хочешь, через каждые 10 минут хода — отдыхай. Но если в последней десятке групп окажешься — сорвут лычки сержантские, в рядовые спишут, а на твое сержантское место много любителей.

— Товарищ полковник, 11-я группа 1-й роты. Командир — сержант Столяр.

— Добро пожаловать, сержант. Действуй, на наше присутствие внимания не обращай.

— Есть! Носорог и Гадкий Утенок — на стремя!

— Есть!

— Блевантин!

— Я!

— Связь давай.

— Есть связь.

— Готовы?! Попрыгали. Время. Пошли.

Теперь группы потоком пойдут. Так всегда на соревнованиях бывает. Несколько групп вырывается далеко вперед, потом идет основная масса с короткими перерывами или без перерывов вообще, а потом отставшие, заблудившиеся. Некоторые отдыхают у нашего костра по часу. Некоторые по два. Некоторые останавливаются, только чтобы развернуть связь, передать сообщение, и — вперед. Рядом с нами сразу несколько групп готовят свой нехитрый ужин. В ходе учений огонь разводить запрещено, и тогда диверсант готовит себе пищу на спиртовой таблетке. Но на соревнованиях можно пользоваться и огнем. Главное на соревнованиях — точное ориентирование, скорость, определение координат и связь. Остальное не так важно.

От костра пряным запахом потянуло. Диверсанты курицу жарят. Жарят ее особым методом: выпотрошили, срезали голову и ноги, но перья не ощипывали. Курицу толстым слоем глины мокрой измазали, и в костер. Вот уж и запах пошел. Скоро она и готова. Нет у диверсанта кастрюли, и оттого в глине готовить приходится. Когда совсем она изжарится, глину собьют, а вместе с глиной слетят с нее и перья, и курочка во всем своем жиру — прямо к столу.

— Товарищ полковник, милости просим.

— Спасибо. А где ж вы курицу взяли?

— Дикая, товарищ полковник. Беспризорная.

В ходе соревнований часто Спецназы и дикую свинку найти могут, и курочку, и петушка. Иногда дикая картошка попадется, дикие помидоры и огурцы, дикая кукуруза. Кукурузу другая группа в чайнике огромном варит.

— А чайник откуда?

— Да как сказать. Лежал на дороге. Чего ж, думаем, добру пропадать. Отведайте кукурузки! Хороша.

У Кравцова правило — приглашение солдата он принимает с благодарностью, как принимает приглашение начальника штаба округа или самого командующего. Разницы он не делает. Весело у костра.

— Обмани ближнего, или дальний приблизится и обманет тебя.

Шутник полковник. За него любой диверсант глотку перегрызет. Непросто такого уважения среди них добиться. Подчиняются они всякому поставленному над ними начальнику, а уважают не всякого, и тысячи способов зверехитрый диверсант знает, чтобы командиру своему продемонстрировать уважение или неуважение. А за что они Кравцова уважают? За то, что тот

116

натуру звериную свою не прячет и прятать не пытается. Диверсанты уверены в том, что натура людская порочна и неисправима. Им виднее. Они каждый день жизнью рискуют и каждый день имеют возможность наблюдать человека на грани смерти. И поэтому всех людей они делят на хороших и плохих. Хороший, по их понятиям, тот человек, который не прячет зверя, сидящего внутри него. А тот, кто старается хорошим казаться, тот опасен. Самые опасные люди те, которые не только демонстрируют свои положительные качества, но и внутренне верят в то, что являются хорошими. Отвратительный, мерзкий преступник может убить человека, или десять человек, или сто. Но преступник никогда не убивает людей миллионами. Миллионами убивают только те, кто считает себя добрым. Робеспьеры получаются не из преступников, а из самых добрых, из самых гуманных. И гильотину придумали не преступники, а гуманисты. Самые чудовищные преступления в истории человечества совершили люди, которые не пили водки, не курили, не изменяли жене и кормили белочек с ладони.

Ребята, с которыми мы сейчас жуем кукурузу, уверены в том, что человек может быть хорошим только до определенного предела. Если жизнь припрет, хорошие люди станут плохими, и это может случиться в самый неподходящий момент. Чтобы не быть застигнутым врасплох такой переменой, лучше с хорошими не водиться. Лучше иметь дело с теми, кто сейчас плохой. По крайней мере знаешь, чего от него ждать, когда фортуна оскал продемонстрирует. Полковник Кравцов в этом смысле для них свой человек. Идет, к примеру, девочка грудастая по улице. Ягодицы, как два арбуза в авоське, перекатываются. Что диверсант в этом случае делать будет? По крайней мере взглядом изнасилует, если по-другому нельзя. Но и полковник Кравцов так же поступит, не постесняется. За это его уважают. Опасен тот, кто женщине вслед не смотрит. Опасен тот, кто старается показать, что это его не интересует совсем. Вот именно среди этой публики можно найти тайных садистов и убийц.

Кравцов к этой категории не относится. Любит он женский пол (а кто не любит?) и секрета из этого не делает. Любит власть — зачем же свою любовь скрывать? А любит он ее крепко. Любую власть. Почувствовал я это, когда впервые увидел, как он куклу бил. Это был апофеоз мощи и беспощадной власти.

Кукла — это человек такой. Человек для тренировки. Когда ведешь учебный бой против своего товарища, то наперед знаешь, что он тебя не убьет. И он знает, что ты его не убьешь. Поэтому интерес к учебному бою теряется. А вот кукла тебя убить может, но и тебя ругать не очень будут, если ты кукле ребра переломаешь или шею.

Работа у нас ответственная. И рука наша не должна дрогнуть в решающий момент. И не дрогнет. А чтоб командиры наши полную уверенность в том имели — подбрасывают нам для тренировок кукол. Куклы не нами выдуманы. Их и до нас использовали, и гораздо шире, но назывались они по-другому. В ЧК их называли гладиаторами, в НКВД — волонтерами, в СМЕРШе — робинзонами, а у нас они — куклы.

Кукла — это преступник, приговоренный к смерти. Тех, кто стар, болен, слаб, тех, кто знает очень много, уничтожают сразу после вынесения приговора. Но тот, кто силен да крепок,— того перед смертью используют для усиления мощи нашего государства.

Говорят, что приговоренных к смерти на уран посылают. Чепуха. На уране обычные зеки работают. Приговоренных к смерти более продуктивно используют. Один из видов такого использования — сделать его куклой в Спецназе. И нам хорошо, и ему. Мы можем отрабатывать приемы борьбы, не боясь покалечить противника, а у него отсрочка от смерти получается.

Раньше гладиаторов да кукол на всех достаточно было. Теперь нехватка. Во всем у нас нехватка. То мяса нет, то хлеба, а теперь вот и кукол не хватает на всех. А желающих использовать кукол не убавляется. А где ты их наберешь? Потому приказывают куклу длительно использовать, осторожно. Но это на качество занятий не очень влияет. Ты его не можешь сильно калечить, а у него ограничений нет. Он в любой момент озвереть может. Терять ему нечего. Шею свернуть запросто может. Оттого бой с куклой в сто раз полезнее, чем тренировка с инструктором или с коллегой. Бой с куклой — настоящий бой, настоящий риск.

Во всем батальоне Спецназа только один особый профессиональный взвод допущен к тренировкам с куклами. Три обычные диверсионные роты о существовании кукол просто не знают. Особый взвод отделен от батальона Спецназа и спрятан в Дубровице, внутри штрафного батальона: и место хорошо охраняется, и кукол содержать есть где.

Не любит Кравцов зря рисковать. Но любит власть. И потому, попав в Дубровицу, он каждый раз переодевается и идет лично сам тренироваться на куклах. Он тренируется долго и упорно. Он очень настойчив.

7

Немного воды, полбанки кофе, коньяка солидную порцию — и на огонь. Это варварское месиво должно долго вариться. Попьешь — будешь прыгать, как молодой козлик. Приятный аромат щекочет ноздри.

Серый рассвет. Холодный туман. Едкий дым костра. Мы снова одни.

— Много ГБ нашей крови выпило?

— Ты, Витя, про всю армию или только про разведку?

— И про армию, и про разведку.

— Много.

— Почему так получилось?

— Мы были очень наивны. Мы служили Родине, а чекисты служили сами себе и партии.

— Это может повториться?

— Да. Если мы будем так же наивны, как и раньше...

Он мешает ложкой коньячное варево. А мне кажется, что он судьбу мою вершит. Не зря он один со мной в глухой степи оказался. Не зря он разговоры такие ведет. Рассказав мне об Аквариуме, он доверил мне свою судьбу. Я же ее поломать могу. Зачем он рискует так? Не иначе, он от меня требует мою собственную судьбу. Я согласен рисковать вместе с Кравцовым и ради него. Но как мне выразить это?

— Мы не должны им позволить, чтобы это повторилось. Ради благополучия нашей Родины мы должны быть сильными. Армия должна быть не менее сильной, чем ГБ... — Внезапно я чувствую, что это именно то, чего он ждет от меня. — Мы не должны им позволить этого. Монополия чекистской власти может удушить советскую власть... — продолжаю я.

— Но и монополия власти военной может уничтожить советскую власть. Ты этого не боишься, Виктор? — Он смотрит в упор.

— Не боюсь.

— Что бы ты на моем месте делал? На месте советских генералов и маршалов?

— Я бы поддерживал жесткий контакт с коллегами. Если один в опасности, все генералы и маршалы должны его защищать. Нам нужна солидарность.

— Представь, что есть такая солидарность. Тайная, конечно. Представь, что партия и ГБ решили свергнуть одного из нас. Как же всем остальным реагировать? Бастовать? Всем в отставку подать?

— Я думаю, что мы должны отвечать ударом на удар. Но не по всем нашим врагам, а только по самым опасным. Если вы лично имеете проблемы с местным партийным руководством или с ГБ, не вам с ними биться, но все ваши друзья со всего Союза должны наносить тайные удары по вашим врагам. И наоборот, когда кто-то из ваших далеких друзей в беде, вы обязаны использовать всю свою мощь для нанесения тайных ударов по его врагам...

— Хорошо, Суворов, но помни, что этого разговора никогда не было. Ты просто перепился коньяку и все это сам придумал. Запомни, что лучше всего стоять в стороне от всех этих драк, но тогда ты так и останешься в пыли. Драка за власть — жестокая драка. Тот, кто проиграл, — преступник. Для победителя все равно, совершал ты преступления или нет. Все равно преступник. Так что лучше уж их делать, чем быть наивным дураком. С волками жить... А то ведь съедят. Но уж если ты встал на этот путь, то лучше не попадаться, а если попадаться, так не сознаваться, а уж если и сознаваться, то в простом деле, а не в организованном. Каждый, кто дерется за власть, имеет свою группу, свою организацию, и каждый не прощает этого своим соперникам. Участие в организации — это самое страшное, в чем ты можешь признаться. Это жуткий конец для тебя лично. Под самыми страшными пытками лучше признаться, что ты действовал один. В противном случае пытки станут еще страшнее. А теперь слушай внимательно.

Его голос резко изменился, как и выражение лица.

— Через неделю ты пойдешь контролером с группой Спецназа. Вас выбросят на Стороженецком полигоне. На второй день группа распадется надвое. С этого момента ты исчезнешь. Твой путь в Кишинев. Ехать только товарными поездами. Только ночью. В Кишиневе есть педагогический институт. Уровень национализма в институте — выше среднего. Этот лозунг ты напишешь ночью на стене.

Он протягивает мне листок тонкой папиросной бумаги.

— Ты по-молдавски не говоришь, поэтому запомни весь текст наизусть. Сейчас. Попробуй написать. Еще раз. Помни. Ты делаешь все сам. Если тебя где-то остановят: ты отстал от группы, потерял направление. Стараешься сам вернуться в штаб армии без посторонней помощи. Поэтому ты по ночам едешь в товарных вагонах. Смотри не усни. Отсыпайся днями в лесу.

— Какой величины должны быть буквы?

— 15—20 сантиметров будет достаточно, чтобы свалить председателя Молдавского ГБ.

— Одним лозунгом?

— Тут особый случай. С национализмом в институте боролись давно и безуспешно. Принимали самые драконовские меры. Донесли в Москву, что теперь все хорошо. Твое дело — доказать, что это не так. Может, конечно, подозрение пасть на Одесский округ, но одесское военное руководство легко докажет свою полную невиновность. Удар мы наносим не прямой, а из-за угла, из соседнего округа. Я повторяю, ты действуешь сам. Ты видел этот лозунг на клочке бумаги, который валялся на улице, выучил его наизусть и написал на стенке, не зная его значения. Лучше быть дураком, чем конспиратором. Не забыл лозунг?

— Нет.

8

Нас бросали с трех тысяч метров. На второй день группа распалась надвое. Командиры двух подгрупп знали, что с этого момента они действуют самостоятельно, без контроля сверху...

9

Через пять дней я появился в штабе армии. Мой путь — к начальнику разведки. Я докладываю, что в ходе учений после разделения групп я должен был встретить третью группу, но не встретил ее, потерял ориентировку и долгое время искал правильный путь, не пользуясь картой и услугами посторонних. Легкой улыбкой я докладываю, что дело сделано. Чисто сделано. Легким кивком он дает мне знать, что понял. Но он не улыбается мне.

Прошло три недели. Я внимательно слежу за всеми публикациями. Понятно, что ни в местных, ни в центральных газетах никто ничего не опубликует. В местных газетах может появиться статейка под названием «Крепить пролетарский интернационализм!». Но нет такой статейки...

Он положил мне руку на плечо, он всегда подходит неслышно.

— Не теряй времени. Ничего не случится.

— Почему?

— Потому что то, что ты написал на стене, не принесет никому никакого вреда. Текст был совершенно нейтральным.

— Зачем же я его писал на стене?

— Затем, чтобы я был в тебе уверен.

— Я был под наблюдением все время?

— Почти все время. Твой маршрут я примерно знал, а конечный пункт тем более. Бросить десяток диверсантов на контроль — и почти каждый твой шаг зафиксирован. Конечно, и контролеры не знают того, что они делают... Когда человек в напряжении, ему в голову могут прийти самые глупые идеи. Его контролировать надо. Вот я тебя и контролировал.

— Зачем вы мне рассказали о том, что я был под вашим контролем?

— Чтоб тебе и впредь в голову дурные идеи не пришли. Я буду поручать тебе иногда подобные мелочи, но ты никогда не будешь уверен в том, идешь ты на смертельный риск или просто я тебя проверяю.— Он улыбнулся мне широко и дружески.— И знай, что материалов на тебя у меня столько, что в любой момент я тебя могу превратить в куклу.

...Он смотрит на меня выжидающе, потом наливает по полстакана холодной водки и молча кивает мне на один стакан:

— С начальником тоже иногда выпить можно. Не бойся, не ты ко мне в друзья навязываешься, это я тебя вызвал, пей.

Я взял стакан, поднял его на уровень глаз, улыбнулся своему шефу и медленно выпил. Водка — живительная влага.

Он снова налил по полстакана.

— Слушай, Суворов, своим взлетом ты обязан мне.

— Я всегда об этом помню.

— Я за тобой наблюдаю давно и стараюсь понять тебя. На мой взгляд — ты прирожденный преступник, хотя об этом и не догадываешься и не имеешь уголовной закалки. Не возражай, я людей знаю лучше, чем ты. Тебя насквозь вижу. Пей.

— Ваше здоровье.

— Осади огурчиком.

— Спасибо.

Лицо у него мрачное. По всей видимости, он до моего прихода уже успел употребить. А выпив, он всегда становился мрачным. Со мной всегда происходит то же самое. Он, видимо, это давно подметил и по некоторым другим, почти незаметным признакам с самого себя рисует мой портрет.

— Если бы ты, мерзавец, к уркам попал, то ты бы у них прижился. Они бы тебя за своего считали, а через несколько лет ты бы в банде определенным авторитетом пользовался. Возьми колбаски, не стесняйся. Мне ее из спецраспределителя доставляют. Ты о существовании такой колбасы, наверное, и не догадывался, пока я тебя к себе не забрал. Пей..

В том, что водки в нем было уже более полкило, сомнений не было. Она понемногу действовать начинала. Вилка в его руке точностью уже не отличалась, но ум его от влияния алкоголя полностью изолирован. Говорит он ясно и четко, мыслит тоже ясно и четко.

— Одного я в тебе, Суворов, не понимаю: ты в мучительстве наслаждения не находишь или только скрываешь это? У нас широкие возможности наслаждаться своей силой. Ваньку-педераста можно мучить столько, сколько душа пожелает. А ты от этих удовольствий уклоняешься. Почему?

— Я в мучительстве наслаждения не чувствую.

— Жаль.

— Это плохо для нашей профессии?

— Вообще-то нет. В мире астрономическое число проституток, но лишь немногие из них наслаждаются своим положением. Для большинства из них это очень тяжелая физическая работа, и не более. Но независимо от того, нравится проститутке ее работа или нет, ее уровень во многом зависит от отношения к труду, от чувства ответственности, от трудолюбия. Профессией не обязательно наслаждаться, не обязательно ее любить, но на любом месте проявлять трудолюбие надо. Чего зубы скалишь?

— Оборот интересный — «трудолюбивая проститутка».

— Нечего смеяться, мы не лучше проституток, мы делаем не очень чистое дело на удовольствие кому-то и за наш тяжкий труд много получаем. Профессию свою ты не очень любишь, но трудолюбив, и этого мне достаточно. Наливай сам.

— А вам?

— Немного совсем налей. Два пальца. Хорош. Я тебя вот зачем вызвал. Прожить на нашей вонючей планете можно, только перегрызая глотки другим. Такую возможность предоставляет власть. Удержаться у власти можно, только карабкаясь вверх. Скользкая она очень. Кроме того, помощь нужна, и потому каждый, кто по ее откосам вверх карабкается, формирует свою группу, которая идет с ним до самого верха или летит с ним в бездну. Я тебя вверх тащу, но и твоей помощи требую, помощи любой, какая потребуется, пусть даже и уголовного порядка. Когда ты чуть выше вслед за мной поднимешься, то и ты свою собственную группу сколотишь и будешь ее вслед за собой тянуть, а я тебя буду тянуть, а меня еще кто-то. А вместе мы нашего главного лидера вверх продвигать будем.

Он вдруг ухватил меня за ворот:

— Предашь — пожалеешь!

— Не предам.

— Я знаю. — Глаза у него мрачные. — Можешь предавать, кого хочешь, хоть Советскую Родину, но не меня. Бойся об этом думать. Но ты об этом и не думаешь. Я это знаю, по твоим сатанинским глазам вижу. Допивай, и пошли. Поздно уже. Завтра придешь на работу в 7.00 и к 9.00 подготовишь все свои документы к сдаче. Меня назначили начальником Разведывательного управления Прикарпатского военного округа. Туда, в управление, я свою команду потянул за собой.

Конечно, я беру с собой не всех и не сразу. Некоторых позже перетяну. Но ты едешь со мной сразу. Цени.

11

Я не знаю, что со мной. Что-то не так. Я просыпаюсь ночами и подолгу смотрю в потолок. Если бы меня отправили куда-то умирать за чьи-то интересы, я бы стал героем. Мне не жалко отдать свою жизнь, и она мне совсем не нужна. Возьмите, кому она нужна. Ну, берите же ее! Я забываюсь в коротком тревожном сне. И черти куда-то несут меня. Я улетаю высоко-высоко. От Кравцова. От Спецназа. От жестокой борьбы. Я готов бороться. Я готов грызть глотки. Но зачем это все? Битва за власть — это совсем не битва за Родину. А битва за Родину — даст ли она утешение моей душе? Я уже защищал твои, Родина, интересы в Чехословакии. Неприятное занятие, прямо скажем. Я улетаю все выше и выше. С недосягаемой звенящей высоты я смотрю на свою несчастную Родину-мать. Ты тяжело больна. Я не знаю чем. Может, бешенством. Может, шизофрения у тебя? Я не знаю, как помочь тебе. Надо кого-то убивать. Но я не знаю кого. Куда же лечу я? Может, к Богу? Бога нет! А может, все-таки к Богу? Помоги мне, Господи!

ГЛАВА ПЯТАЯ

1

Львов — самый запутанный город мира. Много веков назад его так и строили — чтобы враги никогда не могли найти центр города. Природа все сделала для того, чтобы строителям помочь: холмы, овраги, обрывы. Улочки Львова спиралями скручены и выбрасывают непрошеного посетителя то к оврагу отвесному, то в тупик. Видно, я этому городу тоже враг. Центр города я никак отыскать не могу. Среди каштанов мелькают купола собора. Вот он рядом. Вот обогнуть пару домов... Но переулок ведет меня вверх, ныряет под мост, пару раз круто ломается, и я больше не вижу собора, да и вообще с трудом представляю, в каком он направлении. Вернемся назад и повторим все сначала. Но и это не удается. Переулок ведет меня в густую паутину кривых, горбатых, но удивительно чистых улочек и наконец выбрасывает на шумную улицу с необычно маленькими, чисто игрушечными трамвайчиками. Нет, самому мне не найти, и вся моя диверсионная подготовка мне не поможет. Такси! Эй, такси! В штаб округа! Пентагон? Ну да, именно туда, в Пентагон.

Огромные корпуса штаба Прикарпатского военного округа выстроены недавно. Город знает эти стеклянные глыбы под именем Пентагон.

Львовский Пентагон — это грандиозная организация, подавляющая новичка обилием охраны, полковничьих погон и генеральских лампасов.

Но на деле все не так уж сложно, как кажется в первый день. Штаб военного округа — это штаб, в распоряжении которого находится территория величиной с Западную Германию и с населением в семнадцать миллионов человек. Штаб округа отвечает за сохранность советской власти на этих территориях, за мобилизацию населения, промышленности и транспорта в случае войны. Кроме того, штаб округа имеет в своем подчинении четыре армии: воздушную, танковую, две общевойсковые. Накануне войны штаб округа превратится в штаб фронта и будет управлять этими армиями в войне.

Организация штаба округа точно такая же, как и организация штаба армии, с той разницей, что тут все на ступень больше. Штаб состоит не из отделов, а из управлений, а управления, в свою очередь, делятся на отделы, а те на группы. Зная организацию штаба армии, тут совсем легко ориентироваться.

Все ясно. Все понятно и логично. Мы, молодые пришельцы, еще раз стараемся во всем убедиться и всюду суем свои носы: а это что? а это зачем?

Бывший начальник разведки Прикарпатского военного округа генерал-майор Берестов смещен, а за ним ушла и вся его компания: старики на пенсию, молодежь в Сибирь, на Новую Землю, в Туркестан. Начальником разведки назначен полковник Кравцов, и мы — люди Кравцова — бесцеремонно гуляем по широким коридорам львовского Пентагона. Строился он недавно и специально как штаб округа. Тут все рассчитано, тут все предусмотрено. Наше 2-е Управление занимает целый этаж во внутреннем корпусе колоссального сооружения. Одно нехорошо — все наши окна выходят в пустой, огромный, залитый бетоном двор. Наверное, так для безопасности лучше. Отсутствие хорошего вида в окнах — пожалуй, единственное неудобство, а в остальном все нам подходит. Нравится нам и разумная планировка, и огромные окна, и широкие кабинеты. Но больше всего нам нравится уход наших предшественников, которые совсем недавно контролировали всю разведку в округе, включая и в нашей 13-й армии. А теперь этих ребят судьба разметала по дальним углам империи. Власть — дело деликатное, хрупкое. Власть нужно крепко держать. И осторожно.

2

На новом месте вся наша компания, и я в том числе, обживается быстро. Работа у нас все та же, только тут размах шире. Тут интереснее. Меня уже знают, и мне уже улыбаются в штабе. У меня хорошие отношения с ребятами из «инквизиции» — из группы переводчиков, мне рассказывают анекдоты шифровальщики с узла связи и операторы с центра радиоперехвата. Но и за пределами 2-го Управления меня уже знают. Прежде всего в боевом планировании — в 1-м Управлении. Боевое планирование без наших прогнозов жить не может. Но им вход в наше управление запрещен, и потому они нас к себе зовут:

— Витя, что в ближайшую неделю супостат в Битбурге делать собирается?

Битбург — американская авиабаза в Западной Германии. И чтобы ответить на этот вопрос, я должен зарыться в свои бумаги. Через десять минут я уже в 1-м Управлении:

— Активность на аэродроме в пределах нормы, одно исключение: в среду прибывают из США три транспортных самолета С-141.

Когда мы такие прогнозы выдаем, операторы улыбаются: «Хорошо «тот парень» работает!»

Им, операторам, знать не положено, откуда дровишки к нам поступают. Но операторы — люди и тоже шпионские истории читают, и оттого они наверняка знают, что у Кравцова есть супершпион в каком-то натовском штабе. Супершпиона они между собой называют «тот парень». Хвалят «того парня» и довольны им очень офицеры боевого планирования. Действительно, есть у Кравцова люди завербованные. Каждый военный округ вербует иностранцев и для получения информации, и для диверсий. Но только в данном случае «тот парень» ни при чем. То, что от секретной агентуры поступает, то Кравцов в сейфе держит и мало кому показывает. А то, чем мы боевое планирование питаем, имеет куда более прозаическое происхождение. Называется этот источник информации — графики активности. И сводится этот способ добывания информации к внимательному слежению за активностью радиостанций и радаров противника. На каждую радиостанцию, на каждый радар дело заводится: тип, назначение, где расположена, кому принадлежит, на каких частотах работает. Очень много сообщений расшифровывается нашим пятым отделом. Но есть радиостанции, сообщения которых расшифровать не удается годами. И именно они представляют для нас главный интерес, ибо это и есть самые важные радиостанции. Понятны нам сообщения или нет, на станцию заводится график активности, и каждый ее выход в эфир фиксируется. Каждая станция имеет свой характер, свой почерк. Одни станции днем работают, другие ночью, третьи имеют выходные дни, четвертые не имеют. Если каждый выход в эфир фиксировать и анализировать, то скоро становится возможным предсказывать ее поведение.

А кроме того, активность радиостанций в эфире сопоставляется с деятельностью войск противника. Для нас бесценны сведения, поступающие от водителей советских грузовиков за рубежом, от проводников советских поездов, от экипажей Аэрофлота, от наших спортсменов и, конечно, от агентуры. Сведения эти отрывочны и не связаны: «Дивизия поднята по тревоге», «Ракетная батарея ушла в неизвестном направлении», «Массовый взлет всех самолетов». Эти кусочки наша электронная машина сопоставляет с активностью в эфире. Замечаются закономерности, учитываются особые случаи и исключения из правила. И вот в результате многолетнего анализа становится вполне возможным сказать: «Если вышла в эфир РБ-7665-1, значит, через четыре дня будет произведен массовый взлет в Рамштейне». Это нерушимый закон. А если вдруг заработает станция, которую мы называем Ц-1000, тут и ребенку ясно, что боеготовность американских войск в Европе будет повышена. А если, к примеру...

— Слушай, Витя, мы, конечно, понимаем, что нельзя об этом говорить... Но вы уж того... Как бы сказать понятнее... В общем, вы берегите «того парня».

3

Меня проверяют. Меня всю жизнь будут проверять. Такая работа. Меня проверяют на уравновешенность, на выдержку, на сообразительность, на преданность. Проверяют не меня одного. Всех проверяют. Кому улыбаешься, кому не улыбаешься, с кем пьешь, с кем спишь. А если ни с кем, опять же проверка: а почему?

— Заходи.

— Товарищ полковник, старший лей...

— Садись, — приказывает он.

Он — это полковник Марчук, новый заместитель Кравцова. У советской военной разведки формы особой нет. Каждый ходит в форме тех войск, из которых в разведку пришел. Я, к примеру, танкист, Кравцов — артиллерист. В Разведывательном управлении у нас и пехота, и летчики, и саперы, и химики. А полковник Марчук — медик. На малиновых петлицах чаша золотистая да змеюга вокруг. Красивая у медиков эмблема. Не такая, конечно, как у нас, танкистов, но все же красивая. В армии медицинскую эмблему по-своему расшифровывают: хитрый, как змей, и выпить не дурак.

Марчук смотрит на меня тяжелым, подавляющим взглядом. Гипнотизер, что ли? Мне от этого взгляда не по себе. Но я его выдерживаю. Тренировка у меня на этот счет солидная. Каждый в Спецназе на собаках тренируется. Если смотреть в глаза собаке, то она человеческого взгляда не выдерживает. Человек может ревущего пса взглядом остановить. Правда, если пес один, а не в своре. Против своры нужно ножом взгляду помогать. В глаза ей смотришь, а ножичком под бочок ей, под бочок. А тогда на другую начинай смотреть.

— Вот что, Суворов, мы на тебя внимательно смотрим. Хорошо ты работаешь и нравишься нам. Мозг у тебя, вроде как электронная машина... ненастроенная. Но тебя настроить можно. В это я верю. Иначе тебя бы тут не держали. Память у тебя отменная. Способность к анализу развита достаточно. Вкус у тебя точеный. Девочку из группы контроля ты себе хорошую присмотрел. Звонкая девочка. Мы ее знаем. Она к себе никого не подпускала. Ишь ты какой. А вроде ничего в тебе примечательного нет...

Я не краснею. Не институтка. Я офицер боевой. Да и кожа у меня не та. Шкура у меня азиатская, и кровь азиатская. Оттого не краснею. Физиология не та. Но как, черт их побери, они про мою девочку узнали?

— Как ни печально, Суворов, но мы обязаны такие вещи знать. Мы обязаны о тебе все знать. Такая у нас работа. Изучая тебя, мы делаем заключения, и в своем большинстве это положительные заключения. Больше всего нам нравится прогресс, с которым ты освобождаешься от своих недостатков. Ты почти не боишься теперь высоты, закрытых помещений. С кровью у тебя хорошо. Крови ты не боишься, и это исключительно важно в нашей работе. Тебя не пугает неизбежность смерти. С собачками у тебя хорошие отношения. Поднатаскать тебя, конечно, в этом вопросе следует. Но вот с лягушками и со змеями у тебя совсем плохо. Боишься?

— Боюсь, — признался я. — А вы как узнали?

— Это не твоя проблема. Твоя проблема научиться змей не бояться. Чего их бояться? Видишь, у меня змеюги даже на петлицах сидят. А некоторые люди лягушек даже едят.

— Китайцы?

— Не только. Французы тоже.

— В голодный год я, товарищ полковник, лучше бы людей ел...

— Они не от голода. Это деликатес. Не веришь?

Ну конечно же, я этому не верю. Пропаганда. Мол, плохая жизнь во Франции. Если он настаивать будет, я, конечно, соглашусь, что плохо пролетариату во Франции живется. Но это только вслух. А про себя я останусь при прежнем мнении. Жизнь во Франции хорошая, и пролетариат лягушек не ест. Но не обманешь Марчука. Сомнение в моих глазах он разглядел без труда.

— Иди сюда.

В кинозал зовет, где нам фильмы секретные про супостата крутят. Марчук кнопку нажимает, и на экране замелькали кухня, повара, лягушки, кастрюли, красный зал, официанты, посетители ресторана. На фокусников посетители не похожи, но лапки съели.

— Ну что?

А что тут скажешь? Крыть вроде нечем. Но вот фильм недавно показывали «Освобождение», и Гитлер там. Но ведь это не Гитлер совсем, а артист из ГДР. Диц ему имя. Вот если бы ты, полковник, сам лягушку съел, тут бы я тебе поверил, а в кино что угодно показать можно, даже Гитлера, не то что лягушек.

— Ну что? — повторяет он.

Что ему скажешь? Скажи, что поверил, он тут же и прицепится, да как же ты, разведчик, такой чепухе поверил? Я тебе всякую чушь показываю, а ты веришь? Да как же ты, офицер информации, сможешь отличать ценные документы от сфабрикованных?

— Нет, — говорю, — этому фильму я поверить не могу. Подделка. Дешевка. Если людям есть нечего, то они в крайнем случае могут съесть кота или собаку. Зачем же лягушек? — Мне ясно совершенно, что фильм

136

учебный. Сообразительность проверяют. Вон у дамы какой пудель пушистый был. Тут меня проверяют, заметил я пуделя или нет. Ну конечно, я его заметил. И вывод делаю, которого вы явно от меня добиваетесь: не станет нормальный человек лягушку есть, если у него в запасе есть пудель. Нелогично это.

А Марчук уже сердится:

— Лягушки денег стоят, и немалых.

Я молчу. В полемику не ввязываюсь. Каждому ясно, что не могут быть лягушки дорогими. Но с полковником соглашаюсь дипломатично, неопределенно, оставляя лазейку для отхода:

— С жиру бесятся. Буржуазное разложение.

— Ну вот. Наконец поверил. Я тебе фильм вот зачем показал: люди их едят, а ты даже в руки их взять боишься. Откровенно говоря, лягушку или змею я сам в руки взять не могу, но мне это и не надо. А ты, Виктор, начинающий молодой перспективный офицер разведки, и тебе это надо.

Внутри холодеет все: неужели и есть заставят? Марчук психолог. Он мои мысли, как в книге, читает.

— Не бойся, есть мы тебя лягушек не заставим. Змей, может быть, а лягушек — нет.

4

Солдатик совсем маленький. Личико детское. Ресницы длинные, как у девочки. Диверсант. Спецназовец. Четыре батальона диверсионной бригады огромными солдатами укомплектованы. Идут по городку, как стая медведей. Но одна рота в бригаде укомплектована разнокалиберными солдатиками, совсем маленькими иногда. Это особая профессиональная рота. Она опаснее, чем все четыре батальона медведей, вместе взятых.

Тоненькая шейка у солдатика. Фамилия нерусская у него — Кипа. Однако в особой роте он не зря. Значит, он специалист в какой-то особой области убийств. Видел я однажды, как он отбивал атаку четверых, одетых в защитные доспехи, вооруженных длинными шестами. Отбивался он от шестов обычной саперной лопаткой. Не было злости в нем, а умение было. Такой бой всегда привлекает внимание. Куда бы диверсант не спешил, а если видит, что на центральной площадке бой идет, обязательно остановится посмотреть. Ах, какой хороший бой был! И вот солдатик этот передо мной. Чему-то он меня обучать будет. Вот достает он из ведра маленькую зеленую лягушку и объясняет, что лучше всего привыкать к ней, играя. С лягушкой можно сделать удивительные вещи. Можно, например, вставить соломинку и надуть ее. Тогда она на поверхности плавать будет, но не сможет нырнуть, и это очень смешно. Можно раздеть лягушку. Стриптиз сотворить. Солдатик достает маленький ножичек и показывает, как это нужно делать. Он делает небольшие надрезы на уголках рта и одним движением снимает с нее кожу. Кожа, оказывается, с нее снимается так же легко, как перчатка с руки. Раздетую лягушку Кипа пускает на пол. Видны все ее мышцы, косточки и сосуды. Лягушка прыгает по полу. Квакает. Такое впечатление, что ей и не больно совсем. Солдатик запускает руку в ведро, достает еще одну лягушку, снимает с нее кожу, как шкурку банана, и пускает ее на пол. Теперь вдвоем прыгайте, чтоб не скучали.

— Товарищ старший лейтенант, полковник Марчук приказал мне показать вам все мое хозяйство и немного вас к этим зверюшкам приучить.

— Ты и со змеями так же легко обращаешься?

— С ними-то я и обращаюсь. А лягушки в моем хозяйстве, только чтобы змеюшек кормить.

— Ты и этих к змеям отправишь?

— Раздетых? Ага. Зачем добру пропадать?

Он берет двух голых лягушек и ведет меня в змеиный питомник. Тут влажно и душно. Он открывает крышку и опускает двух лягушек в большой стеклянный ящик, где застыла в углу серая отвратительная гадина.

— Ты с какими змеями работаешь?

— С гадюками, с эфами. В разведке Туркестанского округа мы кобру просили, но она еще не прибыла. Такая чепуха, но дорог перевоз. Ее в пути греть нужно, кормить, поить. Существо нежное, нарушишь режим, непременно окочурится.

— Тебя кто этому ремеслу обучал?

— Самоучка я. Любитель. С детства увлекался.

— Любишь их?

— Люблю, — сказал он это буднично и совсем не театрально. И понял я — не врет солдатик. Любитель хулев. С твоими змеями!

В этот момент обе голые лягушки пронзительно закричали. Это толстая ленивая гадина наконец удостоила их своим вниманием.

— Садитесь, товарищ старший лейтенант.

Глянул я на стул. Убедился, что не свернулась на нем прохладная скользкая гадина. Сел. Передернуло меня.

Кипа улыбается:

— Через десять уроков вы сюда сами проситься будете.

Но не сбылось его пророчество. Змеи мне все так же отвратительны. Но все же я могу держать змею в

139

руке. Я знаю, как хватать ее голой рукой. Я знаю, как потрошить ее и жарить на длинной палочке или на куске проволочки. И если жизнь поставит альтернативу: съесть человека или змею, я сначала съем змею.

5

Вертолет оставил нас на заболоченном острове. Кравцова вертолет скоро заберет, а я останусь один на контрольной точке.

— Если группа начнет входить в связь, не организовав наблюдение и оборону, такой группе штрафной час прибавляй...

— Понял.

— За любое нарушение в подготовке шифрованного сообщения с соревнований снимай всю группу.

— Понял.

— Смотри, чтобы пили воду правильно. Воду глотать нельзя. Нужно немного в рот набрать и держать ее несколько секунд во рту, смачивая язык и гортань. Тот, кто воду глотает, тот никогда не напьется, тот потеет, тому воды никогда не хватает, тот из строя быстро выходит. Увидишь, неправильно воду пьют, смело по пять штрафных рисуй, можешь и по десять.

— Я все понимаю, товарищ полковник. Не первый раз на контроле. Вы бы поспали немного. Вертолет через час вернется. Самое время вам. Вы уж сколько времени не спите...

— Да это, Виктор, ничего. Служебные заботы я и за заботы не считаю. Хуже, когда партийное руководство донимает. Везет нам: во Львове между партийным руководством и командованием округа хорошие отношения. А вот в Ростове командующему Северо-Кавказским военным округом генерал-лейтенанту танковых войск Литовцеву несладко приходится. Местные партийные воротилы вместе с КГБ ополчились против него. Жизни не дают. Жалобы в Центральный Комитет пишут. Уже написали жалоб и доносов больше, чем Дюма романов...

— И никто генералу Литовцеву помочь не может?

— Как тебе сказать... Друзей у него много. Но ведь как поможешь? Люди мы подневольные. Уставы, наставления, военное законодательство чтим, не нарушаем... Как ты ему в рамках закона поможешь?

— Товарищ полковник, может, я чем помочь могу?

— Чем же ты, Витя, старший лейтенант, генерал-лейтенанту поможешь?

— У меня впереди ночь длинная, я подумаю...

— Думать вообще-то много не надо... Все уж продумано. Действовать надо. Кажется, вертолет гудит... Это за мной, наверное. Вот что, Виктор, тут на учениях присутствует мой коллега, начальник разведки Северо-Кавказского военного округа генерал-майор Забалуев. Он хочет лично посмотреть прохождение диверсионных групп, но диверсантов своим званием смущать не желает. Завтра он тут с тобой на контрольной точке будет сидеть. Форма у него наша обычная: куртка серая без знаков различия. В действия групп он вмешиваться не станет. Просто хочет понаблюдать да с тобой потолковать... Если ты и вправду помочь желаешь, попроси...

— Вы думаете, товарищ полковник, что после окончания соревнований мне придется заболеть?

— Я тебе такого приказа не давал. Если сам чувствуешь, что надо, то тогда, конечно. Но помни, в нашей армии так просто не болеют: нужно справку от врача иметь.

— Будет справка.

— Только смотри, бывают ситуации, когда человек чувствует себя больным, а врач — нет. Это нехорошая ситуация. Нужно так болеть, чтобы у врача сомнений не было. Температура действительно должна быть высокой. Знаешь, как бывает, сам чувствуешь себя больным, а температуры нет.

— Будет температура.

— Ладно, Виктор. Успехов тебе желаю. У тебя есть чем генерала накормить?

— Есть.

— Только с водкой не суйся... если сам не попросит.

6

Через девять дней являюсь к полковнику Кравцову доложить, что после соревнований заболел, но теперь себя чувствую хорошо. Он улыбается мне и журит слегка. Тренированный разведчик никогда не болеет. Нужно себя контролировать. Нужно гнать болезнь от тела. Наше тело подчинено нашей воле, а усилием воли можно выгнать из себя любую болезнь, даже рак. Сильные люди не болеют. Болеют только слабые духом.

Он ругает меня, а сам цветет. А сам улыбку свою погасить не в силах. Он улыбается ярко и открыто. Так солдаты улыбаются после штыкового боя: не тронь наших! Только тронь, кишки штыками выпустим.

7

Много у тебя, брат диверсант, врагов. Ранний рассвет и поздний закат — против тебя. Звенящий комар и ревущий вертолет — твои враги. Плохо тебе, брат, когда солнце в глаза. Плохо тебе, парень, когда попал ты под луч прожектора. Плохо тебе, когда сердце твое галопом скачет. Плохо тебе, когда тысячи электронных устройств эфир прослушивают, ловя твой хриплый шепот и срывающееся дыхание. Плохо тебе, брат, всегда. Но бывает хуже. Бывает совсем плохо. Совсем плохо — это когда появляется твой главный враг. Много еще против тебя придумают всяких хитростей: противопехотных мин и электронных датчиков, но главный враг всегда остается главным. У главного твоего врага, мой друг, уши торчком, желтые клыки с каплями злой слюны, серая шерсть и длинный хвост. Глаза у него карие с желтыми крапинками и рыжая шерсть под ошейником. Главный твой враг быстрее тебя. Он твой запах носом чувствует. У главного твоего врага прыжок гигантский, когда он на твою шею бросается.

Вот он. Вражина. Главный. Наиглавнейший. У, гад, как клычищи-то оскалил. Шерсть дыбом. Хвост поджал. Уши прижал. Это перед прыжком. Сейчас, зараза, прыгнет. Не рычит. Хрипит только. Слюна липкая вокруг пасти. Точно бешеный. В КГБ для таких собак особая графа в персональном деле предусмотрена. Называется «злостность». И пишут умудренные специалисты в этой графе страшные слова: «злостность хорошая», «злостность отличная». У этого пса наверняка в графе о злостности одни восклицательные знаки. Зовут зверюгу Марс, и принадлежит он пограничным войскам КГБ. Не скажу, что огромен пес. Видел я псов и покрупнее. Но опытен Марс. И это все знают.

Сегодня не я против Марса. Сегодня против Марса Женя Быченко работает. Прокричали мы Жене слова напутственные, мол, держись, Женя, мол, всыпь ты ему, мол, продемонстрируй хватку диверсантскую и все, чему тебя в Спецназе учили. Советы в таком деле кричать не положено, не принято. Совет, даже самый расчудесный, в самый последний момент может отвлечь внимание бойца, и вцепится ему свирепое животное прямо в глотку. Оттого советчиков в такой ситуации посылают.

Нож Женя в левой руке держит, а куртку — в правой. Но не обмотал он руку курткой. Просто ее на весу держит на вытянутой вперед руке. Не нравится это псу. Необычно это. И нож в левой руке не нравится. Почему в левой? Не спешит пес. Взгляд свой звериный бросает с ножа на глотку и с глотки на нож. Но и на куртку пес смотрит. Почему ее человек вокруг руки не обернул? Знает серый своим песьим разумением, что у человека только одна рука решающая, вторая только дополняющая, только отвлекающая. И надо ему, псу, не ошибиться. Надо ему на ту руку броситься, которая страшнее, которая решающая. А может, все же за горло? Бросает свой взгляд пес, выбирает. Когда он свое песье решение примет, то остановится его взгляд и бросится он. И человек на арене, и мы, зрители, ждем именно этого момента. Перед прыжком у собаки взгляд останавливается, и у человека будет короткое мгновение для встречного удара. Но опытен Марс. И бросился он внезапно без рыка и хрипа. Бросился он, как другие собаки не бросаются. Бросился Марс, не остановив своего взгляда, не сжавшись перед прыжком. Его длинное тело вдруг повисло в воздухе, его пасть, его страшные глаза вдруг полетели на Женьку, и не крикнул никто, не визгнул. Момент прыжка не уловил никто. Мы прыжок ожидали секундой позже. И оттого в тишине пес на Женькино горло летел.

Только Женькина куртка стегнула серого по глазам. Только черный его сапог подковой сверкнул. Только взвыл пес, отлетев в угол. Взревели мы от восторга. У-у-у-у-у-у... Зарычали мы, как кабаны дикие. Завизжали мы от радости.

— Режь его, Женька! Режь серого! Ножичком его, ножичком! Топчи серого, пока не встал!

Но не стал Женька топтать пса скулящего. Не стал резать задыхающегося. Перемахнул Женька через барьер прямо в объятия ликующей диверсантской братии.

У, Женька! Как ты его сапожищем-то! На выдохе поймал! На излете! В полете прямо! Женька!

А на арене, в опилках возле издыхающего пса плакал солдатик в ярко-зеленых погонах и зачем-то совал в окровавленную звериную пасть кусочек замусоленного сахара.

8

— Товарищ старший лейтенант, вас вызывает начальник строевого отдела.

— Иду.

Из всех отделов штаба строевой отдел самый маленький. В штабах военных округов отделами обычно командуют полковники, управлениями — генерал-майоры, и только в строевом отделе начальником майор. Но когда офицера в строевой отдел вызывают, он подтягивается весь. Что же, черт побери, ждет меня? Строевой отдел — это небольшой зал, в котором старый седой майор, крыса канцелярская, да трое ефрейторов-писарей. Мурашки по коже бегут у любого, когда в строевой отдел вызывают. Не важно, старший лейтенант ты или генерал-майор. Строевой отдел — это учреждение, в котором воля командующего округом превращается в письменный приказ. А что написано пером... Строевой отдел — это канал, по которому Верховный Главнокомандующий, министр обороны, начальник Генерального штаба доводят свои приказы до подчиненных. Строевой отдел эти приказы доводит до тех, кому они адресованы.

— Товарищ майор! Старший лейтенант Суворов по вашему приказанию прибыл!

— Удостоверение на стол.

Вздохнул я глубоко, маленькую зеленую книжечку с золотой звездой перед майором положил. Майор спокойно взял «Удостоверение личности офицера», внимательно осмотрел его, почему-то долго рассматривал страницу, где зарегистрировано мое личное оружие, и страницу, где обозначена моя группа крови. Ни один мускул на его дряблом лице не дрогнет. Делает он свою работу точно, как машина, и бесстрастно, как палач. Майор ефрейтору передал удостоверение. У ефрейтора на столе уже все готово. Обмакнул ефрейтор длинное золотое перо в черную тушь и что-то аккуратно написал в нем. Я стою вытянувшись, но шею не вытягиваю, чтобы ефрейтору через плечо глянуть. Потерпим. Через минуту объявит майор чье-то решение. Промокнул ефрейтор черную тушь, удостоверение майору возвращает. Глянул майор на меня испытующе, достал из маленького потайного кармашка затейливый ключ на цепочке, открыл огромную дверь сейфа, достал большую печать, долго примерялся и вдруг четко и резко ударил ею по только что исписанной странице удостоверения.

— Слушай приказ!

Вытянулся я.

— Приказ по личному составу Прикарпатского военного округа № 0257. Секретно. Пункт 17. Старшему лейтенанту Суворову В. А., офицеру 2-го Управления штаба округа, присвоить досрочно воинское звание капитан в соответствии с представлением начальника 2-го Управления полковника Кравцова и начальника штаба округа генерал-лейтенанта Володина. Подпись: генерал-лейтенант танковых войск Обатуров.

— Служу Советскому Союзу!

— Поздравляю вас, капитан.

— Спасибо, товарищ майор. Примите приглашение на вынос тела.

— Спасибо, Витя, за приглашение. Но не могу я его принять. Если бы я каждое предложение принимал, то спился бы давно. Не обижайся. Вот только сегодня 116 человек в списке, 18 из них досрочно. Не обижайся, Витя.

Майор протянул мне удостоверение и руку.

— Еще раз спасибо, товарищ майор.

Лечу я как на крыльях по лестницам и коридорам.

— Ты чего счастливый такой?

— Тебя зачем к Барсуку в нору вызывали?

Не отвечаю никому. Нельзя отвечать сейчас. Плохая примета. Первым о присвоении командир мой должен узнать, и никто больше.

— Витя, чего цветешь? Звание, что ли, присвоили?

— Нет-нет. Мне до капитана еще полтора года ждать.

Ах, скорее в отдел. Уж эти чертовы двери броневые, эти допуски и пропуски.

— Товарищ полковник, разрешите войти.

— Войди. — Кравцов от карты не отрывается.

— Товарищ полковник, старший лейтенант Суворов. Представляюсь по случаю досрочного присвоения воинского звания «капитан».

Осмотрел меня Кравцов. Почему-то под ноги себе глянул.

— Поздравляю, капитан.

— Служу Советскому Союзу!

— В Советской Армии капитан больше всех звездочек имеет, аж четыре. У тебя, Витя, в этом отношении максимум. Поэтому я не желаю тебе много звездочек, я тебе желаю мало звездочек, но больших.

— Спасибо, товарищ полковник. Разрешите пригласить вас на вынос тела.

— Когда?

— Сегодня. Когда же еще?

— Что ты думаешь, если мы на завтра перенесем? В ночь нам на подготовку учений ехать. Перепьются ребята вечером, не соберешь их. А выйдем в поле, там завтра и справим.

— Отлично.

— На сегодня ты свободен. Помни, что выезжаем в три ночи.

— Я помню.

— Тогда свободен.

— Есть.

9

Учения обычно из года в год проводят на одних и тех же полях и полигонах. Штабные офицеры хорошо знают местность, на которой развернутся учебные бои. И все же перед большими учениями офицеры, которым предстоит действовать в качестве посредников и проверяющих, должны еще раз выйти на местность и убедиться в том, что все к учениям готово: местность оцеплена, макеты, обозначающие противника, расставлены, опасные зоны обозначены специальными указателями. Каждый проверяющий на своем участке должен прочувствовать предстоящее сражение и подготовить для своих проверяемых и обучаемых вводные вопросы и ситуации, соответствующие именно этой местности, а не какой-либо другой.

Оттого что проверяющие знают районы предстоящих учений неплохо (многие здесь имели свой лейтенантский старт, тут их самих когда-то кто-то проверял), выезд на местность перед учениями превращается в своего рода маленький пикник, небольшой коллективный отдых, некоторую разрядку в нервной штабной суете.

— Всем все ясно?

— Ясно, — дружно взревели штабные.

— Тогда и отобедать пора. Прошу к столу. Сегодня Витя Суворов нас угощает.

Стола, собственно, никакого нет. Просто десяток серых солдатских одеял расстелены на чистой полянке в ельнике у звенящего ручья. Все, что есть,— все на столе: банки рыбных и мясных консервов, розовое сало ломтиками, лук, огурцы, редиска. Солдаты-водители картошки в костре напекли да ухи наварили.

Я полковнику Кравцову рукой на почетное место указываю. Традиция такая. Он отказывается и мне на это место указывает. Это тоже традиция. Я отказаться должен. Дважды. А на третий раз должен приглашение принять и Кравцову место указать справа от себя. Все остальные сами рассаживаются по старшинству: заместители Кравцова, начальники отделов, их заместители, потом старшие групп, ну и все остальные.

Бутылки на стол расставлять должен самый молодой из присутствующих.

Это Толя Бутурлин — лейтенант из «инквизиции», из группы переводчиков то есть. Добрый парень. Но работу свою серьезно делает. Традиция запрещает ему сейчас улыбаться. Все остальные тоже серьезны. Не положено сейчас ни улыбаться, ни разговаривать. И вопросы не положено задавать, отчего во главе стола старший лейтенант сидит. Ясно всем, почему холодные бутылки расставляют, но неприлично о них говорить, и о причине их появления тоже. Сиди да помалкивай степенно.

Бутылки Толик из ручья носит. Они там аккуратной горкой в ледяной воде сложены. Играет вода на прозрачном стекле, журчит да пенится.

— Где ж твой сосуд? — так спросить положено.

— Вот он.— Подаю Кравцову большой граненый стакан.

Наливает Кравцов стакан по ободок прозрачной влагой. Передо мной ставит. Аккуратно ставит. Ни одна капля пролиться не должна.

Но и стакан полным быть должен. Чем полнее, тем лучше. Молчат все. Вроде бы и не интересует их происходящее. А Кравцов достает из командирской сумки маленькую серебристую звездочку и осторожно ее в мой стакан опускает. Чуть слышно та звездочка звякнула, заиграла на дне стакана, заблестела.

Беру я стакан, ах, не плеснуть бы, к губам несу. Губы навстречу стакану тянуть не положено, хотя так и подсказывает природа отхлебнуть самую малость, тогда и не прольешь ни капли. Выше и выше свой стакан поднимаю. Вот солнечный луч ворвался в ледяную жидкость и рассыпался искрами многоцветными. А вот теперь от солнца стакан нужно чуть к себе и вниз. Вот он и губ коснулся. Холодный. Потянул я огненный напиток. Донышко стакана выше и выше. Вот звездочка на дне шевельнулась и медленно к губам скользнула. Вот и коснулась губ она. Офицер звездочку свою новую как бы поцелуем встречает. Звездочку чуть-чуть губами придержал, пока огненная влага из стакана в душу мою журчала. Вот и все. Звездочку я осторожно левой рукой беру и вокруг себя смотрю: стакан-то разбить надо. На этот случай на мягкой траве чьей-то заботливой рукой большой камень положен. Хряснул я тот стакан об камень, звонкие осколки посыпались, а звездочку мокрую полковнику Кравцову подаю. Кравцов на моем правом погоне маленькой командирской линеечкой место вымеряет. Четвертая звездочка должна быть прямо на красном просвете, а центр ее должен отстоять на 25 миллиметров выше предыдущей. Вот она, мокрая, и встала на свое место. Теперь мое время закусить, запить, огурчиком водочку осадить.

— Где ж твой стакан? — так спросить положено. Два плеча. Два погона. Значит, и две звездочки. Значит, и два стакана... в начале церемонии.

Подаю я второй стакан. Снова в нем огненно-ледяная жидкость заиграла. Снова до краев.

Встал я. Стоя пить легче. Встать разрешается. Никто тут не возразит. Можно было и первый стакан стоя пить. Традиция этому не препятствует. Лишь бы стаканы полными были. Лишь бы не ронял офицер драгоценные бриллиантовые капли.

Сверкнула вторая звездочка-красавица в водочном потоке. Пошла огненная благодать по душе. Зазвенели осколки битые. Вот и на втором погоне мокрая да остроконечная появилась. Теперь Кравцов себе наливает. До краев. И каждый в тишине сам себе льет. Своя рука — владыка. Лей сколько хочешь. Если Витю Суворова уважаешь, так полный стакан лей. А уж коли не уважаешь, лей сколько знаешь. Только пить до дна.

— Выпьем...— смиренно предлагает полковник.

Не положено в такую минуту говорить, за что пьем. Выпьем, и все тут. Пьют все медленно да степенно. Все до дна пьют. Только я не пью. Теперь мое право на каждого смотреть. Кто сколько налил себе. Кто полный стакан, а кто на две трети. Но полные у всех были. А теперь вот сухие у всех. Теперь мне и улыбнуться можно. Не широко. Ибо по традиции я все еще старший лейтенант, хотя приказ вчера был, хотя сегодня мне уже и звезды новые на погоны повесили.

Вот и Кравцов допил. Чуть водичкой запил. Теперь фраза должна ритуальная последовать...

— Нашего полку прибыло!

Вот именно с этого момента считается, что офицер повышение получил. Вот только с этого момента я — капитан.

Закричали все, зашумели. Улыбки у всех. Пожелания, поздравления. Теперь все говорят. Теперь смеются все. Теперь церемонии кончились. Теперь традиции побоку. Пьянка офицерская начинается. И если правда в вине, то быть ей сегодня всецело на нашей стороне. Беги, Толик, к ручью. Беги, Толик. Ты моложе всех. Будет, Толик, и твое время. Будет праздник и на твоей улице. Будет обязательно.

10

Жара. Пыль. Песок на зубах хрустит. Степь от горизонта до горизонта. Солнце, белое, жестокое и равнодушное, бьет безжалостно в глаза, как лампа следователя на допросе. Редко-редко где уродливое деревце, изломанное степными буранами, нарушает пугающее однообразие.

Добрый человек, плюнь, перекрестись да возвращайся домой. Нечего тебе тут делать. А мы, грешные, пойдем вперед, туда, где выжженная степь вдруг обрывается крутым берегом грязного Ингула, туда, где в дрожащем мареве столпились скелеты караульных вышек, туда, где десятки рядов колючей проволоки безнадежно опутали чахлые рощицы. Деревца тощие. Листья серые под толстым слоем пыли. Может, вышки-то не караульные? Может, геологи? Может, нефть? Какая, к черту, нефть! Вышки с прожекторами и с пулеметами. Много вышек. Много прожекторов. Много пулеметов. Ну значит, не ошиблись мы. Значит, правильный путь держим. Верной дорогой идете, товарищи! Сюда нам. Желтые Воды. Будет время, и будет это название звучать так же страшно, как Катынь, Освенцим, Суханово, Бабий Яр, Бухенвальд, Кыштым. Но не наступило еще то время. И потому, услышав это страшное название, не вздрагивает обыватель. Не коробит его от этого названия, и мурашки по коже не бегут. Да и не только у обывателя это название никаких ассоциаций не вызывает, но и у зеков, которых бесконечной колонной гонят со станции к вышкам. Рады многие: не Колыма, не Новая Земля, Украина, черт побери, живем, ребята. И не скоро узнают они, а может, и никогда не узнают, что Центральный Комитет имеет прямую связь с директором «глиноземного завода», на котором им предстоит работать. Не положено им знать, что из Центрального Комитета каждый день звонят большие люди директору завода, производительностью интересуются. Важен завод, важнее Че-

153

лябинского танкового. И не очень вам, ребята, повезло, что гонят вас сюда. И не радуйтесь пайке жирной и щам с мясом. Того, у кого зубы начнут выпадать да волосы, заберут в другое место. Того, кто догадается, что тут за глинозем,— тоже быстро заберут. А уж если вы все там в лагере взбунтуетесь, то охрана в Желтых Водах надежная, а если нужно, то и мы поможем. Имейте в виду, рядом с вами соседствует самый большой учебный центр Спецназа. С этим не играйте. Лучше уж подыхайте понемногу, не рыпаясь, на... «глиноземном заводе».

11

Пыль. Жара. Степь. Мы прыгаем. Мы много прыгаем. С больших высот. С малых высот. Со сверхмалых. Мы прыгаем в два потока с Ан-12 и в четыре потока с Ан-22. А вы себе можете представить выброску в четыре потока? Ни хрена вы не можете. Только тот, кто прыгал,— тот знает, что это такое. Мы прыгаем днем и ночью. Желтые Воды — это Европа. Желтые Воды — это у самого Кировограда. Но лето тут всегда душно и засушливо. Лето знойно и безоблачно. Тут нелетной погоды не бывает. И оттого из всех концов страны сюда собирают роты, батальоны, полки и бригады Спецназа и бросают их тут от июня до сентября. Боже, пошли ливень. Пусть раскиснет проклятый аэродром. Он крепок, как гранит, но это просто глина, и не надо его бетонировать. Солнце забетонировало его лучше всякого технолога. Ну, пошли же ливень! Пусть он раскиснет. Мы все тебя, Боже, просим. Много нас тут. Тысячи. Десятки тысяч. Ну, пошли же ливень!

154

12

Гроза надвигается, как мировая революция: лениво и неуверенно. Пересохла степь. Гонит ветер пыльные смерчи. Затянуло горизонт чернотой, и блещет небо вдали. Далеко-далеко громыхает слабо гром. Но нет дождя. Нет. Ах, как бы я подставил лицо крупным каплям теплой летней грозы. Но не будет ее. Будет и завтра изнуряющий зной, будет горячий ветер с мелкими песчинками. Будет бескрайняя выжженная степь. И пересохшими глотками мы будем орать «Ура!». Вот как сейчас орем. От края и до края взлетной полосы построен цвет Спецназа. Чуть колышется море запыленных выцветших голубых беретов.

— СМИРНО! ДЛЯ ВСТРЕЧИ СПРАВА! НА... КАРАУЛ!!!

Грянул встречный марш. И вот уж не надо мне ни воды, ни дождя. Понес меня марш на крыльях. Вдали показалась машина с огромным маршалом. И, увидев его, взревел первый батальон «Ура!», и покатилось солдатское приветствие по рядам: «А-а-а-а!» Наверное, с таким воплем вставали батальоны в атаку. Ура-а-а-а!

— Товарищ Маршал Советского Союза, представляю сводный корпус специального назначения для проведения строевого смотра и марш-парада. Начальник 5-го Управления генерал-полковник Петрушевский.

Глянул маршал на бесконечные ряды диверсантов, улыбнулся.

Генерал Петрушевский свое воинство представляет:

— 27-я бригада Спецназ Белорусского военного округа!

— Здравствуйте, разведчики! — рявкнула маршальская глотка.

— ЗДРАВ...ЖЛАВ...ТОВ...СОВ...СОЮЗ!!! — рявкнула в ответ 27-я бригада.

— Благодарю за службу!

— СЛУЖ...СОВ...СОЮЗУ!!! —рявкнула 27-я.

— 3-я морская бригада Спецназ Черноморского
флота!

— Здравствуйте, разведчики!

— ЗДРАВ...ЖЛАВ...

— 72-й отдельный учебный батальон Спецназ!

— ЗДРАВ...ЖЛАВ...

— 13-я бригада Спецназ Московского военного
округа!

— 224-й отдельный батальон Спецназ 6-й гвардейской танковой армии!

Кричит маршал приветствия, и эхо радостно гонит слова его за горизонт: БЛАГОДАРЮ ЗА СЛУЖ-
БУ! СЛУЖБУ! СЛУЖБУ!!!

Суров и строг церемониал военных парадов. И
радостен. Не зря придуманы смотры. Ах, не зря. Машина генерала Петрушевского идет правее и чуть сзади маршальской машины. Что блестит в глазах
генеральских? Гордость! Конечно, гордость. Полюбуйся, маршал, на моих молодцов. Разве хуже они
головорезов Маргелова? Ах, не хуже! Нет, не хуже.

— 32-я бригада Спецназ Закавказского военного
округа!

— Здравствуйте, чудо-богатыри!

— ЗДРАВ...ЖЛАВ...!!!

Нет конца аэродрому. Нескончаемой стеной стоит Спецназ.

— Благодарю за службу!

После каждых крупных учений по традиции строят
войска для общей проверки. Традиции этой сотни
лет. Так после сражения полководец собирал остав-

шихся, считал потери, поздравлял победителей. Грандиозные учения завершены. И только тут, на бескрайнем поле, когда все участники собраны вместе, можно представить невероятную мощь 5-го Управления ГРУ. А ведь не все еще тут.

— 703-я отдельная рота Спецназ 17-й армии!

А ведь едет маршал вдоль рядов, и, несомненно, мысль его терзает, на кого же всю эту рать с цепи спустить? На Европу? На Азию? А может, на товарищей по Политбюро?

Ну что же ты, маршал? Чего медлишь? Мы тут все свои. Злые мы все. Ну, спусти с цепи. Всю Россию кровью зальем. Только команду дай. Не всех убивать, конечно, будем, не всех. Если у кого дача большая да машина длинная, тех мы не тронем. Это не грех — иметь дачу да длинную машину. Тех, кто о социальной справедливости говорит, мы тоже не тронем. Грех это, но не очень большой. Заблуждаются люди, что с них возьмешь, с юродивых? Убивать мы, маршал, только тех будем, кто две эти вещи воедино объединяет: кто о социальной справедливости болтает да на длинной машине ездит. Тех, как бешеных собак, на фонари, на столбы телеграфные. От них, маршал, все беды на нашу землю сыплются, от них. Ну спусти цепь, маршал! Эх, маршал. Ведь если не ты, так последователь твой спустит Спецназ с цепи. Спустит. Будь уверен. Много будет крови. Чем дольше тянуть будете, тем больше потом крови будет. Но, будет! Будет! Ура-а-а-а-а! Ура!

Катится рев по полю. Катится, в дальних балках, без дождя пересохших, лает эхо нашего рева.

— А поработаем, ребята? — вопрошает маршал.

— А-а-а-а-а,— ревет Спецназ восторженно в ответ. Поработаем, значит. Поработаем.

157

13

Мы работаем. Мы работаем дни и ночи. И уже не различаешь дней и ночей. Все несется серым колесом. Прыжки дневные. Прыжки ночные. Прыжки со сверхмалой. Прыжки со средних высот. Прыжки с катапультированием, но это не для всех. Прыжки из стратосферы, это тоже для избранных. Соревнования. Соревнования. Соревнования. И снова прыжки. Горькая пыль на губах. Красные глаза. Злость наружу просится. Иногда апатия полная. И уже укладываем парашюты свои без трепета. Скорей бы сложить да поспать минут тридцать. Может, проверить укладку еще раз? Да ну ее на... Учебные бои. Напалм. Собаки. МВД. КГБ. Опять стрельбы, и опять прыжки.

А смерть рядом с нами ходит. Нет, никого она под свои черные крылья не прибрала. Но рядом, старуха. Не дремлет. В 112-м отдельном батальоне новый парашют проверяют, Д-1-8. Плохой парашют. Боятся его Спецназы. Не хотят на Д-1-8 прыгать. Что-то не так в нем. На каждые сто прыжков минимум один перехлест приходится. Тут и конструктор парашюта, и испытатели. Объясняют, что уложили мы не так, хранили не так. Ну вас всех на... а гробиться нашему брату. Старшина из 112-го батальона прыгал, перехлестнуло ему стропы через купол, он их стропорезом полоснул. Хорошо приземлился. Мягко. А ему шутки на земле: надо ж было не с маху полосовать стропы, а найти, где они шелковой ниточкой сшиты, да ниточку аккуратно и распустить. А старшина после прыжка такого совсем шуток не понимает. Да матом шутников. И конструктора заодно.

Рядом смерть с нами. Вон за теми заборами. Желтые Воды рядом. Концлагеря. Уран. А значит, и смерть. Не тут ли каждый начальник себе кукол да гладиаторов подбирает? Запретные зоны. Вышки сторожевые. Вышки парашютные. Все рядом. Концлагерь и мы. Зачем это? Чтобы нас пугать? А может, еще какая причина есть держать главный учебный центр Спецназа рядом с урановыми рудниками? Рядом с концлагерями. Рядом со смертью.

14

И опять прыжки. «Капитан Суворов. Этот парашют я укладывал сам». Операция первая. Закрепили вершину купола. «Этот парашют я укладывал сам». Готовы?

Попрыгали. Вперед. Вперед. Вперед. «Генерал-майор Кравцов. Этот парашют я укладывал сам». Я долго тупо смотрю на расписку моего соседа, который закончил укладку. Что-то в этой надписи мне непонятно. Что-то не так. Но тупые мозги у меня. Недосып. Я мучительно напрягаю свое сознание и вдруг меня озаряет:

— Товарищ генерал!

— Тихо, не шуми. Да, Витя. Да.— И он смеется.— Только не шуми. Я уже 32 часа как генерал. Ты первый сообразил.

— Поздравляю вас...

— Спасибо.

— Много вам звезд...

— Да не шуми ты. Пить потом будем. Не время сейчас. Ах, черт. Замотался я совсем. Ты-то свой парашют уложил?

— Оба, товарищ генерал.

— Сдай их оба.

— Есть сдать. — И, предчувствуя что-то, вопреки уставам я лишний вопрос задал: — Я не прыгаю сегодня?

— Ты никогда больше прыгать не будешь.

— Ясно. — Хотя ничего мне не ясно.

— Вызывают тебя в Киев. А там, наверное, в Москву.

— Есть.

— О вызове ни с кем не болтать. При оформлении документов в строевом отделе скажешь, что вызов из 10-го Главного управления Генерального штаба.

— Есть, — рявкнул я.

— Тогда до свидания, капитан. И успехов тебе.

15

— Капитан, есть предварительное решение Генерального штаба забросить тебя в тыл противника для выполнения особого задания.— Незнакомый генерал измерил меня тяжелым взглядом.— Сколько времени надо на подготовку?

— Три минуты, товарищ генерал.

— Почему не пять? — Он впервые улыбнулся.

— Мне только в туалет сбегать, три минуты достаточно. — И, понимая, что мою шутку он может не оценить, я добавил: — Всю ночь меня сюда в автобусе везли, там никакой возможности не было.

— Николай Герасимович, — обратился генерал к кому-то,— проводите капитана в туалет.

Через две с половиной минуты я вновь стоял перед генералом.

— Теперь готов?

— Готов, товарищ генерал.

— Куда угодно?

— В огонь и в воду, товарищ генерал.

— И тебя не интересует куда?

— Интересует, товарищ генерал.

— Если бы мы решили тебя готовить к выполнению задачи очень долго. Например, пять лет. Как бы ты отнесся к этому?

— Положительно.

— Почему?

— Это означает, что задание будет действительно серьезным. Это мне подходит.

— Что ты, капитан, знаешь о 10-м Главном управлении Генерального штаба?

— Оно осуществляет поставки вооружения всем, кто борется за свободу, готовит командиров для национально-освободительных движений, направляет военных советников в Азию, Африку, на Кубу...

— Как бы ты отнесся к предложению стать офицером 10-го Главного управления?

— Это была бы высшая честь для меня.

— 10-е Главное управление направляет советников в страны с жарким влажным и с жарким сухим климатом. Что бы ты предпочел?

— Жаркий влажный.

— Почему?

— Это Вьетнам, Камбоджа, Лаос. Там воюют. А в жарком сухом сейчас прекращение огня...

— Ты ошибаешься, капитан. Воюют всегда и везде. Перемирия никогда нигде нет и не будет. Война идет постоянно. Открытая война иногда прерывается, но тайная никогда. Мы рассматриваем вопрос об отправке тебя на войну. На тайную войну.

— В КГБ.

— Нет.

— Разве бывает тайная война без участия КГБ?

— Бывает.

— И эту войну ведет 10-е Главное управление?

— Нет, ее ведет 2-е Главное управление Генерального штаба — ГРУ. Для прикрытия своего существования ГРУ использует разные организации, в том числе и 10-е Главное управление. Тебя, капитан, мы отправим на экзамены в тайную академию ГРУ, но все будет организовано так, как будто ты становишься военным советником, 10-е Главное управление — это твое прикрытие. Все документы будут оформляться только в 10-е Главное управление. Это управление вызовет тебя в Москву, а там мы тайно заберем тебя к себе сдавать экзамены...

— А если я экзаменов не сдам?

Он брезгливо фыркнул.

— Тогда мы тебя и вправду отдадим в 10-е Главное управление, и ты действительно станешь военным советником. Они тебя возьмут, ты им нравишься. Но ты и нам нравишься. Мы уверены, что ты наши экзамены сдашь, иначе мы бы с тобой сейчас не беседовали.

— Все ясно, товарищ генерал.

— А коль так, необходимо выполнить некоторые формальности.

Он извлек из сейфа хрустящий, как новенький червонец, лист бумаги с гербом и грифом «Совершенно секретно».

— Прочитай и подпиши.

На листе двенадцать коротких пунктов. Каждый начинается словом «запрещается» и завершается грозным предупреждением: «Карается высшей мерой наказания». А заключение гласило: «Попытка разгла-

162

шения данного документа или любой его части карается высшей мерой наказания».

— Готов?

Вместо ответа я только кивнул. Он придвинул мне ручку. Я подписал, и лист исчез в недрах сейфа.

— До встречи в Москве, капитан.

16

Сдав дела совсем молоденькому старшему лейтенанту, я предстал перед своим, теперь уже бывшим, командиром:

— Товарищ генерал, капитан Суворов, представляюсь по случаю перевода в 10-е Главное управление Генерального штаба.

— Садись.

Сел.

Он долго смотрит мне в лицо. Я выдерживаю его взгляд. Он подтянут и строг, и он не улыбается мне.

— Ты, Виктор, идешь на серьезное дело. Тебя забирают в «десятку», но, я думаю, это только прикрытие. Мне кажется, что тебя заберут куда-то выше. Может быть, даже в ГРУ. В Аквариум. Просто они не имеют права об этом говорить. Но вспомни мои слова — приедешь в 10-е Главное, а тебя заберут в другое место. Наверное, так оно и будет. Если мой анализ происходящего правильный, то тебя ждут очень серьезные экзамены. Если ты хочешь их пройти, то будь самим собой всегда. В тебе есть что-то преступное, что-то порочное, но не пытайся скрывать этого.

— Я не буду этого скрывать.

— И будь добрым. Всегда будь добрым. Всю жизнь. Ты обещаешь мне?

— Обещаю.

— Если тебе придется убивать человека, будь добрым! Улыбайся ему перед тем, как его убить.

— Я постараюсь.

— Но если тебя будут убивать — не скули и не плачь. Этого не простят. Улыбайся, когда тебя будут убивать. Улыбайся палачу. Этим ты обессмертишь себя. Все равно каждый из нас когда-нибудь подохнет. Подыхай человеком, Витя. Гордо подыхай. Обещаешь?

На следующий день зеленый автобус доставил группу офицеров на пустынную железнодорожную станцию, где формировался воинский эшелон. Всех их вызывало в Москву 10-е Главное управление Генерального штаба. Всем им предстояло стать военными советниками во Вьетнаме, в Алжире, Йемене, Сирии, Египте. В этой группе находился и я. Для всех моих друзей, коллег, начальников и подчиненных с этого момента я перестал существовать. Пункт первый подписанного мной документа запрещал мне любые контакты со всеми людьми, которых я знал в прошлом.

ГЛАВА ШЕСТАЯ

1

Мать Россия, ты машешь мне детской рукой с железнодорожной насыпи, ты открываешь передо мной свои необозримые дали. Осинки, березки, елочки, разграбленные церкви, девочки на сенокосе, заводские трубы и опять дети на насыпи. Они машут мне вслед и улыбаются мне. Мосты, мосты. Десна-река прогрохотала стальными пролетами. Конотоп, Брянск, Калуга. Стучат колеса на стыках. Тук. Тук. Тук. Шумит вагон. В вагоне у нас пьянка. В вагоне все свои. Эшелон воинский. Чужих нет. В вагоне только военные советники. Будущие. И пьют обитатели вагона за свое будущее. За 10-е Главное управление. За генерал-полковника Окунева. Пошла бутылка новая по кругу. Пей, капитан! За звезды! Больших звезд тебе, капитан! Спасибо, майор, и тебе тоже! Глаза горят. Глаза у всех горят. Мы все мальчишки, помешанные на войне. Разве мы шли в училища ради того, чтобы проверять, как у солдат сапоги вычищены? Нет, мы шли в училища как романтики войны. И вот они, счастливцы, которым 10-е Главное управление даст

165

такую возможность. За «десятку», братцы! За «десятку»! Много нас в вагоне. Артиллерия, летчики, пехота, танкисты. Еще день назад мы не знали друг друга. Но все мы уже друзья. И снова бутылка по кругу. За вас, ребята, за вашу удачу. За ваши звезды. А куда же меня черти несут? В моих документах числится Куба, но это только потому, что в группе нет никого другого на Кубу. Тут очень много в Египет, много в Сирию. Некоторые во Вьетнам. Если бы был кто-то действительно на Кубу, то мне придумали бы что-то другое. Кравцов, конечно, догадывается, предполагает, что Куба — только маскировка. Но ничего толком не знал и он. Кравцов. Генерал. Я видел его генералом. Но он был в запыленном комбинезоне и в голубом выгоревшем берете, такой же, как все, ничем не отличимый от солдат Спецназа. Я стараюсь представить его в настоящей генеральской форме с золотыми погонами и широкими лампасами. Но это не удается. Я представляю его всегда только так, как в момент нашей самой первой встречи: в чистенькой гимнастерке, с погонами подполковника, с лицом молоденького капитана. Успехов вам, генерал!

2

Красная Пресня — самый мощный военный железнодорожный узел мира. Эшелоны. Эшелоны. Эшелоны. Тысячи людей. Все за колючей проволокой. Все за высокими заборами. Все под слепящим светом прожекторов. Эшелоны с танками в Германию. Эшелоны с новобранцами в Чехословакию. Лязг и грохот. Маневровые тепловозы формируют составы. На Дальний Восток эшелон с пушками. Вот какие-то контейнеры.

Охрана вокруг, как вокруг Брежнева. Склады. Склады. Склады. Погрузка и разгрузка. Эшелон демобилизованных солдат из Польши. И тут же тюремные вагоны. Окна узкие и длинные. Окна закрашены белой краской. Окна в решетках. Красная Пресня — это не только военный центр, это пересыльная тюрьма. Солдаты с овчарками. Красные погоны. Тюремный эшелон медленно уходит в зону. Ворота огромные, стальные. Колючая проволока. Голубой слепящий свет. Тюремные эшелоны. В Бодайбо. В Череповец. В Северодвинск. В Желтые Воды. Огромные серые блоки военного пересыльного пункта. Группа советников в Южный Йемен! Пройдите в блок Б, комната 217. Советник на Кубу! Я. Капитан Суворов? Да. Следуйте за мной. Молодой стройный майор ведет меня мимо каких-то длинных заборов и штабелей из зеленых ящиков. Сюда, капитан. В небольшом дворике нас ждет санитарная машина с красными крестами. Пожалуйста, капитан. Дверь захлопнулась за мной, и машина тронулась. Пару раз она останавливалась — наверное, проверка при выходе из запретной зоны. И вот меня везут по Москве. Я знаю, что везут не по прямой дороге, а по улицам большого города. Машина часто поворачивает и подолгу стоит у светофоров на перекрестках. Но это только мои предположения. Видеть я ничего не могу — окна в салоне матовые, как в тюремном вагоне.

3

Удельное давление на грунт американского танка М-60. Какие противотанковые ракеты вам больше нравятся, американские или французские? Почему?

Почему винтовые лестницы в замках закручиваются снизу влево вверх, а не снизу вправо вверх? Почему у телеги передние колеса маленькие, а задние большие? Что такое «три линии»? Почему в русской винтовке Мосина нарезы идут слева вверх направо, а в японской винтовке Арисака наоборот? Каковы принципиальные недостатки роторного двигателя Венкеля? Сколько весит ведро ртути? Какой тип женщин вам нравится? Сколько номеров журнала «Огонек» выпускается в год? Кто первым применил «вертикальный охват»? Что означает буква «Л» в названии советского истребителя-бомбардировщика Су-7 БКЛ? Если бы вам приказали модернизировать американский стратегический бомбардировщик Б-58, какие параметры вы улучшили бы в первую очередь? Почему на германских танках «Пантера» была использована шахматная подвеска? В советской мотострелковой дивизии 257 танков, по вашему мнению, это количество нужно уменьшить или увеличить? На сколько? Почему? Как это повлияет на организацию снабжения дивизии? Вопросы сыплются один за другим. Времени на обдумывание никакого. Только задумался – следует новый вопрос. Кто такой Чехов? Это снайпер из 138-й стрелковой дивизии 62-й армии. А Достоевский? Странные вопросы. Кто не знае Достоевского? Николай Герасимович Достоевский - генерал-майор, начальник штаба 3-й ударной армии Они смеются. Это, капитан, немного не то, чего мы хотим, но твои ответы мы принимаем. Они тебя характеризуют очень ярко. Если мы иногда смеемся, не обращай внимания. Не смущайся. А разве я когда-нибудь смущался?

4

Мне кажется, что мне задали миллион вопросов. Но позже я прикинул, что их было где-то около пяти тысяч: 50 вопросов в час, 17 часов, 6 дней. На некоторые вопросы приходится отвечать 5, а то и 10 минут. На другие уходят секунды. Иногда вопросы повторяются. Иногда один и тот же вопрос быстро повторяется несколько раз. Не надо нервничать. Отвечай быстрее. Не вздумай врать, не вздумай хитрить. Итак, сколько водки вы можете выпить за один раз? Вот фотографии десяти женщин. Какая вам нравится больше всех? 262 умножить на 16. Скорее. В уме. Это не очень трудно. Нужно сначала 262 умножить на десять, потом прибавить половину того, что получилось, потом еще 262. Экзаменатор смотрит в упор. Скорее, капитан. Такая чепуха. Я смотрю в потолок. Я мучительно складываю все вместе. Я смотрю прямо перед собой. Какому-то моему предшественнику задавали именно этот вопрос, и он тоненьким карандашом выписал все вычисления на зеленой бумаге, которой покрыт мой стол. Я хватаю готовый ответ и тут же соображаю, что это просто провокация. Не могло быть у моего предшественника тоненького карандашика. Не мог он под сверлящим взглядом тайно делать вычисления на бумаге. Я сжимаю челюсти и бросаю свой собственный ответ: 4192. Я даже не смотрю на зеленую бумагу, покрывающую мой стол. Я знаю, что там заведомо неправильный ответ. А вопросы сыплются, как горох: как бы вы, капитан, реагировали, если мы вам предложим торговать арбузами?

Иногда в зале один экзаменатор. Иногда их трое, иногда пятнадцать. Вот двести фотографий, опознайте тех, кого вы видели в этой комнате за время экзаменов. Время пошло. Теперь выберите тех, кого вы видели в этой комнате только однажды. В этом тексте зачеркните все буквы «О», подчеркните все буквы «А», обведите кругом все буквы «С». На действия этого субъекта внимания не обращайте, как и на передачи радио. Время пошло. Субъект корчит мне рожи, старается вырвать мой карандаш, выбивает стул из-под меня. А радио надрывается: зачеркни «С», подчеркни «О»... Иногда во время экзаменов прямо в комнату приносят роскошный обед, иногда забывают. Иногда отпускают в туалет по первому требованию, иногда приходится просить по три раза. Каждый день они подводят меня к последнему рубежу моих умственных и физических возможностей. И я, и они этот рубеж совершенно отчетливо чувствуем. Далеко за полночь я, не раздеваясь, валюсь на свою кровать и засыпаю мгновенно. Вот этого момента они и ждут: ослепительная лампа в глаза. 262 умножить на 16. Ну, скорее. В уме. Это так просто! Ты же уже на этот вопрос отвечал. Ну что же ты? 4192 — кричу я им. И свет гаснет.

5

Много позже я узнал, что тех, кто ответил правильно больше чем на 90 % вопросов, сюда не принимают. Очень умные не нужны. И все же, главное в экзаменах — это не установить уровень знаний. Совсем нет. Способность усваивать большое количество информации в короткое время при сильном возбуждении и при наличии помех — вот что главное. А кроме того, устанавливаются наличие или отсутствие юмора, уровень оптимизма, уравновешенность, способность к интенсивной деятельности, устойчивость настроения и многое другое.

— Что ж, парень, ты нам подходишь, — сказал мне на исходе шестого дня седой экзаменатор. — Организация у нас серьезная. Правила тут такие короткие, что понимает их даже тот, кто не хочет их понимать. Закон у нас простой: вход — рубль, выход — два. Это означает, что вступить в организацию трудно, но выйти из нее труднее. Теоретически для всех членов организации предусмотрен только один выход из нее — через трубу. Для одних этот выход бывает почетным, для других — позорным и страшным, но для всех нас есть только одна труба. Только через нее мы выходим из организации. Вот она — эта труба...

6

Я думал, что лицо полковника будет преследовать меня всю жизнь в ночных кошмарах. Но он не снился мне никогда. А думал о нем я много. И вот что мне непонятно. Объяснили мне, что любил он деньги, любил выпить, женщин любил. За деньги и продался иностранным разведкам. Допустим, что так. Но у него были великолепные возможности бежать на Запад. Но он не бежал. На Западе было бы ему вдосталь и денег, и вина, и женщин. А в Москве он деньги все равно тратить не мог. Да и не разгуляешься особенно.

Бабник сбежал бы к бабам и деньгам, а он не бежал. А он над крематорием балансировал. Отчего, черт подери? Я кручусь на горячей подушке и уснуть не могу. Первая ночь без экзаменов. А может, телекамера за мной по ночам смотрит? Ну и хрен с ней! Я встаю и показы

171

ваю кукиш во все углы. Если вы за мной и сейчас следите, то завтра в Центральный Комитет меня не повезут. Потом я решаю, что недостаточно показать им только кукиш, и потому показываю телекамере, если она действительно есть, все, что могу показать. Утром посмотрим, выгонят меня или нет. Продемонстрировав все, что могу, я удовлетворенно улегся на кровать и тут же уснул в твердой уверенности, что завтра меня выгонят в Сибирь командовать танковой ротой, а если нет, то тут жить можно и можно обходить контроль.

Я сплю в кровати блаженно и сладко. Я сплю крепко. Я знаю, что если меня в Аквариум примут, то это будет большая ошибка советской разведки. Я знаю, что если выход останется только один и только через трубу, то для меня этот выход не будет почетным. Я знаю, что и в своей постели я не умру. Нет, такие в своей постели не умирают. Ах, советская разведка, лучше бы ты меня сразу через трубу пропустила!

7

Меня вновь куда-то везут в закрытой машине с матовыми окнами. Я не вижу куда, и меня никто не видит. Куда же это меня, в Центральный Комитет или в Сибирь? Наверное, все же в Центральный Комитет. Если бы в Сибирь, то мой чемодан со мной был бы, а раз нет чемодана, это может означать, что везут меня не насовсем, на короткий визит, с возвращением туда, откуда везут.

За окном шумит огромный город, значит, мы где-то в центре. А может быть, это Лубянка? У Лубянки на площади Дзержинского всегда такой шум, как от Ниагарского водопада. Мне почему-то кажется, что мы

172

именно у Лубянки. Но в этом ничего странного: Центральный Комитет тут совсем рядом. Наша машина долго стоит, потом куда-то осторожно въезжает. Сзади лязг металлических ворот. Дверь открывается — выходите.

Мы в узеньком мрачном дворике. С четырех сторон высокие старинные стены. Сзади нас ворота. Сержанты КГБ у ворот. Несколько дверей выходит в мрачный дворик. У одних дверей тоже охрана КГБ. У остальных дверей охраны не видно. Сверху на карнизе воркуют голуби. Сюда, пожалуйста. Седой показывает какие-то бумаги. Сержант КГБ козыряет. Проходите. Седой знает дорогу. Он ведет меня бесконечными коридорами. Красные ковры. Сводчатые потолки. Кожаные двери. У нас вновь проверяют документы. Проходите. Лифт бесшумно поднимает нас на третий этаж. Снова коридоры. Большая приемная. Пожилая женщина за столиком. Подождите, пожалуйста. Ждем. Заходите, пожалуйста. Седой чуть подтолкнул меня сзади и закрыл дверь за мной, сам оставшись в приемной.

Кабинет высокий. Окна под потолок. Вида из окна никакого. В упор смотрит глухая стена, и голуби на карнизе. Стол дубовый. Худой человек в золотых очках за столом. Костюм коричневый, никаких знаков отличия: ни медалей, ни орденов. Хорошо в армии — посмотрел на погоны да и начинай говорить: товарищ майор, товарищ подполковник... А как тут начинать? Поэтому я никак не начинаю. Я просто представляюсь:

— Капитан Суворов.

— Здравствуйте, капитан.

— Здравия желаю.

— Мы внимательно изучали вас и решили принять в Аквариум, после соответствующей подготовки, конечно.

173

— Благодарю вас.

— Сегодня 23 августа. Эту дату, капитан, запомните на всю жизнь. С этого дня вы входите в номенклатуру, мы поднимаем вас на очень высокий ее этаж — в номенклатуру Центрального Комитета. Помимо прочих исключительных привилегий, вам предоставляется еще одна: с этого дня вы не под контролем КГБ. С этого дня КГБ не имеет права задавать вам вопросы, требовать ответы на них, предпринимать какие-либо акции против вас. Если вы совершите ошибку — доложите о ней своему руководителю, он доложит нам. Если вы не доложите, мы все равно о вашей ошибке узнаем. Но в любом случае любое расследование ваших действий будет проводиться только руководством ГРУ или отделом административных органов ЦК. О любом контакте с КГБ вы обязаны докладывать своему руководителю. Благополучие ЦК зависит от того, как организации и люди, имеющие ранг номенклатуры ЦК, сумеют сохранить свою независимость от любых других организаций. Благополучие ЦК — это и ваше личное благополучие, капитан. Гордитесь доверием, которое Центральный Комитет оказывает военной разведке и вам лично. Желаю успехов.

Я четко козырнул и вышел.

8

Широкое озеро в лесу. По берегам камыш. Над обрывом березовая роща. Там, за высоким забором, наша дача. Крошечный пляж. Лодки вверх дном. На другом берегу тоже какие-то дачи бревенчатые. Тоже за зелеными заборами. Тоже под охраной. Зона тут особая. Дачи. Но дачи только для ответственных товарищей. И в эту дачную зону совсем нелегко попасть. Дубовые рощи. Озера. Густые леса. Кое-где красные крыши. И вновь зеленые заборы. Проехать к нашему озеру только по одной дороге можно. Других путей нет. Как ни крути вокруг, а все время будешь в зеленые заборы упираться. За нашими заборами тоже чьи-то дачи. Кто-то там по волейбольному мячику стучит. Но нам не положено знать, кто там стучит. А ему к нам не положено заглядывать. А слева у нас забор выше, чем справа. Из-за того забора по вечерам музыка доносится. Очень приятная мелодия. Танго.

Дача у нас большая. Тут нас живет 23 человека. Но места хватило бы и на тридцать. У каждого по маленькой комнатке. Бревенчатые сосновые стены. Запах смолы. Маленький пейзажик на стенке. Огромная мягкая кровать. Книжная полка. Внизу холл с большим азиатским ковром. Мы встаем, когда хотим. И делаем, что нравится. Завтрак сытный. Обед скромный. Ужин роскошный. Вечерами мы сидим у камина. Мы пьем. Травим. Мы все в прошлом офицеры средних этажей советской военной разведки. В группе один подполковник. Два майора. Один старший лейтенант. Остальные капитаны. Один из нас в прошлом летчик-истребитель. Двое ракетчиков. Один десантник. Один командир ракетного катера. Военный врач. Военный юрист. В общем, очень цветастый букет. Мы пришли от разных начальников. Каждый из нас по каким-то причинам попал в фарватер какого-нибудь военного разведчика дивизионного, армейского или более высокого уровня. Каждого из нас кто-то отбирал в свою персональную группу. И вот именно из этих групп Аквариум выбирает своих кандидатов. Понятно, что, забирая людей у руководителей разведки на низших этажах, Аквариум совсем не старается забрать всех или самых лучших. Нет. Если у Кравцова Аквариум сегодня заберет всех его лучших ребят, завтра Кравцов не будет выбирать свою свиту так кропотливо. Поэтому Аквариум отбирает людей у нижестоящих начальников очень осторожно, чтобы не отбить им охоту на будущее уделять выбору людей столь огромное внимание.

Я много сплю. Я давно не спал так крепко и так сладко. Утром я встаю поздно и иду на озеро. Погода пасмурная. Но вода теплая. И я плаваю очень долго. Я знаю, что этот сон и эта свобода ненадолго. Просто нам дают возможность расслабиться после экзаменов перед началом учебного года. И я расслабляюсь.

9

Быстрая дружба кончается долгой враждой. Я знаю это. И мои товарищи по группе тоже знают это. Поэтому мы не спешим в наших отношениях. Мы очень осторожно прощупываем друг друга. Мы болтаем о пустяках. Мы рассказываем не особенно острые анекдоты. Травим, одним словом. Нам пока можно выпить. В огромном буфете обильный выбор: подходи и пей. Но мы пьем умеренно. Когда-то мы станем друзьями. Когда-то мы будем доверять друг другу. Когда-то мы будем поддерживать друг друга. Вот тогда мы и будем пить по-настоящему. Как настоящие офицеры. Но не сейчас.

Нас тщательно обмерили, и вот все мы уже в гражданских костюмах. Некоторым из нас суждено надеть форму, когда мы станем генералами. Некоторым придется остаться в гражданской одежде, даже став генералом. Такова служба.

— Меня зовут полковник Разумов Петр Федорович,— представился грузный человек в спортивном костюме с волейбольным мячом в руке.— Мне 51 год. Из них 23 я служу в Аквариуме. Работал в трех странах. За рубежом провел 16 лет. Имею 7 вербовок. Награжден четырьмя боевыми орденами и несколькими медалями. Я буду руководителем вашей группы. Вы, конечно, придумаете мне кличку. Чтобы вам не мучиться, я скажу вам несколько моих неофициальных кличек. Одна из них СЛОН. Слонами называют всех преподавателей и профессоров Военно-дипломатической академии. А сама академия именуется «консерваторией», когда речь идет о вас, о молодежи, или «кладбищем слонов», когда речь идет о нас — профессорах и преподавателях. Может, когда-то кто-то из вас тоже станет Слоном и придет сюда готовить молодых слоников. А сейчас я хотел бы поговорить с каждым из вас отдельно. Капитан Суворов!

— Я, товарищ полковник.

— Называйте меня просто Петр Федорович.

— Есть.

— Забудьте это «есть». Вы остаетесь офицером Советской Армии, более того, вы подниметесь на самый высокий этаж — в Генеральный штаб. Но это «есть» на время забудьте. Вы можете не щелкать каблуками, когда говорите с начальством?

— Никак нет, товарищ... Петр Федорович.

— Первое тебе, Виктор, задание. Научись сидеть в кресле, слегка развалясь... Ты сидишь с ровной спиной, вроде как штык проглотил. Так гражданские дипломаты не сидят. Понял?

— Понял.

Меня давно вопрос занимал: как можно организовать тайную школу шпионов в центре огромного
города, да так, чтобы никто не дознался? Чтоб никто
нас не заснял ни по одному, ни стайкой.

А делается все просто. Центральная глыба Военно-
дипломатической академии высится на улице Народного ополчения. Понятно, что никаких названий вы
тут не увидите. Только ограды узор чугунный, буйные
заросли сирени, да колонны, да окна в решетках, да
плотные шторы, и часовые по углам. Но это — не главное. Тут учат только тех, кто будет работать в большой
зоне, в соцлагере.

А нас, расконвоированных, тех, кто из лагеря выход иметь будет, готовят не тут. Слушатели основных
факультетов разбросаны по всей Москве по неболь-
шим учебным точкам. А где моя точка, я и сам не знаю...
Каждое утро в 8.30 я у Научно-исследовательско-
го института электромагнитных излучений. Знаете,
около Тимирязевского парка. Официально институт
принадлежит Министерству радиопромышленности.
Но кому он на самом деле принадлежит и чем он
занимается, мало кому известно. В сталинские времена был институтик маленьким совсем. Человек двести, не больше. И как память того времени —
четырехэтажный дворец позднего сталинизма: фальшивые колонны да балкончики. Но рос быстро институт, и огромные шестиэтажные серые блоки тому
свидетели. Это хрущевская экономия. Силикатный
кирпич. Хрущобы. А еще дальше стеклянные глыбы
брежневского военно-бюрократического размаха. Все
это перегорожено множеством стен на зоны и секто-
ры. Проволока колючая, ролики белые. Предъявляйте пропуск в развернутом виде!

Много народу. Утренняя смена. Проходная в двенадцать потоков. На территории объекта не курить. Будьте бдительны! Болтун — находка для врага! Перевыполним план первого квартала! Не стой под грузом! Дробит проходная мощный поток трудовой интеллигенции на реки и ручьи. Течет серая масса по своим отделам да секторам. Скрипит тормозами маневровый тепловоз. Огромный ангар поглощает шестидесятитонные вагоны. Спешит научная братия. Молча толпа валит. Все секретные. Все совершенно секретные. Вход воспрещен! Предъявляйте пропуск в развернутом виде! Заборы бетонные. Заборы кирпичные. Трубы разноцветные. Зона 12-Б.

Над какими проблемами тут работают? Лучше не спрашивать. Еще раз пропуск предъявим. На пропуске множество шифрованных значков. Каждый сверчок знай свой шесток. Каждый владелец пропуска только в своей, строго для него установленной зоне обитает. Без особых значков на пропуске не выпустят тебя за зону твоего обитания. Наберем номер на диске — вот мы в ангаре. Тут вся наша группа собирается. Тут стоит огромный «МАЗ» с оранжевым контейнером. Наше место внутри. А там как в хорошем самолете: ковры да кресла удобные. Только окон нет. В 8.40, когда контейнер уже закрыт изнутри, появляется в ангаре водитель и гонит свой «МАЗ» по Москве. Водителя мы не видели никогда. Он даже не догадывается, что людей возит. У него работа такая: в 8.40 войти в ангар, сесть в машину и вести контейнер с неким очень опасным грузом через несколько кварталов в сосновый лес. Тут еще некий секретный объект, тоже ангар. Он загоняет контейнер туда, а сам выходит в комнату ожидания. По вечерам он делает еще один рейс. А в остальное время он другие оранжевые контейнеры по Москве гоняет. Может, со взрывателями к атомным бомбам, может, со смертоносными вирусами, которые способны сожрать человечество, может, с аппаратурой генетической войны. Откуда ему знать, что в контейнерах. Все они одинаковы. Все оранжевые. А зашибает он, видимо, здорово. На таких исследовательских центрах все здорово зашибают.

12

Из нашего оранжевого контейнера мы на землю прыг, прыг. В ангаре высоко под потолком воробей чирикает. Ему одному только секреты все видны: кто водитель у нас, кто по ночам ангар убирает, кто в таком же вот контейнере сюда к нам пищу возит и в столовой накрывает. Пока мы в зоне, никого тут нет из персонала. Столовая и та как система клапанов устроена: если в ней открыта дверь в ангар и кто-то накрывает нам стол к завтраку, то мы не можем проникнуть ни в столовую, ни в ангар. Потом звонок нам, как павловским псам,— готово. Тут уж мы в столовую входим, зато никому другому двери не откроются — автоматика. Кормят хорошо. Меня никогда так не кормили, даже в Чехословакии. И все же зона, она и есть зона, а наш контейнер мы зовем оранжевым вороном. В принципе нас, как зеков, возят, только с комфортом.

В особой книге я «спасибо» пишу за хороший завтрак и заказ на завтра. И скорее на занятия.

Все готовы? Все.

Пять минут подышать.

Дворик у нас аккуратный. Кусты сирени серые бетонные стены почти полностью закрывают — уют. Над сиренью проволока колючая. Что за той проволокой, увидать нельзя. Только ясно, что там такие же полукруглые ангарные крыши, как у нашего бассейна и теннисного корта. Может, там другая учебная точка — такая же, как и у нас. А может, там польские или венгерские наши коллеги обучаются, а может быть, кубинские, итальянские, ливийские. Откуда нам знать. А может, там и не учебная точка, а секретная лаборатория или склад, а может, там тюрьма просто. По движению нашего оранжевого ворона я все пытаюсь направление по утрам угадать. Чудится, что возят нас совсем недалеко. И по направлению угадывается мне, что мы обучаемся где-то совсем рядом от Краснопресненской тюрьмы. Но точно установить, конечно, невозможно. А сосновых пролесков по Москве хоть пруд пруди, в том же Серебряном бору.

— Подышали? И будет.

Все в зал. Тут сейфы. В моем сейфе четыре тетради. В каждой по 96 страниц. Это на три года. Пиши конспекты убористо, больше запоминай. Хватай информацию с лету. Бумагу приучись экономить.

Тетрадь по разведке — в руку. Сейф — на ключ. И — в зал.

Преподаватель от нас кисейной занавеской отгорожен. Потому он нас четко разглядеть не может, но и мы его четко не видим, хотя разговариваем без помех.

Все преподаватели и командиры — слоны. Некоторые из них допущены к персональной работе с нами. Но большинство может видеть нас только через полупрозрачный экран и называть только по номерам.

Каждый из них — волк разведки. Каждый провел много лет за пределами большой зоны. Но каждый из них был в провале и оттого превратился в слона. Тот, кто в провале не был, продолжает работу в добывании или по крайней мере в обработке.

Провалившийся волк разведки включает системы защиты, отчего стены нашего спецсооружения плавно задрожали, и начинает:

— Вот так выглядит шпион. — Он показывает большой плакат с человеком в плаще, в черных очках, воротник поднят, руки в карманах.— Так шпиона представляют авторы книг, кинорежиссеры, а за ними и вся просвещенная публика. Вы не шпионы, вы — доблестные советские разведчики. И вам не пристало на шпионов походить. А посему вам категорически запрещается:

а) носить темные очки даже в жаркий день при ярком солнце;

б) надвигать шляпу на глаза;

в) держать руки в карманах;

г) поднимать воротник пальто или плаща.

Ваша походка, взгляд, дыхание будут подвергнуты долгим тренировкам, но с самого первого дня вы должны запомнить, что в них не должно быть напряжения. Вороватый взгляд, оглядка через плечо — враг разведчика, и за это в ходе тренировок мы будем вас серьезно наказывать, не менее чем за принципиальные ошибки. Вы меньше всего должны напоминать шпионов. И не только внешним видом, но и методами работы. Писатели детективных романов изображают разведчика великолепным стрелком и мастером ломания рук своим противникам. Большинство из вас пришли из нижних этажей разведки и сами это видели. Но тут, наверху, в стратегической агентурной разведке мы не будем вас обучать стрельбе и способам ломания рук. Наоборот, мы требуем от вас забыть ваши навыки, полученные в Спецназе. Некоторые разведки мира обучают своих ребят стрельбе и прочим штучкам. Это идет от недостатка опыта. Помните ребята, что вы можете надеяться только на свою голову, но не на пистолет. Если вы сделаете одну ошибку, то против каждого из вас контрразведка противника бросит пять вертолетов, десять собак, сто машин и триста профессиональных полицейских. Пистолетиком тогда вы уже себе не поможете. И руки всем не переломаете. Пистолет — это ненужная иллюзия. Пистолетик греет ваш бок и создает мираж безопасности. Но вам не нужны иллюзии и миражи. Вы должны постоянно иметь чувство безопасности и превосходства над контрразведкой противника. Но это чувство вам дает не пистолетик, а трезвый расчет без всяких иллюзий. Знаете, это примерно как среди монтажников-высотников. Одни из них, малоопытные, пользуются страховочным поясом. Другие никогда не пользуются. Первые падают и разбиваются, вторые — никогда. Происходит это потому, что тот, кто поясом пользуется, создает себе иллюзию безопасности. Однако он забыл застегнуться, и вот уж его кости собирают в ящик. Тот, кто поясом не пользуется, — иллюзий не имеет. Он постоянно контролирует каждый свой шаг и никогда на высоте не расслабляется. Советская стратегическая разведка своим ребятам не дает страховочных поясов. Знайте, что у вас нет пистолета в кармане, забудьте удары ребром ладони по кирпичу. Надейтесь только на свою голову. Ваш спорт — благородный теннис...

Человек способен творить чудеса. Человек может переплывать Ла-Манш три раза, выпивать сто кружек пива, ходить босыми ногами по раскаленным углям, человек может выучить тридцать языков, стать олимпийским чемпионом по боксу, выдумать телевизор или велосипед, стать генералом ГРУ или миллиардером. Все в наших руках. Кто хочет, тот и может. Главное — захотеть чего-то, а потом все зависит только от тренировки. Но если тренировать свою память, мускулы или психику регулярно, то... ничего из вашей затеи не получится. Регулярность тренировок важна, но сама по себе она ничего не решает. Один чудак тренировался каждый день. Раз в день он поднимал утюг. Тренировки продолжались регулярно в течение десяти лет — его мышцы не увеличились. Успех приходит только тогда, когда каждая тренировка (памяти, мышц, психики, силы воли, настойчивости) доводит человека до грани его возможностей. Когда конец тренировки превращается в пытку. Когда человек кричит от боли. Тренировка полезна только тогда, когда она подводит человека к грани его возможностей, и он эту грань совершенно точно знает: я могу прыгнуть вверх на 2 метра, я могу отжаться от пола 153 раза, я могу запомнить за один раз две страницы иностранного текста. И каждая новая тренировка полезна только тогда, когда она будет попыткой побить свой собственный вчерашний рекорд: сдохну, но отожмусь 154 раза.

Нас водят на тренировки будущих олимпийских чемпионов. Вот они, пятнадцатилетние боксеры, пятилетние гимнасты, трехлетние пловцы. Смотрите на выражение их лиц. Ждите самый последний момент тренировочного дня, когда на маленьком детском личике появляется злая решимость побить свой собственный вчерашний рекорд Смотрите на них! Когда-нибудь они принесут олимпийское золото под огромный красный флаг с серпом и молотом. Смотрите на это лицо! Сколько в нем напряжения. Сколько муки! Это путь к славе. Это путь к успеху! Работать только на пределе своих возможностей. Работать на грани срыва. Чемпионом становится только тот, кто знает, что штанга сейчас задавит его, но толкает ее вверх. Побеждает в этой жизни только тот, кто победил сам себя. Кто победил свой страх, свою лень, свою неуверенность.

Наш Слон привел нас на тренировку юных олимпийцев:

— Так наша страна готовит тех, кто защищает ее спортивную славу. Неужели, ребята, вы думаете что наша страна к подготовке разведчиков относится менее серьезно?

ГЛАВА СЕДЬМАЯ

1

Февраль 1971 года. Незабываемое время. Начальнику ГРУ генерал-полковнику Петру Ивановичу Ивашутину присвоили звание генерал армии. Ликует Аквариум. Ликует весь Генеральный штаб. Военная разведка впереди! Председатель КГБ Юрий Андропов остается только генерал-полковником. Какая пощечина!

Мы знаем, что Центральный Комитет раздувает огонь борьбы, а драки КГБ — ГРУ не миновать. Баланс между КГБ и армией был нарушен, и вот Центральный Комитет оплошность исправляет. Февраль 1971 года. Идет чистка в среднем слое КГБ. Идет массовое смещение полковников и генерал-майоров КГБ. Идет возвышение офицеров и генералов ГРУ, всего Генерального штаба, всей Советской Армии. Вот командующий Северо-Кавказским военным округом генерал-лейтенант танковых войск Литовцев стал генерал-полковником. А помните, товарищ генерал, ваш тяжелый старт на этом посту? А ведь вам кто-то тогда помог, рискуя головой. Я за эту помощь досрочно стал капитаном. А ведь вы, товарищ генерал, кому-то тайно помогали и помогаете, иначе никто бы вас поддерживать не стал. И не носить бы вам сейчас три генеральские звезды. Успехов вам, генерал.

Февраль 1971 года. КГБ и ГРУ вцепились в глотки друг другу. Но кто это может видеть со стороны? Все знают генерал-полковника Ю. Андропова. А кто знает генерала армии Ивашутина? Но ему реклама и не нужна. Ивашутин, в отличие от Андропова, руководит тайной организацией, которая действует во мраке и не нуждается в рекламе.

2

Войну планирует Генеральный штаб. Генеральный штаб — мозг армии. Любое вмешательство КГБ в процесс планирования неизбежно приводит все государство на грань катастрофы. Поэтому, для того чтобы выжить, государство вынуждено ограничить влияние КГБ на Генеральный штаб. Для того чтобы победить в войне, Генеральный штаб должен собирать информацию о противнике усилиями своих собственных офицеров, которые понимают проблемы боевого планирования, которые сами могут решить, что важно для Генерального штаба, а что нет. Генеральный штаб не имеет времени просить об информации — он *приказывает* своей собственной разведывательной службе, *что* нужно добыть в первую очередь. Для успешной работы Генеральный штаб должен иметь право поощрять своих лучших разведывательных офицеров и жестоко карать нерадивых. И он имеет такие права. И он имеет свою собственную разведывательную службу. И он видит мир не через призму КГБ, а своими собственными глазами. Генеральный штаб собирает информацию не усилиями полицейских, а усилиями офицеров Генерального штаба, нашими усилиями.

Мы должны стать офицерами разведки и офицерами Генерального штаба одновременно. На это нам отводится очень короткий срок — пять лет. А если так, то программа нашей подготовки насыщена выше всяких возможностей. Вы офицеры Генерального штаба! И если эти нагрузки вы не способны перенести, мы опустим вас на нижние этажи.

Мы стараемся. Мы выдерживаем нагрузки. Не все. По ночам мне снятся только грандиозные наступательные операции. Глубокие танковые клинья. Воздушные десанты. Бригады Спецназа в тылу противника. Нелегальные резидентуры и поток информации в Генеральный штаб. Мне снится грохот сражений и огонь. Я открываю глаза. Я слышу отвратительный звон будильника, и холодный свет режет глаза. Я долго сижу на кровати и тру щеки ладонями. Наверное, я не выдержу.

3

Время летит. Зимняя сессия. Восемь экзаменов. Летняя сессия. Восемь экзаменов. Зимний отпуск пятнадцать суток. Летний отпуск тридцать суток. Я в отпуск не поеду. Я сдал сессию, но мне нужно сделать очень многое. Снова зимний отпуск, и я снова не поеду. Почти никто из наших ребят не едет. Надо работать. Надо работать больше. Кто хочет остаться наверху, должен работать много. До зеленых кругов в глазах, до черных пятен. Нам не препятствуют. Можно ночами сидеть. Можно спать по три часа в сутки.

Наша группа тает. Подполковник — моральное разложение, сексуальная распущенность. Изгнан на космодром в Плесецк. Это тоже ГРУ, но только ссылка для провинившихся. Майор артиллерийской разведки — пьянство. Возвращен в Спецназ в Забайкалье. Тает группа. Нас было двадцать три. Теперь только семнадцать. Изгоняют тех, у кого от усиленной работы мозга начинаются обмороки. Изгоняют тех, кто не может выявлять слежку, кто ошибается или горячится при приеме решений. Изгоняют тех, кто не может изучить два иностранных языка, усвоить историю дипломатии и разведки, всю структуру, тактику, стратегию, вооружение и перспективы нашей армии и армий наших противников.

Они исчезают внезапно. Они никогда больше не поднимутся вверх. Для них находят такие места, где им некому рассказать о том, где они были. Им находят места, где работают только такие же неудачники из ГРУ. Где недоверие и провокация процветают. А вообще-то — где они не процветают?

4

Волка ноги кормят. Мы чувствуем себя волками. Любой свободный момент мы отдаем поиску мест. Мы рыщем. Разведчику нужны сотни мест, таких мест, где он мог бы совершенно гарантированно оставаться один, таких мест, где он с полной уверенностью может сказать, что за ним никто не крадется по пятам, таких мест, где он смог бы спрятать секретный материал и быть уверенным, что ни уличные мальчишки, ни случайные прохожие не найдут его, что тут не будет строительства, что ни крысы, ни белки, ни снег, ни вода этот материал не повредят. Разведчик должен иметь множество таких мест про

189

запас и не имеет права использовать одно и то же место дважды. Наши места должны быть в стороне от тюрем, вокзалов, важных военных заводов, в стороне от правительственных и дипломатических кварталов: во всех этих местах активность полиции повышена, и до провала — только шаг. А где найти в Москве места, где нет тюрем и важных правительственных или военных учреждений?

Мы рыщем все наше свободное время. Мы рыщем в подмосковных рощах, в парках, на заброшенных пустырях и брошенных стройках. Мы рыщем в снегу и в грязи. Нам нужно множество удобных мест. И тот, кто научится их находить в Москве, тот сможет делать это в Хартуме, в Мельбурне, в Хельсинки.

5

Мы учимся запоминать лица людей. Эта активность мозга должна быть не аналитической, а рефлекторной. И потому передо мной мелькают на экране тысячи лиц, тысячи силуэтов людей. Мой палец на кнопке, как на спусковом крючке. Увидев одно и то же лицо дважды на экране, я должен мгновенно нажать на кнопку. Если я ошибаюсь, меня пронизывает легкий, но неприятный электрический шок. Нажал неправильно кнопку — и легкий удар. Не нажал кнопку, когда надо,— опять удар. Тренировки проводятся регулярно, и скорость показа лиц все увеличивается. Каждый раз показывают все больше и больше изображений. Тех же людей показывают в париках, в гриме, в другой одежде, в других позах. А ошибки карают легким, но неприятным шоком.

6

Разведчик должен быть внимательным к номерам машин. Один номер попался дважды, значит, возможна слежка. Значит, на операцию идти нельзя. Мне показывают тысячи номерных знаков. Они несутся по экрану, как французский электропоезд. Их не нужно запоминать. Но их нужно узнавать. Аналитический ум тут не поможет. Нужен автоматический рефлекс. И его вырабатывают, как у собаки, по методу профессора Павлова. Ошибка — и шок. Ошибка — и шок.

Но номера машин могут быстро менять, поэтому нужно узнавать машины не только по номерам, а просто по их виду. А в современном городе миллионы машин, и наш мозг не способен запомнить даже сотни машин, тем более что столько их одинаковых. И тут вновь разведчика выручает рефлекс. Наш мозг способен фиксировать миллионы деталей, но мы просто не можем пользоваться этой колоссальной информацией. Не беспокойтесь, Аквариум вас научит. Через пять лет у вас будут соответствующие рефлексы!

7

Мы офицеры Генерального штаба. Нас возят на Гоголевский бульвар. Нас учат принимать решения в ходе грандиозных операций. На огромных картах и на бескрайних полях Широколановского полигона мы сначала робко и неуверенно, сначала только на бумаге, а потом и на практике пробуем управлять огромными массами войск в современной войне. Возможно, это нам не придется никогда делать, но, однажды передвинув даже на карте 5-ю и 7-ю гвардейскую танковые армии из Белоруссии в Польшу, вдруг понимаешь, какое количество какой именно информации нужно Генеральному штабу, чтобы сделать это в реальной войне.

8

Мы рыщем по городу. Мы учимся безошибочно выявлять слежку. Перед операцией офицер разведки должен совершенно четко ответить самому себе: есть слежка или ее нет, да или нет. В настоящей тайной войне, к которой он готовится, ему никто не сможет помочь и никто не будет делить ответственность за допущенную ошибку.

Да или нет? По заранее подготовленному маршруту я петлял по Москве четыре часа. Я менял такси, автобусы, трамваи. Из огромной толпы уходил в безлюдные места и снова бросался в толпу, как в океан. КГБ тоже учится. Для КГБ очень важно знать свои собственные ошибки в слежке. Тут интересы ГРУ и КГБ совпадают. Тут осуществляется кооперация между двумя враждебными организациями. Слон знает, что сегодня я тренируюсь в городе. Что моя тренировка начинается ровно в 15.00 от отеля «Метрополь», который сейчас является как бы советским посольством во враждебной стране. Я выхожу из «посольства», а дальше дело Слона, позвонить в КГБ или нет. Итак, да или нет. Раз в неделю каждого из нас Слон гоняет по разным маршрутам, который каждый готовит для себя. Прошлый раз слежка была точно. В прошлый раз я был в этом совершенно уверен. А сегодня? Да или нет? Я не знаю. Я не уверен. Если так, то нужно возвратиться в «посольство» и доложить Слону, что я не уверен. И тогда он вновь пошлет меня кружить по Москве, и завтра утром я буду обязан дать окончательный ответ. Итак, да или нет?

9

Язык — оружие разведчика. Глаза — оружие разведчика. Аквариум делает все возможное, чтобы заставить своих офицеров владеть иностранными языками. За знание одного западного языка платят на 10 % больше. За каждый восточный язык — 20 %. Выучи пять восточных языков и будешь получать вдвое больше. Но не проценты меня гонят: не выучишь два языка — выгонят на космодром Плесецк. Мне на космодром совсем не хочется. Поэтому я учу. Иностранный язык для меня проблема — нет во мне музыкальности. Чувствительность слухового аппарата танковыми пушками понижена. Я стараюсь. Я тянусь. Но по языкам я самый худший в группе. Были хуже меня, но их уже выгнали. Я на очереди следующий. Сдохну, черт побери. Пусть произношение дубовое, я в других областях наверстаю.

— У меня та же проблема была, — ободряет Слон. — Учи целые страницы наизусть. Тогда беглость появится. Тогда у тебя для устной речи и для написания будут всегда в запасе стандартные обороты, фразы, целые куски.

Я учу страницами. Я их зубрю наизусть. А затем пишу их. Пишу и переписываю. Я переписываю эти страницы по памяти по тридцать раз, добиваясь, чтобы не было ошибок.

С глазами у меня хуже, чем с языком. У меня есть опыт из Спецназа смотреть в глаза собакам. Но тут этого недостаточно. Нас тренируют с зеркалом: смотри в глаза, не моргай. Не отводи взгляд. Если хочешь завербовать человека, ты должен прежде всего выдержать его взгляд. Дружба начинается с улыбки, вербовка — со взгляда. Если ты не выдержал первый тяжелый взгляд своего собеседника, то и не пытайся потом его вербовать: психически он сильнее. Он не поддастся.

Я выхожу на станции метро «Краснопресненская» и иду в зоопарк. Если у вас та же проблема, то приходите к закрытию — вам никто не помешает. Я смотрю в глаза тиграм, леопардам. Я направляю свою волю, я сжимаю челюсти. Неподвижные желтые глаза изящного хищника расплываются передо мной. Я сильнее сжимаю кулаки, впиваясь ногтями в ладони. Глаза нужно осторожно сощуривать и вновь медленно-медленно широко раскрывать, так можно не моргать. Глаза режет, наворачиваются слезы. Еще мгновение — и я моргнул. Огромная ленивая рыжая кошка презрительно улыбается мне и отворачивает разочарованно морду: слаб ты, Суворов, со мной состязаться.

Ничего, кошка. Я настойчивый. Я приду сюда в следующее воскресенье. И в следующее. И потом еще. Я — настойчивый.

И опять летит серое колесо дней и ночей. Наша программа вполне могла бы быть десятилетней. Но ее спрессовали в пять лет, и потому не все выдерживают. А может, это тоже испытание? Может, в этом и заключается главный смысл нашей подготовки: освободиться от слабых тут, на своей территории, чтобы не делать этого позже?

В разведке есть простое совсем правило: *отрыв запрещен!* Если увидел, что за тобой следят, во-первых, не покажи виду, что ты их заметил, не нервничай и не мечись, ты дипломат, черт побери. Поболтайся по городу, покружи. На операцию сегодня идти не следует. Они могут прикинуться, что бросили тебя, а на самом деле они рядом, только больше их стало, только сменили они своих людей. В тот день, когда выявил слежку,— операция запрещена. Тут закон нерушимый. А каждая операция во многих вариантах готовится. Слежка сегодня, значит, завтра повторим операцию, или через неделю, или через месяц. Но не вздумай отрываться от них! Оторвавшись даже под очень хорошим предлогом, ты показываешь им, что ты — шпион, а не простой дипломат, что ты можешь видеть тайную слежку, что тебе надо от нее зачем-то убегать. Если ты им это покажешь, то от тебя не отстанут. Ты покажешь им, что ты шпион, и этого достаточно. Тогда слежка будет преследовать тебя каждый день, тогда не дадут тебе работать. Один раз от них, конечно, оторвешься, но они тебя зачислят в разряд опасных, и больше ты никогда от них не оторвешься, за тобой их будет по тридцать человек по пятам ходить каждый день. Так что отрыв запрещен. Но не сегодня...

Сегодня у нас разрешение на отрыв. «Хрен с вашими дипломатическими карьерами, — сказал Слон, — есть ситуации, когда Аквариум приказывает проводить операцию любой ценой. Отрывайтесь!»

Двое нас, Генка да я. Отрывайтесь, твою мать. Поди оторвись. Темно уже в Москве. Холодно. Пуста Москва. Через три дня запьет, загуляет Москва. Праздники, парады да оркестры. А сейчас перед взрывом пьяного восторга затаилась Москва. Двое нас с Генкой да тени черные за нами. Наши тени да еще чьи-то. Мечутся тени, не прячутся. Если бы мы по одному работали, то давно бы оторвались. Отрыв запрещен, но обучены мы его делать.

Первый раз мы сделали рывок в Петровском пассаже. Хорошее место. Много людей было. Мы через толпу, через очереди, расталкивая, и по лесенкам крутым, и снова в толпу, черными ходами да в метро! Но тени мечутся за нами и не отстают. На Ленинских горах в метро мы вторую попытку сделали. Тоже место хорошее. Уходит поезд, двери щелк! Так вот за секунду до этого щелчка надо и рвануть из вагона. Но и тени хитры.

Пуста Москва. Холодно и темно. Но Генка еще какое-то место знает. На площади Марины Расковой. Уйдем, Генка? Уйдем! Уйдем...

Сколько их, Генка, за нами сегодня? Много. Много, черт побери. Жаль, разойтись нам нельзя. Операция на двоих. Может, разойдемся, Генка? Превышение полномочий, нельзя. А если операцию провалим, разве это лучше? Ведет меня Генка по пустым переулкам. Тут место у него давно подготовленное. Сейчас рванем мы переулками. Но нет, черт подери. Три больших парня за нами вплотную идут. Не прячутся. Это демонстративная слежка. Это слежка на психику. Их еще много тайно нас преследуют. Закоулками, переулками. А трое теперь открыто за нами топают. Смеются прямо в затылок. «А если побегут?» — зычный голос спрашивает. «Догоним», — успокаивает его другой. Хохот нам в затылок. Генка меня в бок толкает — приготовься. Я-то готов, да только мелкий снежок в воздухе кружит. Первый самый снежок. Тут бы гулять по улице да воздух хрустальный пить. Но не до воздуха нам. Отрываться пора.

Рванул меня Генка за руку, и в какую-то дверь мы влетели, а тут лестницы грязные вниз да вверх, да коридоры темные во все стороны. Ах, ноги не переломать бы. Вниз, вниз по лестнице. Ведра тут какие-то, смрад. Опять дверь. Опять лестницы да коридоры. Ху-ху-ху — Генка задыхается. Задыхается, но хорошо бежит. Большой он. Тяжело ему. Но зато в темноте он, как кот, все видит. Еще двери какие-то, тряпки, щебень да стекло битое. Вылетели мы на улицу. Я уж и не знаю где. Всю Москву исходил, а таких мест не видывал раньше. Три переулка перед нами. Генка в левый меня тянет. Хороший ты, Генка, парень. Ушли бы мы, хорошее место ты нашел. Сколько месяцев ты, Генка, по Москве топал, чтобы такое место найти? Такое место только в рамочку золотую да молодым шпионам показывать: любуйтесь, какое место великолепное. Это — образец. Будете работать в Лондоне, в Нью-Йорке, в Токио — каждый такое место для себя должен иметь! Чтобы в любой момент гарантированно от полиции оторваться. Но не выгорит нам сегодня. И место не поможет нам. Легкий снежок над Москвой. Первый самый. Липнет он к подошвам, и следы наши с Генкой, как следы первых астронавтов на Луне. Это законом подлости называется. Согласно этому нерушимому закону, кусок хлеба с маслом всегда маслом вниз падает. Не уйдем, Генка! Уйдем! Тащит меня Генка за руку. Пустая Москва. Попрятались честные граждане в свои норы. Во всей Москве Генка да я... и большие мальчики из КГБ. Ху-ху-ху, Генка дышит, не побоишься, Витька, с поезда прыгнуть? Нет, Генка, не побоюсь. Ну тогда, Витька, поднажмем. Есть у меня шанс. Ты на

197

операцию пойдешь, я тебя прикрою. Бежим мы переулками. Бежим дворами. Если выйти на большую улицу, там следов наших не будет, да зато там все их машины От машины не уйдешь.

Перемахнули мы через заборчик, и станция, и электричка тормозами скрипит. Ху-ху-ху — Генка дышит. А за нами трое больших тоже дышат: ху-ху-ху. Тоже через заборчик перемахнули, как кони бешеные. Генка меня к электричке тянет. Ху-ху-ху. В последнюю дверь ввалились мы и бегом по проходу. Ах, если бы дверь за нами захлопнулась! Но не захлопнулась она. И топот за нами конский. Ввалились и те трое в вагон. И по проходу за нами. Пролетели мы один тамбур, другой. Толкнул меня Генка вперед, а сам назад. Пошел он, как истребитель, в лобовую атаку. А я к двери. Теперь не закрылись бы двери! Массой своей бросился я на одну половину двери, а другая уж за моей спиной щелкает, и плавно поезд пошел.

Прыгать из поезда нужно задом и назад. Но это я уж потом вспомнил. А вылетел я из двери передом и вперед. Зубы нужно сжать было, но и об этом я забыл, и оттого лязгнули они, как капкан, чуть не отрубив язык. Скорости было немного совсем, когда вылетел я, и высота была минимальная: платформа была вровень с вагоном. Да только подвернул ногу, падая, да руку разодрал. Ну хрен с ней, вскочил, а последний вагон мимо меня простучал. Просвистел мимо. Быстро московские электрички скорость набирают. А тормоза уж скрипят. Это большие ребята стоп-кран сорвали. У меня учеба, но и у них учеба.

Я действую, как в настоящей обстановке действовать буду, но и они учатся. У них тоже экзамены, им тоже оценки ставят. Им меня сейчас любой ценой взять надо. Ну это уж вам хрен, ребята! Рванул я к забору, да через верх. Да ходу. Ху-ху-ху. Да ходу. Спасибо, Генка!

11

Уж за полночь. И электрички в метро пустые совсем. Рвал я переходами подземными да переулками темными. Теперь в метро нырнул. Тем хорошо, что машина за мной идти не может. В метро ребята из КГБ должны быть рядом со мной. Но пуст вагон. Поздно уже, да и оторвался я чисто. Теперь главное — обойти телекамеры. На каждой станции метро вон их сколько понатыкано. И если меня потеряло КГБ в Москве, то центральному командному пункту давно уж мое описание передали. Давно уж все телекамеры подземную Москву обшаривают.

Но и я опытен уже. Я буду выходить на станции «Измайловский парк».

Тут я только четыре телекамеры выявил и их расположение четко знаю. Если находиться в последнем вагоне, то можно быстро мимо нее прошмыгнуть, а там забор бетонный с узким проходом для пешеходов да десяток тропинок в густой лес. Ищи-свищи!

Снег под ногами первый поскрипывает. Но тут на тропинках его уж утоптали. Вечером тут пенсионеры толпами гуляют, а там дальше в сосняке всегда сопляки подвыпившие. Но сейчас никого нет. Я делаю огромную петлю в лесу. Останавливаюсь и долго слушаю. Нет, не скрипит снег за моей спиной. Тут я, и не стесняясь уже, во все стороны смотрю. Обычно в романах это описывают термином «воровато оглядываясь». Да. Именно так. Стесняться мне больше некого. Оторвался я чисто. Слежки за мной нет. И место тайника известно только мне. Вот оно. В глухом углу к бетонной стене прилепились десятка два гаражей. А между ними и стенкой чуть заметная щель. Мочой кругом пахнет. Это хорошо. Это означает, что в щель эту загаженную не найдется любителей лазить. Они свое дело тут возле нее делают и дальше спешат. Ну а у меня работа такая. Оглянулся еще раз для верности и втиснулся в щель. Тут сухо и чисто. Только тесно. Мне три метра пыхтеть нужно, до стыка первых двух гаражей. Там, если просунуть вперед пальцы, можно нащупать оставленный кем-то пакет. Но нелегко эти метры даются. Генка ни за что в такую щель не пролез бы. Выдохнул я и еще чуть-чуть протиснулся. Чуть отдышался. Снова глубоко выдохнул и еще вперед. Ах, я дурак! Надо ж было пальто снять, перед тем как лезть. Щель эту я очень давно нашел. И тогда втиснулся в нее без особого труда.

Да только это дело летом было. Еще выдохнул, и еще вперед. Теперь правую руку вперед. Еще чуть вперед. Ладонь за угол. Теперь пальцы растопырить. Вверх, вниз. О-о-о! Чья-то железная кисть стиснула мою руку, и свет ослепительный в глаза. Голосов тихих вокруг меня десяток, а рука, как в капкане. Больно, черт побери. Ухватили меня за ноги чьи-то сильные руки и дернули. Выдернули меня без труда. Да за ноги и тянут. Да носом я по снегу сегодняшнему, да по моче вчерашней. Тут и машина легковая откуда ни возьмись тормозами визгнула, хотя и нет им доступа вроде бы в Измайловский парк. Руки мне заломили назад до хруста. Только ойкнул я. Наручники холодные щелкнули.

— Позовите консула! — Так мне орать положено в подобной ситуации.

Задняя дверь машины распахнулась. Тут мне протестовать полагается: мол, не сяду в машину! Но по ногам мне здорово кто-то дал и выбил землю из-под ног, как табуретку под виселицей. Ах, сильные ребята! До чего сильные! Щелкнули зубы мои, и уж сижу я на заднем сиденье промеж двух Геркулесов.

— Позовите консула!

— Ты что здесь, мерзавец, делаешь?

— Позовите консула!

— Все твои действия на пленку засняты!

— Наглая провокация! Я на пленку могу заснять, как вы половое сношение с Брижит Бардо совершаете! Консула позовите!

— В твоей руке были секретные документы!

— Вы силой мне их впихнули! Не мои документы!

— Ты пробирался в тайник!

— Нахальная выдумка! Вы поймали меня в центре города и силой засунули в эту вонючую щель! Позовите консула!

Машина, дико скрипя на поворотах, мчит меня куда-то в темноту.

— Позовите консула! — ору я.

Им это надоедать стало.

— Эй, парень, потренировался и будет. Кончай орать.

А эти штучки я знаю. Если вы меня бы отпустили сейчас, значит, тренировка кончилась. А если вы меня не отпускаете, значит, она продолжается. И, набрав полные легкие воздуха, я завопил диким голосом:

— Консула, гады, позовите! Я невинный дипломат! Консула!!! Позовите консула!

Света они не жалеют. Два прожектора в лицо. Глазам больно до слез. Они меня усадили, и большой такой угрюмый человек сзади встал. Нет, тут я сидеть не буду. Позовите консула. Я встаю. Но большой человек огромными ладонями вдавливает мои плечи в глубокое деревянное кресло. Подождав, пока давление на плечи ослабнет, я вновь делаю попытку встать с кресла. Тогда большой вновь вдавливает меня в кресло и помогает своим огромным рукам тяжелым ботинком. Он легко подсекает мне ногу, как в борьбе, так что я падаю в кресло. Легкий удар его ботинка пришелся мне прямо по косточке. Больно. Откуда-то из-за прожекторов ко мне приплывает голос:

— Вы — шпион!

— Позовите консула. Я дипломат Союза Советских Социалистических Республик!

— Все ваши действия у тайника сняты на пленку!

— Подделка! Подлая провокация! Позовите консула!

Я делаю попытку встать. Но большой легким движением огромного ботинка слегка подсекает мне левую ногу, и я теряю равновесие. И снова мне больно. Он бьет легко, но по косточке; по той, что прямо над пяткой. Вот не думал никогда, что это может быть так больно.

— Что вы делали ночью в парке?

— Позовите консула!

Я снова встаю. И он снова бьет легко и точно. Ведь и синяков не останется, и не докажешь никому, что он меня, гад, мучил. Я снова встаю, и снова он сажает меня легким ударом. Эй, ты, большой, мы же учимся. Это учения. Зачем же так больно бить? Я снова встаю, и он снова сажает меня. Я глянул через плечо — что у него за морда? Но не разглядел ничего. Круги в глазах от прожектора, ни черта не видно. Комната вся темная, и два прожектора. Даже не поймешь, большая комната или маленькая. Наверное, большая, потому что от прожекторов нестерпимая жара, но иногда вроде чуть ветерок тянет прохладный. В маленькой комнате так не бывает.

— Вы нарушили закон...

— Расскажите это моему консулу.

Мне больно, и мне совсем не хочется вновь получить легкий удар по косточке. Поэтому я решаю повторить попытку встать еще три раза. А после буду сидеть, не вставая. Ой, как не хочется вставать с деревянного кресла. Ну, Витя, начали. Я опираюсь ногами о кирпичный пол, осторожно переношу тяжесть тела на мышцы ног и, глубоко вздохнув, толкаюсь вверх. Его удар совпадает с моим толчком. Моя левая ступня чуть подлетает вверх, и я с легким стоном вновь падаю в кресло. Жаль, что кресло не мягкое, удобнее было бы.

— От кого вы получили материалы через тайник?

— Позовите консула!

Я знаю, что тот, который бьет по ногам, сейчас учится. В будущем у него будет такая работа: стоять позади кресла и удерживать допрашиваемого в этом глубоком деревянном кресле. Это сложная наука. Но он старательный ученик. Настойчивый. Энтузиаст. Последний его удар был сильнее предыдущих. А может быть, мне это так показалось, ведь все по одному месту. В принципе, зачем я пытаюсь встать? Мне ведь можно просто сидеть и требовать консула. А пока консула не позовут, не дать им втянуть себя в разговор. Итак, я прекращаю вставать. Попытаюсь еще три раза, и все.

Очередной удар был выполнен мастерски и с большой любовью к профессии. Поэтому следующий вопрос я не понял. Знаю, что был вопрос, но не знаю какой. Несколько секунд думал, что же мне отвечать, а потом нашелся:

— Позовите консула!

Такой допрос мне начал надоедать и им тоже. И тогда большие руки вновь вдавили мои плечи в сиденье, и кто-то вставил карандаши между моих пальцев. Эти штучки я знаю. Это очень просто и очень эффективно и вдобавок не оставляет никаких следов. Пока не сжали ладонь, я вспоминаю всю науку: первое — не закричать, второе — наслаждаться своей собственной болью и желать для себя еще большей боли. Это единственное спасение. Чья-то потная рука ощупала мою ладонь, поправила карандаши между моими пальцами и вдруг сжала, сжала ладонь, как тисками. Два прожектора дрогнули, задрожали и бешено закружились. Я поплыл куда-то из большой темной комнаты с кирпичным полом. Я желал только большей боли себе и смеялся над кем-то.

12

Над Москвой серое холодное утро. Ноябрь. Еще все спят. Проехала почтовая машина. Полусонный дворник метет улицу. Я лежу на мягком сиденье, откинутом далеко назад. Москва летит мимо меня. Боковое стекло чуть приоткрыто, и морозный ветер уносит обрывки каких-то кошмаров. Я чувствую, что щеки мои небриты, а волосы на голове слиплись. Лицо почему-то мокрое. Но мне хорошо. Меня кто-то куда-то везет на большой черной машине. Я поворачиваю голову к водителю. Это Слон. Это он меня везет.

— Товарищ полковник, я им ничего не сказал.

— Я знаю, Витя.

— Куда мы едем?

— Домой.

— Они отпустили меня?

— Да.

Я долго молчу. И вдруг мне стало страшно. Мне показалось, что я рассказал им все, когда смеялся.

— Товарищ полковник, я... раскололся?

— Нет.

— Вы уверены?

— Уверен. Я все время рядом с тобой был, даже во время ареста.

— В чем моя ошибка?

— Ошибки не было. Ты оторвался и вышел к тайнику чистым. Но место слишком хорошее. Его московское КГБ знает. Ты использовал место, которое используют настоящие иностранные шпионы. Место очень хорошее, и потому оно под постоянным контролем. Они тебя взяли как настоящего шпиона, не зная, кто ты. Но мы вмешались тут же. Арест был настоящим, а допрос учебным.

— А Генка как?

— Генка хорошо. Его слегка помурыжили, но он тоже не раскололся. В таком деле мобилизоваться надо. Нельзя жалеть себя и нельзя мечтать о месте, тогда выдержишь что угодно. Спи. Я тебя на настоящую работу рекомендовать буду.

— А Генку?

— И Генку.

13

— Ты когда-нибудь был в Мытищах?

— Нет.

— Тем лучше. — Слон вдруг стал очень серьезным.— Слушай учебно-боевую задачу. Объект: Мытищинский ракетный завод. Задача: найти подходящего человека и завербовать его. Цель первая: получить практику настоящей вербовки. Цель вторая: выявить возможные пути, которые вражеская разведка может использовать для вербовки наших людей на объектах особой важности. Ограничения. Первое — во времени: можно использовать для вербовки только свое личное время, выходные дни и отпуска, никакого особого времени на проведение вербовки не отпускается; второе — финансовое: можно расходовать только свои личные деньги, сколько угодно, хоть все, ни копейки государственных денег не выделяется. Вопросы?

— Что знает об этом КГБ?

— КГБ знает, что с разрешения отдела административных органов Центрального Комитета мы такие операции проводим постоянно и по всей Москве. Если КГБ тебя арестует — мы тебя спасем... но за рубеж не пошлем.

— Что я могу сказать вербуемому человеку о себе и своей организации?

— Все что угодно. Кроме правды. Ты его вербуешь не от имени Советского государства (это и дурак сумеет сделать), а от своего собственного имени и за свои деньги.

— Значит, если я его завербую, он будет по-настоящему считаться шпионом?

— Именно так. С той разницей, что переданная им информация не уйдет за рубеж.

— Но это никак не смягчает его вины.

— Никак.

— Что же его ждет?

— 64-я статья Уголовного кодекса. Разве ты этого не знаешь?

— Знаю, товарищ полковник.

— Тогда желаю тебе успеха. И помни, ты делаешь большое государственное дело. Ты не только учишься, но и помогаешь нашему государству избавляться от потенциальных предателей. Вся группа получает подобную задачу — только на других объектах. И вся академия делает то же самое. И каждый год. И последнее — распишись вот тут в получении задачи. Это вполне серьезная задача.

14

Теория вербовки говорит, что вначале нужно найти заданный объект. Это нетрудно. Мытищи — городок небольшой, а в нем огромный завод. Проволока колючая на роликах. Ночью завод залит морем слепящего света. Псы караульные тявкают за забором. Тут сомнений быть не может. А еще у завода соответствующее имя должно быть. Если на воротах написано, что это завод тракторной электроаппаратуры, то это может означать, что, кроме военной продукции, завод выпускает что-то и для тракторов, но если название ничего не выражает: «Уралмаш», «Ленинская кузница», «Серп и молот», то тут сомнения отбрасывайте в сторону: военный завод без всяких посторонних примесей.

Второе правило вербовки говорит, что через забор лезть не надо. Люди из завода сами выходят. Они идут в библиотеки, в спортзалы, в рестораны, в пивные. Вокруг крупного завода должен быть район, где живут многие рабочие, где есть школы для их детей и детские сады. Где-то есть поликлиника, туристическая база, зона отдыха и т. п. Все это надо найти.

Третий закон вербовки гласит, что не нужно вербовать директора или главного инженера — их секретарши вербуются легче, а знают совсем не меньше, чем их начальники. Но вот беда, условия учебно-боевой вербовки запрещают нам вербовать женщин. За рубежом, пожалуйста, во время тренировок — нет. Нужно найти чертежника, оператора электронной машины, хранителя секретных документов, копировальщика и других.

Каждый из нас получил подобное задание, и каждый готовит свой план, как перед генеральным сражением. Учебная вербовка для нас ничуть не проще боевой. Если тебя арестуют за подобным занятием в любой стране Запада, то расплата только одна — выгонят в Советский Союз. Если совершишь ошибку на тренировке и арестует КГБ, то плата более высокая — никогда не выпустят на Запад. На боевой работе тебе принадлежит все твое время и финансы ничем не ограничены, а тут экзамены подходят по стратегии, по тактике, по вооруженным силам Соединенных Штатов, по двум иностранным языкам. Крутись, как хочешь. Хочешь — к экзаменам готовься, хочешь — вербуй.

15

Прежде всего я мысленно очертил для себя невидимый круг шириной в километр вокруг всей огромной заводской стены. В этом пространстве я решил не появляться ни под каким предлогом. В этом пространстве каждый сантиметр под надзором КГБ, и там мне делать нечего.

Теперь я жду конца смены. Вот она. Через проходные устремился черный поток людей. Шум, топот, смех.

На автобусной остановке огромные толпы. Снег скрипит. Морозная мгла вокруг фонарей. Шумит людской поток. Повалил народ по кабакам да по пивным. Но это меня не интересует — это легкий путь, и его я приберегу на случай, если другие варианты не пройдут. Мне сейчас библиотека нужна. Как ее найти? Просто. Нужно смотреть, куда очкастые в своем большинстве валят. Я увязался за группой очкастых, интеллигентного вида парней. Я не ошибся. Они шли в библиотеку. Нет, это не секретная библиотека. Секретная внутри завода. Это обычная библиотека. И вход туда всем разрешен. Вот и я с группой затесался. Девахе за прилавком подмигнул, она мне улыбнулась, и я уже у книжных полок.

Теперь я роюсь в книгах и внимательно смотрю за тем, кто чем интересуется. Мне нужен контакт. Вот рыжий очкастый перебирает научную фантастику. Хорошо. Подождем его. Вот он отошел к другой полке, к третьей...

— Извините,— шепчу я на ухо,— а где тут научная фантастика?

— Да вон там.

— Да где же?

— Идите сюда, покажу.

Хороший контакт у меня получился только на третий вечер.

— Что-нибудь про космонавтов? Про Циолковского?

— Да это вот тут.

— Где?

— Идите сюда, покажу.

16

Фильмы про шпионов показывают офицера разведки в блеске остроумия и красноречия. Доводы шпиона неотразимы, и жертва соглашается на его предложения. Это и есть брехня. В жизни все наоборот. Четвертый закон вербовки говорит, что у каждого человека в голове есть блестящие идеи и каждый человек страдает в жизни больше всего оттого, что его никто не слушает. Самая большая проблема в жизни для каждого человека — найти себе слушателя. Но это невозможно сделать, так как все остальные люди заняты тем же самым — поиском слушателей для себя, и потому у них просто нет времени слушать чужие бредовые идеи. Главное в искусстве вербовать — это умение внимательно слушать собеседника. Научиться слушать не перебивая — это гарантия успеха. Это очень тяжелая наука. Но только тот становится нашим лучшим другом, кто слушает нас не перебивая. Я нашел себе друга. Он перечитал все книги про Цандера, Циолковского, Королева. Говоря о них, он говорил и о тех, о ком еще нельзя было писать книг: о Янгеле, Челомее, Бабакине, Стечкине. Я слушал.

В библиотеке нельзя говорить громко, да и вообще разговаривать не принято. Поэтому я слушал его на заснеженной полянке в лесу, где мы катались на лыжах. В кинотеатре, в который мы ходили смотреть «Укрощение огня», в маленьком кафе, где мы пили пиво.

Пятый закон вербовки — это закон клубники. Я люблю клубнику. Я люблю ловить рыбу. Но если рыбу я буду кормить клубникой, то не поймаю ни одной. Рыбу надо кормить тем, что она любит,— червяками. Если ты хочешь стать другом кому-то, не говори о клубнике, которую ты любишь. Говори о червяках, которых любит он.

Мой друг был помешан на системах подачи топлива от емкостей к двигателям ракеты. Подавать топливо можно, используя турбонасосы или вытеснительные системы. Я слушал его и соглашался. На первых германских ракетах использовались турбонасосы. Почему же сейчас забыт этот простой и дешевый путь? А действительно, почему? Этот способ, хотя и требует создания очень прочных и точных турбин, гарантирует нас от большой неприятности — от взрыва емкостей с топливом при повышении давления вытеснительной смеси. С этим я был полностью согласен.

На следующей встрече я имел в кармане магнитофон, выполненный в форме портсигара. Провод от магнитофона шел через рукав моего пиджака к часам, в которых был микрофон. Мы сидели в ресторане и болтали о перспективах использования четырехокиси азота в качестве окислителя и жидкого кислорода в сочетании с керосином в качестве основного топлива. Это сочетание ему казалось хотя и старым, но вполне проверенным и надежным на два десятка лет вперед.

На следующее утро я прокрутил пленку Слону. Я допустил довольно крупную техническую ошибку: микрофон нельзя иметь в часах, когда беседа идет в ресторане. Звон вилки, которая постоянно у самого микрофона, был просто оглушительным, а наши голоса звучали где-то вдали. И это страшно развеселило Слона. Насмеявшись, он серьезно спросил:

— Что он о тебе знает?

— Что меня зовут Виктор.

— А фамилия?

— Он никогда не спрашивал.

— Когда у тебя следующая встреча?

— В четверг.

— Перед встречей я организую тебе консультацию в 9-м Управлении информации ГРУ. С тобой будет говорить настоящий офицер, который анализирует американские ракетные двигатели. Он, конечно, знает многое и о наших двигателях. Информатор поставит тебе настоящую задачу, такую, которая его бы интересовала, если бы ты познакомился с американским ракетным инженером. Если ты из очкарика вырвешь достаточно вразумительный ответ, то считай, что тебе повезло... а ему нет.

17

Информация ГРУ желала знать, что мой знакомый знает о бороводородном топливе.

Мы сидим в грязной пивной, и я говорю своему другу о том, что бороводородное топливо никогда применяться не будет. Не знаю, почему, но он думает, что я работаю в 4-м цехе завода. Я ему этого никогда не говорил да и не мог говорить, ибо не знаю, что такое 4-й цех. Он долго испытующе смотрит на меня:

— Это у вас там, в четвертом, так думают. Знаю я вас, перестраховщиков. Токсичность и взрывоопасность... Это так. Но какие энергетические возможности! Вы там об этом подумали? Токсичность можно снизить, у нас этим второй цех занимается. Поверь мне, будет успех, и тогда перед нами необъятные горизонты...

За соседним столиком я узнаю чью-то знакомую спину. Неужели Слон? Точно. Рядом с ним еще какие-то очень внушительные личности...

Следующим утром Слон поздравил меня с первой вербовкой.

— Это учебная. Но ничего. Котенок, если хочет стать настоящим котом, должен начинать с птенчиков, а не с настоящих воробьев. А про бороводородное топливо забудь. Это не твоего ума дело.

— Есть забыть.

— И про очкастого забудь. Его дело с твоими отчетами и магнитофонными лентами мы передадим кому следует. Чтобы держать ГБ в узде, Центральному Комитету нужен конкретный материал о плохой работе КГБ. Где взять этот материал? Вот этот материал! — Слон распахивает сейф с отчетами моих товарищей о первых учебно-боевых вербовках.

Но с вытеснительными системами и бороводородным топливом мне еще раз пришлось встретиться. Перед самым выпуском из академии нам дали возможность поговорить с конструкторами вооружения — для того, чтобы мы хоть в общих чертах представляли проблемы советской военной промышленности. Нам показывали танки и артиллерию в Солнечногорске, новейшие самолеты в Монине, ракеты в Мытищах. Мы проводили по нескольку суток с ведущими инженерами и конструкторами, конечно, не зная их имен. Они тоже не совсем понимали, кто мы такие (какие-то хлопцы молодые из Центрального Комитета).

И вот в Мытищах меня провезли через три проходных пункта, через массу контролеров и охранников. В высоком светлом ангаре нам показали зеленую тушу. После долгих объяснений я спросил, а почему бы не вернуться к старым испытанным турбонасосам вместо вытеснительных систем.

— Вы ракетчик? — полюбопытствовал инженер.

— В некотором роде...

ГЛАВА ВОСЬМАЯ

1

На третий день после прибытия в Вену меня вызвал резидент венской дипломатической резидентуры ГРУ генерал-майор Голицын.

— Чемоданы уже распаковал?

— Нет еще, товарищ генерал.

— И не спеши.

— ?

Его кулачище обрушился на дубовый стол, и нежная кофейная чашечка жалобно взвизгнула.

— Потому что в пятницу в Москву идет наш самолет. Я тебя, лентяя, назад отправлю. Где твои вербовки?

Из генеральского кабинета я вылетел, красный от стыда, в «забой» — большой зал резидентуры, где на мое появление решительно никто не обратил внимания. Все были слишком заняты. Трое склонились над огромной картой города. Один что-то быстро печатал на машинке. Двое безуспешно пытались уместить огромный серый электронный блок с французскими надписями в контейнер дипломатической почты. И только один старый волк разведки, видимо, поняв мое состояние, посочувствовал:

— Навигатор, конечно, тебе обещал, что выгонит следующим самолетом.

— Да, — подтвердил я в поисках поддержки.

— А ведь и выгонит. Он у нас такой.

— Что же мне делать?

— Работать.

Это был хороший совет, и лучшего ждать не приходилось. Если кто-то знает, где и как конкретно можно добыть секретную бумагу, то он сам ее и добывает. Зачем ему делиться со мной своей славой?

И я начал работать. За оставшиеся четыре дня я, конечно, не сделал вербовку. Но я сделал первые шаги в правильном направлении. Поэтому мое возвращение в Москву было отложено еще на одну неделю, а потом и еще на одну. Так я проработал у генерала Голицына четыре года. Впрочем, все остальные, включая и его первого заместителя (Младшего лидера), находились в том же положении.

2

Я — шпион.

Я окончил Военно-дипломатическую академию и полгода работал в 9-м Управлении службы информации ГРУ. Потом из обработки информации меня перевели в добывание. Нет, добывание — это не только за рубежом.

Советский Союз посещают миллионы иностранцев, и часть из них знает такие вещи, которые интересны нам. Этих иностранцев надо выделять среди всех остальных и вербовать их и вырывать из них секреты силой, хитростью или за деньги.

Работа в добывании — это свирепая борьба тысяч офицеров КГБ и ГРУ за интересных иностранцев. Работа в добывании — это поистине собачья работа. Не зря нас зовут борзыми. Работа в добывании — это бездушный генерал-майор ГРУ Борис Александров, который руководит добыванием на территории Москвы, для которого любые невыполнимые нормы кажутся недостаточными, который, не задумываясь, ломает судьбы молодым разведчикам за невыполнение плана и за малейшее упущение. В управлении генерала Александрова я работал год. Это был самый тяжелый год моей жизни. Но это был год моей первой вербовки, год первого добытого самостоятельно секретного документа. Только тот, кто сумеет сделать это в Москве, где неизвестных нам секретов не так уж много, может попасть за рубеж. Кто умеет работать в Москве, тот сумеет делать это где угодно. Поэтому я сейчас сижу в маленькой венской пивной, сжимая в руке холодную, чуть запотевшую кружку ароматного, почти черного пива.

Я — добывающий офицер. В Вене у меня бурный старт. Не потому, что я очень успешно выискиваю носителей секретов. Совсем нет. Просто многие мои старшие товарищи очень успешно работают. И каждую из проводимых операций необходимо обеспечивать. Нужно отвлекать полицию, нужно контролировать работающего на маршруте проверки и охранять его во время секретной встречи, нужно принимать от него добытые материалы и, рискуя карьерой, поставлять их в резидентуру. Нужно выходить на тайники и явки, нужно контролиро-

216

вать сигналы, нужно делать тысячи вещей в чьих-то интересах, часто не понимая смысла своей работы. Все это труд, все это риск.

3

Я докладываю о своих первых шагах. Навигатор слушает молча, не перебивая. Он смотрит в стол. Это мне кажется странным. Первое, чему учат шпиона,— смотреть собеседнику в глаза: учат выдерживать долгие взгляды, учат владеть своим взглядом, как боевым оружием. Отчего же этот волк матерый не выполняет элементарных требований? Тут что-то не так. Я напрягаюсь, не спуская с него взгляда и мысленно готовясь к худшему.

— Хорошо, — наконец говорит он, не отрывая глаз от своих бумаг, — впредь так и будешь работать под личным контролем моего первого заместителя, но два раза в месяц я буду слушать тебя лично. За первые недели ты сделал немало, поэтому я ставлю тебе более серьезную задачу. Пойдешь на встречу с живым человеком. Человек завербован моим первым заместителем — Младшим лидером. Но послать Младшего лидера на операцию я не рискую. Поэтому пойдешь ты. Завербованный человек имеет исключительную важность для нас. Сам товарищ Косыгин следит за нашей работой в данной области. Потерять такого человека мы не имеем права. Он работает в Западной Германии и передает нам детали американских противотанковых ракет «Тоу». Мы тайно перебросим тебя в Западную Германию. Проведешь встречу. Получишь детали ракет. Оплатишь услуги. Исколесишь много километров, путая следы.

Тебя встретит помощник советского военного атташе в Бонне. Передашь груз ему, но в упаковке. Он не должен знать, что получает. Дальше груз пойдет дипломатической почтой в Аквариум. Вопросы?

— Почему не поручить проведение встречи нашим офицерам в Западной Германии?

— Потому что, во-первых, если завтра Западная Германия выгонит всех наших дипломатов, поток информации о Западной Германии ни в коем случае не уменьшится. Мы будем получать секреты через Австрию, Новую Зеландию, Японию. Выгони всех наших разведчиков из Великобритании — для КГБ катастрофа, а для нас нет. Мы продолжаем получать британские секреты через Австрию, Швейцарию, Нигерию, Кипр, Гондурас и все другие страны, где только есть офицеры Аквариума. Потому, во-вторых, что, получив добытые нами детали ракет, начальник ГРУ вызовет всех дипломатических и нелегальных резидентов ГРУ в Западной Германии и всем этим восьми генералам задаст вопрос: почему Голицын из Австрии может добывать такие вещи в Западной Германии, а вы... вашу мать, находясь в Западной Германии, нет? Вы можете только на подхвате работать? Только в обеспечении... ну и соответствующие выводы последуют. Только так, Суворов, конкуренция рождается. Только от жестокой конкуренции наши успехи. Все понял?

— Все, товарищ генерал.

— Что-то хочешь спросить?

— Нет.

— Хочешь, знаю я твой вопрос! Тебя сейчас одно мучает: Младший лидер за детали ракет орден получит, а рисковать за него молодой капитан будет и ни хрена за этот риск не получит. Ты это думаешь?

Он внезапно поднимает глаза. Вот его прием! Он берег свой взгляд до самого последнего момента. У него жестокие глаза без единой искорки. У него взгляд, как удар хлыста по ребрам. Он использует свой взгляд внезапно и стремительно. Я к этому не готов. Я выдерживаю его взгляд, но понимаю, что соврать мне не удастся.

— Да, товарищ генерал.

— Работай активно. Ищи и вербуй агентуру. Тогда и тебя будут обеспечивать. Тогда ты будешь работать только головой, а кто-то за тебя будет рисковать своей шкурой.

Скулы его играют, а взгляд свинцов.

— Детали согласуешь с Младшим лидером. Иди.

Я щелкнул каблуками и, четко развернувшись, вышел из командирского кабинета. В коридоре не было никого. В большом рабочем зале — тоже никого. Кондиционер, мягко шелестя, бросает прохладную струю воздуха в полумрак рабочего зала. Я немного увеличил яркость голубого света и по густому, гасящему звук шагов ковру прошел в дальний конец зала к сейфам. Несколько секунд я тупо смотрю на бронзовый диск, вздыхаю тяжело и набираю комбинацию цифр. Тяжелая броневая дверь плавно и бесшумно подалась, открывая двенадцать небольших массивных дверок. Ключом я открываю свою, на которой аккуратно выведена цифра 41. Внутри — мой портфель. Я закрываю сейф, кладу портфель на свой рабочий стол, осторожно тяну на себя два шелковистых шнура, нарушая четкий рисунок двух печатей — сначала гербовой, потом своей персональной. Из портфеля я достаю гладкий лист плотной белой бумаги с аккуратной колонкой надписей и, вновь глубоко вздохнув, пишу на нем:

219

«Вскрыл портфель № 11, 13 июля в 12 часов 43 минуты, время местное». Чуть отступив, расписываюсь.

Осторожно опустив лист в портфель, я извлекаю из него тонкую блестящую зеленую папку с номером 173-В-41. Первый лист папки плотно исписан, остальные совершенно чистые. Один из них я беру двумя пальцами и кладу перед собой. В верхнем левом углу я делаю оттиск своей личной печати, после чего вставляю лист в пишущую машинку. В правом углу привычно и быстро я выбиваю два слова «Совершенно секретно», затем, отступив несколько строк, прямо посредине: «ПЛАН».

Сделав это, я опускаю голову на руки, тоскливо глядя в стенку. Ярость бушует во мне. Я ненавижу весь мир, я ненавижу себя, ненавижу рабочий стол, голубой свет, коричневые ковры и зеленые папки.

Постепенно из всей массы людей и предметов, на которые легла моя жгучая ненависть, выплыло одно лицо, которое я ненавидел сейчас даже больше, чем пишущую машинку. И это было лицо командира... твою мать! Легко приказывать! Но это же не дивизией командовать. Пойди туда, сделай то. Я же никогда не был в Западной Германии. Послать меня на такое дело через три недели практической работы. А если я завалю операцию? Черт с ним, меня в тюрьму посадят, но вы же агента своего потеряете!

Если было бы кому в этот момент по роже хряснуть, я не замедлил бы. Но никого рядом не было. Взглядом я окинул полированную поверхность стола в поисках чего-либо, на чем можно было бы сорвать зло. Под руку попадает изящный стаканчик с ручками и карандашами. Его я сжал в ладони, пристально рассматривая, а потом резко, со всего маху швыряю его об стену. Он, жалобно взвизгнув, рассыпается на мелкие осколки.

— Ты чего психуешь?

Я оборачиваюсь. Сзади меня, у сейфов, — Младший лидер. Я слишком увлекся и не заметил его появления.

— Прошу прощения. — На него я глаз не поднимаю. В пол смотрю.

— В чем дело?

— Навигатор приказал выйти на встречу с вашим человеком...

— Ну и сходи. Что за проблема?

— Откровенно говоря, я не знаю, с чего начинать, что делать...

— План писать! — вдруг взорвался он. — Напиши план, я тебе его подпишу, и вперед...

— А если события будут развиваться не в соответствии с моим планом?

— Ч-е-г-о? — Он смотрит на меня непонимающими глазами, смотрит на часы, на меня, вздыхает и с укоризной говорит: — Забирай свои бумаги. Пошли.

Кабинет для инструктажей мне всегда напоминает каюту на большом роскошном пароходе. Когда системы защиты включены, то пол, потолок и стены мелко-мелко дрожат почти незаметной дрожью, точно палуба крейсера, когда он режет волны на полном ходу. Кроме того, где-то в толще стен за десятками слоев изоляции установлены мощные глушители. Изоляция в тысячи раз уменьшает их рев, и тут внутри вы можете слышать только приглушенный рокот, словно шум прибоя вдалеке.

Кабинет для инструктажей внутри весь белый и блестящий. Некоторые его за это называют «операционная». Я это название не люблю. Это помещение

221

я всегда именую «каютой». В «каюте» только один стол и два кресла. Но и стол, и кресла совершенно прозрачны, и это создает впечатление роскоши и необычности.

Младший лидер указывает мне на кресло и садится напротив.

— На кладбище слонов ничему тебя хорошему не научили. Если хочешь иметь успех, прежде всего забудь все, чему тебя учили слоны в академии. В слоны попадают те, кто не может сам работать на практике. А теперь слушай мою науку. Прежде всего надо написать план. В плане распиши всякие варианты и свои решения в этих ситуациях. Чем больше напишешь, тем лучше. План — это страховка на случай твоего провала. Под следствием Аквариума у тебя будет чем себя оправдать: мол, к подготовке я относился серьезно. Запомни, чем больше бумаги — тем чище задница. А написав план, приступай к подготовке. Главное здесь — подготовить себя психологически. Расслабься насколько возможно, попарься в баньке. Отмети все отрицательные эмоции. Все переживания. Все сомнения. На дело ты должен идти в полной уверенности в победе. Если такой уверенности в тебе нет, то лучше откажись сейчас. Главное, настроить себя на тон агрессивного победителя. Когда расслабишься достаточно, послушай что-нибудь Высоцкого — «Охоту на волков», например. Эта музыка в тебе должна звучать во время всей операции. Особенно когда будешь возвращаться. Самые большие ошибки мы совершаем после успешной встречи, возвращаясь с нее. Мы ликуем и забываем чувство агрессивного победителя. Не теряй этого чувства, пока не попадешь за наши стальные двери. Повторяю, что главное не план, а психологический настрой. Ты будешь победителем только до тех пор, пока сам себя чувствуешь победителем. Когда напишешь план, я с тобой проиграю все возможные варианты. Это очень полезно, но помни, что есть более важные вещи. Помни это. Будь победителем! Чувствуй себя победителем. Всегда. Успехов тебе.

4

Лес сосновый. Просека. Холмы. Тихо. Толстый ленивый шмель своей тушей сел на лесной колокольчик. Эй ты, жирный, цветок поломаешь. Шмель мне что-то обидное прогудел, но спорить не стал, а колокольчик благодарно головкой закивал.

Один я в лесу. Машина у меня старая, побитая вся, напрокат кем-то для меня взятая. Время медленно тянется. Двадцать семь минут до встречи.

По паспорту я югославский гражданин, не то турист, не то безработный. Турист из безработного социализма. Жду. Друг или, по-нашему, особый источник ровно в 13.00 должен появиться с деталями ракет. Меня он по двум признакам опознает: японский транзистор в левой руке и маленький значок с изображением футбольного мяча. А я его узнаю по времени появления: 13 ровно. Он время спросит, при этом должен встать чуть правее меня.

Хитрый друг оказался. Вознаграждение принимает не в долларах, не в марках и даже не в швейцарских франках. Он золотыми монетами берет. Если припрут: прабабушкино наследство.

Коробку с монетами я вон там в елках спрятал. Это на случай всяких неожиданностей. Если во вре-

223

мя встречи обложат, как полиции объяснить, откуда у меня, бедного туриста, золотые дукаты?..

Откуда наш друг может брать детали противотанковых ракет? Кто он, генерал? Или конструктор ракет? По-другому ты кусок ракеты не утащишь. Будь ты инженер на заводе, заведующий складом или боевой офицер. Каждая деталь получает номер сразу в момент ее производства. Как ты ее украдешь? Только сам конструктор... Только генерал... Нет, черт побери, и конструктору, и генералу совсем нелегко красть ракетные детали. Кто-то, кто выше конструктора и генерала? Но если и просто генерал, или просто генеральный конструктор, как же Младший лидер ухитрился его встретить и вербануть?

Противно роль нищего туриста играть: свитер рваный, ботинки стоптаны. Как же в таком виде я встречу американского генерала? Что он подумает о ГРУ, увидев мой мятый «фиат»?

Время. Нет его. Эх, генерал, где ж твоя дисциплина? Из-за поворота огромный грязный трактор с прицепом тащится. Старый немец-фермер, весь навозом пропах. Старый черт, тебя только тут не хватало. Я два часа в лесу просидел, ни одной души не было. И еще пять дней пройдет, ни одной живой души тут не появится. А тебя, старого, черти несут в самый момент встречи. Ну рули, рули скорее. А он как назло трактор передо мной останавливает. Чего тебе, старый дурак? Время? На тебе время! Я сую ему свои часы прямо в нос. Проезжай, старый пес. Но не собирается он уходить. Он возле меня стоит, чуть правее. Чего тебе надо? Чего, старый, злишься? Я тебе жить мешаю? Вали отсюда! Он мне на прицеп показывает. Ах, нехорошо получилось. Наверное, у него прицеп поломался. Помогать придется... а то ведь генерал сейчас подъедет.

Тут меня озарило... С чего я взял, что особым источником должен быть генерал? Я вскакиваю на прицеп, срываю рваный промасленный брезент.

О чудо! Под брезентом исковерканные обломки ракет «Тоу». Помните эту хищную серебристую мордочку? Я таскаю обломки стабилизаторов, грязные печатные схемы, спутанные порванные провода, разбитый, перепачканный грязью блок наведения в свою машину. Я руку ему трясу. Danke schön. И бегом за руль. А он палкой грозно по моей машине стучит. Ну что тебе, дьявол, нужно? Он жестом показывает, что ему деньги нужны. А я и забыл. Бегом в ельник. Вырыл коробку. Бери. Вот теперь он заулыбался. А ты, старый хрыч, на зуб попробуй! Куда тебе, старому, столько золота? В гроб все равно с собой не возьмешь. А он улыбается. Вспомнил я инструкцию: «особых источников» уважать надо, по крайней мере демонстрировать уважение. И я ему улыбаюсь.

Он в одну сторону, я — в другую. Я быстро гоню машину от места встречи. Мне теперь понятна простая механика всей операции.

1-я американская бронетанковая дивизия уже получила ракеты «Тоу» и уже стреляет ими на полигоне. Конечно, без боеголовок. Поэтому маленькая ракета на конечном участке траектории просто разбивается о мягкий грунт.

У нас, когда стреляют «Фалангами» и «Шмелями», огромные пространства застилают брезентом, а потом батальон бросают на поиск мельчайших осколков. Американская армия этого не делает. И потому не надо вербовать генерала да главного конструктора. Достаточно вербануть пастуха, лесника, сторожа, фермера. Он вам обломков наберет хоть сто килограммов, хоть двести. Сколько в багажник поместится! Старый фермер, пропахший навозом, может стать источником особой важности и за тридцать сребреников продаст вам все, что желаете. Боеголовок нет? Тем лучше. Без боеголовок весь блок наведения почти целым остается. А головки у нас не хуже американских. Нам блок наведения нужен. Схемы печатные нужны. Кому надо, тот их отмоет да отчистит. Если чего не хватает, в следующий раз привезем. И состав металла нужен. И композитные материалы нужны. И механизм раскрытия стабилизаторов, и остатки топлива чрезвычайно интересны, и даже нагар на поворотных турбинках. И все это в моем багажнике. И всем этим лично товарищ Косыгин интересуется.

Я гоню свою машину по прямым, как стрелы, автобанам Германии. Гитлер строил. Хорошо строил. Я жму на педаль сильнее и чуть улыбаюсь сам себе. Когда я вернусь, я буду просить прощения у Навигатора и у Младшего лидера. Я не знаю, почему. Но я подойду и тихо скажу: «Товарищ генерал, простите меня». «Товарищ полковник, простите, если можете».

Они разведчики высшего класса. И только так надо действовать. Быстро, не привлекая внимания. Я готов рисковать и своей карьерой и своей жизнью ради успеха ваших простых, но ослепительных в своей простоте операций. Если можете, простите меня.

5

Я вытянул свои уставшие ноги под столом. Мне хорошо. Тут так тихо и уютно. Как бы не уснуть. Я устал. Тихая мелодия. Седой пианист. Он, несомненно, великий музыкант. Он устал, как и я. Он закрыл глаза, а его длинные, гибкие пальцы виртуоза привычно танцуют по клавишам огромного рояля. Несомненно, его место в лучшем оркестре Вены. Но он почему-то играет в венском кафе «Шварценберг». Вы бывали в «Шварценберге»? Настоятельно советую. Если у вас тяжелая, изматывающая работа, если у вас красные глаза и уставшие ноги, если нервы взвинчены — приходите в «Шварценберг», закажите чашку кофе и садитесь в уголок. Можно, конечно, сидеть и на свежем воздухе, за маленьким беленьким столиком. Но это не для меня. Я всегда захожу внутрь, поворачиваю вправо и сажусь в углу у огромного окна, закрытого полупрозрачными белыми шторами. Когда в Вене жарко, все сидят, конечно, на свежем воздухе. Там хорошо, но тогда кто-то может наблюдать за мной издалека. Я не люблю, чтобы меня кто-то мог видеть издалека. Поэтому я всегда внутри. Из своего уголка я вижу любого, кто входит в зал. Из-за прозрачной занавески я иногда посматриваю и наружу, на Шварценберг-плац. Кажется, что за мной сейчас никто не смотрит. И мне хорошо быть одному в этом уюте. Зеркала. Абстрактные шедевры. Роскошные ковры. Темно-коричневые стены — полированный дуб. Тихая мелодия. Пьянящий аромат кофе: одновременно возбуждающий и успокаивающий. Если бы у меня был свой замок, я непременно заказал бы себе такие стены, на них бы развесил эти декадентские зеркала и картины, в углу поставил бы огромный рояль, пригласил бы этого старика пианиста, а перед собой поставил бы чашку кофе и сидел, вытянув ноги и подперев щеку кулаком. Мне кажется, что эту мелодию я уже когда-то давно слышал. Мне кажется, что я видел где-то эти картины на дубовых стенах и эти маленькие столики. Конечно, все это я видел раньше. Конечно, я помню и этот нежный аромат, и эту чарующую мелодию. Да. Все это я уже видел раньше. Это было давно. Несколько лет назад. Был огромный прекрасный город. Была тихая площадь с трамвайными рельсами. Огромные окна кафе. Был этот незабываемый запах и эта спокойная мелодия. Только тогда на площади кафе у белых столиков стояли три грязных уставших танка с широкими белыми полосами. Они стояли тихо и не мешали чудесной мелодии. Было жаркое лето. Огромные окна кафе были открыты, и прекрасная музыка тихо и спокойно, как лесной ручей, струилась через окно. Я почему-то совершенно отчетливо представил себе три грязных танка с белыми полосами на Шварценберг-плац. У танка совершенно необычный запах. Его нельзя спутать ни с чем. Вы любите запах танка? Я тоже люблю. Запах танка — это запах металла, это запах сверхмощных двигателей, это запах полевых дорог. Танк приходит в город из лесов и полей, и он хранит запах листьев и свежей травы. Запах танка — это запах простора и мощи. Этот запах пьянит, как запах вина и крови. Я чувствую этот запах в тихом венском кафе. Я совершенно отчетливо могу себе представить тысячи грязных танков на улицах Вены. Город бурлит. Город охвачен страхом и негодованием, а по его улицам гремят бесконечные колонны танков. Из узких улочек из-за поворота появляются все новые и новые бронированные динозавры. Водители переключают передачи, и в этот момент двигатель извергает из себя черный густой дым вперемешку с брызгами несгоревшего топлива и хлопьями сажи. Скрежет и гром. Искры из-под гусениц. Черные от копоти и пыли лица солдат. Танки на мостах. Танки у вокзала. Танки у роскошных дворцов. Танки на широких бульварах и в узких улочках. Танки везде. Старик с лохматой белой бородой что-то кричит и машет кулаком. Но кто его услышит? Разве можно заглушить рев танковых дизелей? Поздно, старик. Слишком поздно ты начал кричать. Нужно было раньше кричать. Когда по тротуарам загремели кованые сапоги, когда вокруг стоит рев и скрежет бесчисленных танков — кричать поздно. Нужно или стрелять, или молчать. Город бурлит. Город в дыму. Где-то стреляют. Где-то кричат. Запах горелой резины. Запах кофе. Запах крови. Запах танков.

Наверное, я схожу с ума. Есть другая возможность: все давно сошли с ума, а я один — исключение. Есть и третья возможность: все давно сошли с ума. Все без исключения. Те, которые появляются на грязных танках в прекрасных мирных городах,— вне всякого сомнения, шизофреники. Те, которые живут в прекрасных городах, знают, что однажды, рано или поздно, эти танки появятся на Шварценберг-плац, и ничего не делают, чтобы это предотвратить,— тоже шизофреники. Черт побери, а мое место где? Я уже был в числе освободителей. Это не так приятно, как может показаться со стороны. Я больше не хочу оказаться в этой роли. Что же мне делать? Убежать? Прекрасная идея. Я буду жить в этом удивительном мире наивных и беззаботных людей. Я буду сидеть в кафе, вытянув ноги и подперев щеку кулаком. Я буду слушать эту чарующую мелодию. Когда придут грязные танки с белыми полосами, я буду стоять в толпе, кричать и махать кулаком. Плохо быть гражданином страны, по дорогам которой со скрежетом и лязгом идут броневые колонны освободителей. А разве лучше быть в числе освободителей?

Считается, что молодой шпион, который выдает себя за дипломата, журналиста, коммерсанта,— не может быть активным в первые месяцы своей работы. Ему нужно вжиться в роль: изучить город и страну, в которой он работает, законы, обычаи, порядки. Молодые разведчики многих разведок именно так себя и ведут в первые месяцы — они готовятся к ответственным операциям. В это время на них мало внимания обращает местная полиция: у местной полиции проблем хватает и с опытными шпионами.

Но ГРУ — это особая разведка. Она не похожа на другие разведки. Раз в первые месяцы за тобой не следят, так и пользуйся этим!

В первый месяц моей работы я закладывал какой-то пакет в тайник, в течение недели контролировал место, где должен был появиться сигнал от кого-то, ночью в лесу принимал какие-то ящики и доставлял их в посольство, снимал с операции наших офицеров, когда группа радиоконтроля обнаруживала высокую активность полицейских радиостанций в районах наших операций. Все, что я делаю,— это обеспечение чьих-то операций, помощь кому-то, участие в операциях, назначения и цели которых я не знаю. Из сорока добывающих офицеров ГРУ нашей резидентуры больше половины делают ту же работу. Это называется «прикрывать хвост». Тех, кто делает это, именуют презрительно «борзой». Борзая — охотничий пес, которого не нужно много кормить, но можно гонять по полям и лесам за лисами да за зайчишками. Можно и против крупных зверей пускать борзую, но не одну, а в своре. Борзая — это длинные ноги и маленькая голова.

В мире все относительно. Я — офицер Генерального штаба. По отношению к миллиону других офицеров Советской Армии я — высшая элита. Внутри Генерального штаба — я офицер ГРУ, то есть высший класс по отношению к десяткам тысяч других офицеров Генерального штаба. Внутри ГРУ — я выездной офицер. Офицер, которого можно выпускать на работу за рубеж.

Выездные офицеры это гораздо более высокий класс, чем просто офицеры ГРУ, которых за рубеж не пускают. Среди выездных офицеров ГРУ — я тоже отношусь к высшей касте — я добывающий офицер: это гораздо выше, чем наша охрана, механики, техники, служба радиосвязи и радиоперехвата. Но вот внутри этой самой высшей элиты — я плебей. Добывающие офицеры ГРУ делятся на два класса — борзые и варяги. Борзые — угнетенное бесправное большинство в высшей касте добывающих офицеров. Каждый из нас работает под полным контролем одного из заместителей резидента, почти никогда не встречая самого резидента. Мы охотимся за секретами, вернее, за людьми, которые этими секретами владеют. Это основная работа. Но кроме этого, нас беспощадно используют для обеспечения секретных операций, об истинном значении которых мы можем только догадываться.

Выше слоя борзых стоят варяги. Варяг на языке древних славян — непрошеный заморский гость. Коварный, свирепый, задиристый, веселый и дерзкий. Варяги работают под личным контролем резидента, уважая его заместителей, но работая в большинстве случаев самостоятельно. Самые успешные из варягов становятся заместителями резидента. Они работают уже не одиночно, а получают в полное распоряжение группу борзых.

Первый заместитель резидента — Младший лидер — контролирует всех. Он сам очень активный и успешный добывающий офицер, но, кроме своей работы по добыванию и руководству собственной группой борзых, он контролирует группу радиоперехвата, он отвечает за охрану резидентуры и ее безопасность, за работу всех офицеров, в том числе технических и оперативно-технических. Ему не подчинены только шифровальщики. Ими командует резидент лично. Резидент, он же командир, он же папа, он же Навигатор, отвечает за все. У него практически неограниченные полномочия. Он, например, своей властью может убить любого из подчиненных ему офицеров, включая и первого заместителя,— в случаях, когда под угрозу будет поставлена безопасность резидентуры, а эвакуация офицера, который эту угрозу создает, невозможна. Право убивать офицеров ГРУ, кроме резидентов, имеет только Верховный суд, да и то, если на то будет воля Центрального Комитета. Так что в некоторых вопросах наш папа сильнее Верховного суда, он не нуждается ни в чьих советах и консультациях, ему не нужны голосование или поддержка прессы. Он принимает решения сам и имеет достаточно власти и сил, чтобы свои решения претворять в жизнь, вернее, в смерть. Наш Навигатор подчинен начальнику 5-го направления 1-го Управления ГРУ. Но по ряду вопросов он подчинен только начальнику ГРУ. Кроме того, в случаях несогласия с руководством ГРУ в экстраординарных обстоятельствах он имеет право связаться с Центральным Комитетом. Необъятная мощь резидента уравновешивается только существованием такой же могущественной, независимой и враждебной резидентуры КГБ. Оба резидента не подчинены послу. Посол придуман для того, чтобы только маскировать существование двух ударных групп в составе советской колонии. Конечно, на людях оба резидента демонстрируют послу некоторое уважение, ибо оба резидента — дипломаты высокого ранга, и своим непочтением к послу они выделялись бы на фоне других. Но этим почтением и кончается вся зависимость от посла. Каждая резидентура имеет в посольстве свою территорию, обороняемую от чужих, как неприступная крепость.

Дверь резидентуры — как дверка хорошего сейфа. Какой-то шутник очень давно привез из Союза табличку железную с мачты линии высокого напряжения: «Не влезай! Убьет!» Ну и соответственно над надписью череп с косточками. Эту табличку приварили к нашей зеленой двери, и она вот уже много лет хранит нашу крепость от посторонних.

7

— Обрати внимание на то, что во время войны в нашей авиации существовало две категории летчиков: одни (меньшинство) — с десятками сбитых самолетов на счету, другие (большинство) — почти ни с чем. Первые — вся грудь в орденах, вторые — с одной-двумя медальками. Первые пережили войну в большинстве, вторые — гибли тысячами и десятками тысяч. Статистика войны суровая. Девять часов в воздухе для большинства — после этого смерть. В среднем летчик-истребитель погибал в пятом боевом вылете. А в первой категории наоборот — у них сотни боевых вылетов и тысячи часов в воздухе у каждого... — Мой собеседник Герой Советского Союза генерал-майор авиации Кучумов, ас во время войны, один из самых свирепых волков советской военной разведки — после нее. Сейчас по приказу начальника ГРУ он проводит проверку заграничных отделений ГРУ, спрятанных под легальными масками. В одни страны он приезжает как член различных делегаций по разоружению, сокращению, доверию и прочему, в других странах он появляется как член совета ветеранов войны. Но он к разряду ветеранов себя никак не относит, он активный боец тайного фронта. Он инспектирует нас и, голову даю на отсечение, проводит молниеносные и головокружительные тайные операции. Сейчас мы вдвоем с ним в «каюте». Он вызывает нас по одному. Разговаривая с нами, он, конечно же, контролирует нашего командира, а заодно и помогает ему.

— Между двумя категориями летчиков на войне была пропасть. Никакого связующего звена, никакого среднего класса. Ас, герой, генерал или убитый в первом вылете младший лейтенант. Среднего не давалось. Происходило это вот почему. Все летчики получали одинаковую подготовку и приходили в боевые подразделения, имея почти одинаковый уровень. В первом же бою командир разделял их на активных и пассивных. Тот, кто рвался в драку, кто не уходил в облака от противника, кто не боялся идти в лобовую атаку, тех немедленно ставили ведущими, а остальным приказывали активных прикрывать. Часто выделение активных бойцов происходило прямо в первом воздушном бою. Все командиры звеньев, эскадрилий, полков, дивизий, корпусов и воздушных армий бросали все свои силы, чтобы помогать активным в бою, чтобы их охранять, чтобы их беречь в самых жарких схватках. И чем больше активный имел успеха, тем больше его охраняли в бою, тем больше ему помогали. Я видел в бою Покрышкина, когда у него было на счету уже более пятидесяти германских самолетов. По личному приказу Сталина его прикрывали в бою две эскадрильи. Он идет на охоту, у него в хвосте ведомый, а две эскадрильи идут сзади одна чуть выше, другая чуть ниже. Сейчас у него на груди три золотые звезды и бриллиантовая на шее, он маршал авиации, но не думай, что все это к нему само пришло. Совсем нет. Просто он в первом бою проявил активность, и его стали прикрывать. Он проявлял больше дерзости и умения, и ему все больше помогали, и больше им дорожили. А не случилось бы этого, то в самом начале его отнесли бы к числу пассивных, поставили на неблагодарную работу защищать кому-то хвост в бою. Так бы он в хвосте у кого-то и летал младшим лейтенантом. И, по статистике, на пятом вылете его бы сбили, а то и раньше. Статистика, она кому улыбается, а кому рожи корчит.

— Все это, — продолжает Кучумов, — я говорю к тому, что наша разведывательная работа от воздушных боев почти ничем не отличается. Советская военная разведка готовит тысячи офицеров и бросает их в бой. Жизнь их быстро делит на активных и пассивных. Одни достигают сияющих высот, другие сгорают в первой же зарубежной командировке.

Я ознакомился с твоим делом, и ты мне нравишься. Но ты прикрываешь хвосты другим. Работа в обеспечении — это тяжелая, опасная и неблагодарная работа. Кто-то получает ордена, а ты рискуешь своей карьерой, выполняя самую грязную и тяжелую работу. Запомни, что от этого тебя никто не освободит.

235

Любой командир нашей организации за рубежом, получая свежее пополнение молодых офицеров, использует их всех в обеспечивающих операциях, и они быстро сгорают. Их арестовывают, выгоняют из страны, и они потом всю жизнь прозябают в службе информации ГРУ или в наших «братских» странах. Но если же ты сам проявишь активность, сам начнешь искать людей и вербовать их, то командир немедленно сократит твою активность в обеспечении, наоборот, кто-то другой будет прикрывать тебе хвост, рисковать собой, защищая твои успехи. Такова наша философия. Несколько лет назад наш командир в Париже приказал пассивному помощнику военного атташе пожертвовать собой ради успеха нескольких других офицеров. Будь уверен, что командир жертвовал своим пассивным офицером. Активному, успешному он никогда такой неблагодарной задачи не поставит, и мы это полностью поддерживаем. Руководство ГРУ стремится как можно больше вырастить активных, дерзких, успешных асов. Не беспокойся, чтобы прикрыть таких людей, у нас всегда найдется множество пассивных, малодушных, инертных. И не думай, что все это я тебе говорю потому, что тебе отдаю предпочтение. Совсем нет. Я всем вам, молодым, это говорю. Работа у меня такая — боевую активность и боевую производительность повышать. Да вот беда, не до всех это доходит. Много у нас ребят хороших, которые так никогда и не выбираются в ведущие, чужие хвосты прикрывают и бесславно горят на песке. Желаю тебе успеха и попутного ветра. Все в твоих руках, старайся, и тебя будут две эскадрильи в бою прикрывать.

Советское посольство в Вене очень похоже на Лубянку. Тот же стиль, тот же цвет. Типичная чекистская безвкусица. Фальшивое величие. Лубянский классицизм. Было время, когда всю мою страну заполнило это фальшивое чекистское величие — колонны, фасады, карнизы, шпили, башенки и бутафорские балконы. Внутри посольства тоже «Лубянка» — мрачная и скучная. Фальшивый мрамор, лепные карнизы, колонны, кожаные двери, красные ковры и неистребимый запах дешевых болгарских сигарет.

И все же не все посольство — филиал Лубянки. Есть тут независимый остров — суверенный филиал Х. и резидентура ГРУ. У нас свой стиль. У нас свои традиции и законы. Мы презираем стиль Лубянки.

Наш стиль простой и строгий. Никаких украшений, ничего лишнего. Но наш стиль скрыт под землей. Его видим только мы. Все как в Москве: огромное здание КГБ в самом центре города на виду у всех. А здание ГРУ — Аквариум — спрятано от посторонних глаз. ГРУ отличается от КГБ тем, что ГРУ — это секретная организация. Тут в Вене тоже стиль Лубянки виден всем. Стиль ГРУ спрятан от всех.

Но есть в советском посольстве еще и третий стиль. Возле, в густом саду, торжественно возвышается большой православный храм. Он стоит гордо и одиноко, и его золотые кресты выше, чем красный флаг. В утренней мгле первый луч солнца падает на самый высокий золотой крест и дробится, рассыпаясь на тысячи искр. Я твердо знаю, что Бога нет. В своей жизни я никогда не был в церкви. Мне никогда не приходилось долго находиться возле какой-нибудь церкви, пусть даже разрушенной. Но тут, в Вене, мне приходится каждый день бывать рядом с ней. Не знаю почему, но она смущает меня. В ней что-то таинственное и чарующее. Она стоит тут больше ста лет. В ее строгом облике нет ни крупицы фальши. Столько цветов и столько узоров собрано вместе, но каждый узор и каждый оттенок неотделим от других, и вместе они образуют то, что называют словом «гармония». Я прохожу мимо и смотрю себе под ноги. Мне удается это с трудом, ибо церковь властно притягивает взгляд к себе...

9

«Именем Союза Советских Социалистических Республик министр иностранных дел СССР просит правительства дружественных государств и подчиненную им военную и гражданскую администрацию пропустить беспрепятственно дипломатическую почту СССР, не подвергая ее контролю и таможенному досмотру в соответствии с Венской конвенцией 1815 года. Министр иностранных дел СССР А. Громыко».

Полицейский читает документ, отпечатанный на хрустящей денежной бумаге с узорами и гербом. Если ему непонятно, то можно прочитать тот же текст на французском или английском языке. Тут же все это и отпечатано. Коротко и ясно: дипломатическая почта СССР. Скрипит полицейский зубами и косится на огромный контейнер. Непривычно это. Через Вену советская дипломатическая почта потоком идет. Водопадом. Ниагарой. Через Вену пролегает ее маршрут. Это означает, что раз в неделю советские вооруженные курьеры останавливаются в Вене, следуя дальше в Берн, Женеву, Рим. Потом они возвращаются тем же маршрутом. По дороге туда они оставляют контейнеры в советских посольствах. Возвращаясь назад, они принимают в посольствах контейнеры и везут их в Москву. Из Москвы они обычно везут пять — десять контейнеров килограммов по 50 каждый. А возвращаясь, они везут по 30— 40 контейнеров. Иногда, случается, и по 100 контейнеров. За потерю контейнера курьерам грозит смерть. За каждый контейнер головой отвечает советский посол. Он обязан организовать встречу и отправку дипломатической почты. И потому мы ее встречаем и провожаем. Гоняют нас на это дело в порядке живой очереди. Пока курьеры со своими контейнерами следуют по стране, рядом с ними всегда советский дипломат находится, чтобы в случае необходимости напомнить о том, что за попытку захвата контейнеров Советский Союз может применить санкции, включая и военные. Ну а с малыми группами желающих ознакомиться с содержанием контейнеров курьеры имеют право расправиться своей властью. Это их привилегия. Защита контейнеров с помощью оружия предусмотрена конвенцией, и потому курьеры сильны, и оружия у них достаточно.

Много везут дипломатические курьеры. Много. Все, что мы соберем, все они и везут в контейнерах: патроны и снаряды, оптику и электронику, куски брони и части от ракет, и документы, документы, документы. Всякие документы: военные планы, технические описания, проекты нового оружия, которое будет когда-нибудь производиться или никогда никем производиться не будет. Везут курьеры то, что Западом принято, и то, что Западом отвергнуто. Мы посмотрим. Мы обмозгуем. Может, мы примем то, что Запад отверг; может быть, мы придумаем противоядие против того, что Запад намерен производить. Идет информация в зеленых ящиках. Скрипит полиция зубами. Много ящиков. Совершенно секретно! Именем Союза Советских Социалистических Республик! В соответствии с Венской конвенцией 1815 года!

Едут курьеры. Везут контейнеры. Скрипит полиция зубами.

Но сегодня скрип особенный. Случай необычный. Сегодня у наших курьеров не 50-килограммовые контейнеры, нет, сегодня совсем большой контейнер — 5 тонн! Именем Союза Советских Социалистических Республик! Собралось все полицейское начальство. Ругаются тихо. На наш контейнер косые взгляды мечут. Контейнер сопровождаю я. Я им уже все документы предъявил. И уж фраза у меня заготовлена: «Задержка дипломатической почты Союза ССР, а равно попытки ее захвата, контроля, досмотра влечет за собой...» — ну и т. д.

Контейнер пригнали в Вену на особой платформе, продемонстрировав на таможне, что он пуст. Но теперь он загружен. Теперь он опечатан огромными красными печатями: «Дипломатическая почта СССР. Отправитель Посольство СССР. Вена». Теперь у контейнера наши курьеры. Теперь у курьеров оружие. Теперь у контейнера советский дипломат. У дипломата не очень высокий дипломатический ранг. Это всегда так делается. И все же он неприкосновенный представитель СССР. Троньте его — попробуйте. Нападение на дипломата — оскорбление государству, которое он представляет. Оскорбление дипломата может быть расценено как нападение на само государство. Скрипят полицейские чины зубами.

— Можно осмотреть правильность крепления контейнера на платформе?

— Это ваше право,— соглашаюсь я.

Но трогать наш контейнер руками они права не имеют. Только попробуйте. У меня прямая связь с генеральным консулом СССР в Вене, а у него прямая связь с Министерством иностранных дел СССР. Осмотрите.

Ходят полицейские чины вокруг контейнера. Ах, как хочется им узнать, что там внутри! Но не выгорит вам, господа. Что с воза упало, то не вырубишь топором.

Когда контейнер из ворот посольства вывозили, все наши соседи из КГБ с завистью матерились: ну, прохвосты, обскакали. Не иначе, ГРУ кусок ядерного реактора сперло. У полиции местной, наверное, то же мнение. Вот один совсем рядом с контейнером трется. Не иначе, радиометр в кармане имеет. Попробовать решили, не везем ли мы атомную бомбу. Остановить того полицейского я не могу. Контейнер он руками не трогает, а просто рядом прохаживается. Ну хрен с тобой. Прохаживайся. Твое право. Но не защелкает твой радиометр — внутри не атомная бомба и не кусок от ядерного реактора. Вот еще один полицейский у контейнера трется. День жаркий. Но он в плаще. Не иначе, под плащом у него аппаратуры электронной напихано. Не иначе, они стараются определить, металл там у вас внутри или нет. Может, мы двигатель секретного танка сперли? Но и тебе, братец, ничего не выгорит. Ни хрена ты своей электроникой не определишь. Вот и собаки рядом. Вроде как для нашей безопасности. Принюхиваются собаки. Ах, не выгорит вам, серые. И не нюхайте.

Курьеры наши на меня с уважением смотрят. Им-то ясно, что я к этому делу прямое отношение имею. Но что внутри контейнера, не положено курьерам знать. И никогда они этого не узнают. Ясно им, что контейнер не КГБ наполняло, а ГРУ. У дипломатических курьеров на этот счет особый нюх. Годами они эту работу делают. Знают, кто будет багаж принимать, а отсюда ясно, кто его отправляет. В данном случае им следует только переправить контейнер через границу, тут же их в Братиславе советский военный конвой встретит, которому контейнер и следует передать.

Ах, как бы удивились дипломатические курьеры, если бы узнали, что, попав в Братиславу, контейнер будет переправлен на первый советский военный аэродром, и там все его содержимое сожгут в печке. А ведь так оно и будет.

Давно Навигатор наш у посла чердак посольства просил. Давно посол нашему Навигатору отказывал. Нет, говорит, и точка. Но у Навигатора нашего растет хозяйство. С каждым годом растет количество серых ящиков с лампочками да антенн разных. Нужен Навигатору чердак. Просит он посла, умоляет. Пропадает место, а мне электронику подслушивающую устанавливать некуда. Плюнул посол. Хрен с тобой, говорит. Забирай чердак. Но авгиевы конюшни там. Вычистить их надо. Сумеешь — твой чердак. Только, чур, меня не подводить. И грязь с чердака убрать своими силами. Много ли грязи, Навигатор интересуется. Все, что есть,— все твое, посол отвечает. Как ее убрать, я не знаю. Знал бы, давно бы там все очистил. От предшественников наследие там осталось... Ударили они по рукам. Отдал посол Навигатору ключик и еще раз попросил не болтать о том, что там наверху лежит. Вскрыл Навигатор чердак, личную печать посла нарушил, включил фонарь и обомлел. Забит чердак книгами. Красивые книги. Бумага рисовая, обложки глянцевые. Названия у книжек разные, а автор один: Никита Сергеевич Хрущев. Сообразил Навигатор ситуацию. Много лет назад хотела партия, чтобы голос ее весь мир слышал. Оттого речи самого умного в партии человека на лучшей бумаге печатались и по всему свету рассылались. Тут посольства их всем желающим даром раздавали, во все библиотеки рассылали. А партия внимательно следила, какой посол слово партии хорошо распространяет, а какой — не очень. Между послами соревнование: кто больше книг бесплатно распространит. Рапортуют послы: я сто тысяч распространил! Я — двести тысяч! А я — триста!!! Ну, хорошо, в Москве говорят, раз так легко их распространять, раз народы мира так сочинениями нашего дорогого вождя интересуются, вот тебе еще сто тысяч! Распространяй да помни — в Париже посол лучше тебя работает! А в Стокгольме необычайный интерес! А в Канаде люди так и прут валом, чтобы книги те заполучить... Как там в Париже и в Оттаве эти книжки распространяли, не знаю, но в Вене их спустя много лет на чердаке обнаружили. Пошел Навигатор к послу.

— Выкинуть их на свалку, — говорит.

— Что ты,— посол взмолился. — Узнают газеты буржуазные, скажут, что прошлого лидера нашей родной партии мы обманывали, может, и современного лидера так же обманываем. Что будет, если такая статья появится?

— Ну сжечь их! — Навигатор предлагает. Но тут же и осекся. Сам понял, что нельзя такую уймищу книг жечь. Всякий знает, что, если в посольстве несколько тонн бумаги сжигают, значит, война. Паника начнется. А кому отвечать? Сжигать их понемногу тоже нельзя — чердак и за год не очистишь.

Поматерился Навигатор, шифровку в Аквариум настрочил: получим чердак для электроники, если посла выручим без особого шума. Аквариум согласие дал. Контейнер прислал и документы соответствующие.

Две ночи мы, борзые, книги на себе с чердака в контейнер таскали. Тронешь их — чихаешь потом два часа. Пыль, жара на чердаке. Лестницы крутые. Пробежишься вверх-вниз по ступенькам, сердце прыгает. Пот льет. Ах, как же мы тебя, Никита Сергеевич, матом крыли!

Контейнер к самым дверям подогнать пришлось и просвет между дверью и контейнером брезентом укутать да караул установить. Смотрят соседи из КГБ на охрану да на огромный контейнер, с завистью посвистывают.

Посмотрели полицейские чины еще раз на контейнер, проверили бумаги еще раз, махнули руками: черт с вами, проезжайте. Ничего не поделаешь. Ясно полиции, что сперла советская военная разведка что-то важное, и непонятно, как сумела эту штуку в посольство протащить. А уж если это удалось, то тут ничего не поделаешь. Проезжай!

ГЛАВА ДЕВЯТАЯ

1

В ГРУ новые веяния. В ГРУ новые люди. Фамилии новых начальников 2-го, 7-го и 12-го управлений, 8-го направления, 6-го Управления и 4-го направления 11-го Управления мне не говорят ничего. Генералы да адмиралы. Но фамилия нового начальника 5-го Управления знакома до боли. Кравцов. Генерал-лейтенант. Пять лет назад, когда я уходил в академию, он получил свою первую генеральскую звезду. Теперь их две. Наверное, скоро будет три. Все его предшественники на этом посту были генерал-полковниками, 5-е Управление! Под контролем этого небольшого жилистого человека весь Спецназ Советской Армии. Ему подчинены диверсионные и добывающие агентурные сети шестнадцати военных округов, четырех групп войск, четырех флотов, сорока одной армии и двенадцати флотилий. Ему сейчас сорок четыре года. Успехов вам, товарищ генерал.

А у меня нет успехов. Я знаю, что нужно искать выходы к секретам, но у меня на это не остается времени. Дни и ночи я в агентурном обеспечении без выходных, без праздников. Спидометр моей машины взбесился. Не проходит недели, чтобы на спидометре тысячи километров не прибавилось. Иногда эти тысячи прибавляются катастрофически быстро, и тогда Сережа Нестерович — наш автомеханик, по приказу Младшего лидера подкручивает спидометр, сбрасывая лишние тысячи. У него для этого есть специальный приборчик: коробка и длинный металлический тросик в трубочке. Был бы я на его месте, непременно сбежал бы с этим приборчиком в Америку. Покупал бы старые машины, прокручивал спидометры и продавал их как новые.

Крутит он спидометр не мне одному. Много нас, борзых, в резидентуре. И каждый носится по Европе интенсивно, как Генри Киссинджер.

Спидометр — лицо разведчика. И не имеем мы права показывать своего истинного лица. Крути, Сережа!

2

Навигатор руки потирает.

— Заходите. Рассаживайтесь. Все?

Младший лидер окидывает нас взглядом. Пересчитывает. Улыбается Навигатору:

— Все, товарищ генерал, за исключением шифровальщиков, группы радиоконтроля и группы радиоперехвата.

Навигатор ходит по залу, смотрит в пол. Вот он поднимает голову и радостно улыбается. Таким счастливым я его никогда не видел.

— Благодаря стараниям Двадцать Девятого наша резидентура сумела добыть сведения о системе обеспечения безопасности на предстоящей в Женеве выставке «Телеком-75». Подобные материалы сумели добыть дипломатические резидентуры ГРУ в Марселе, в Токио, в Амстердаме и в Дели. Но наша информация наиболее полная и получена раньше других. Поэтому начальник ГРУ, — он выжидает мгновение, чтобы придать заключительной фразе больше веса, — поэтому начальник ГРУ доверил нам проведение массовой вербовки на выставке!

Мы взвыли от восторга. Мы жмем руку Двадцать Девятому. Зовут его Коля Бутенко. Он капитан, как и я. В Вену он приехал позже меня, но уже успел совершить две вербовки. Варяг.

— Двадцать Девятый.
— Я, товарищ генерал. — Коля вскочил.
— Благодарю за службу!
— Служу Советскому Союзу!
— А теперь тихо. Восторги будут после выставки. Как делается массовая вербовка, вы знаете. Не дети. На выставку выезжаем всей резидентурой. Все работаем только в добывании. В обеспечении работают дипломатическая резидентура ГРУ в Женеве генерал-майора Звездина и бернская резидентура генерал-майора Ларина. Если потребуется выход на территорию Франции, то марсельская и парижская резидентуры ГРУ готовы к обеспечению. Общее руководство осуществляю я. На время операции мне временно будет подчинен начальник 3-го направления 9-го Управления службы информации ГРУ генерал-майор Фекленко. Он прибывает во главе мощной делегации. Николай Николаевич...

— Я, товарищ генерал... — Заместитель по информации вскочил.

247

— Встреча делегации, размещение, транспорт на твоей совести.

— Да, конечно, товарищ генерал.

— В ходе массовой вербовки применяем обычную тактику. Если кто совершит глупость, то я принесу его в жертву общему успеху, точно так, как парижский лидер ГРУ пожертвовал пешкой — помощником военного атташе в ходе массовой работы на выставке в Ле Бурже. Мой первый заместитель (Младший лидер встает) познакомит каждого из вас с теми членами делегации, с которыми тот будет работать. Желаю удачи.

3

Московский экспресс прибывает в Вену в 5.58 вечера. Медленно мимо нас проплывают зеленые вагоны. Чуть скрипят тормоза. Здравствуйте, товарищи! Приветствуем вас на гостеприимной земле Австрии! Носильщиков звать не надо. Их много. Они знают, что официальная советская делегация не поскупится на чаевые.

Делегация огромна. Офицеры информации ГРУ, офицеры Военно-промышленного комитета (ВПК) Совета Министров СССР, эксперты военной промышленности, конструкторы вооружения. Конечно, ничего этого не вычитаешь в их паспортах. Если верить паспортам, то они из Академии наук, из Министерства внешней торговли, из каких-то несуществующих институтов. Но разве можно верить нашим паспортам? Разве в моем дипломатическом паспорте указано, что я офицер добывания ГРУ? Здравствуйте! Здравствуйте.

На нашей маленькой смешной планете происходят удивительные вещи. Но они почему-то удивляют только меня и никого более. Никому дела никакого нет до огромной советской делегации. Никто вопросов не задает. А неясных вещей множество. Почему, к примеру, советская делегация прямо в Женеву не едет, зачем она на три дня в Вене останавливается? Отчего делегация в Вену прибыла единым монолитным строем, как батальон, а в Вене вдруг раздробилась, распалась, рассыпалась? Отчего делегаты направляются в Женеву разными путями, разными маршрутами, кто поездом, кто автобусом, а кто самолетом летит? Что за чудеса, до Вены поездом не спеша, а дальше самолетом? Отчего на выставке в Женеве советских дипломатов сопровождают советские служащие ООН в Вене, а не советские служащие ООН в Женеве? Вопросов много. Но никого они не интересуют. И никто на эти вопросы ответов не ищет. Что ж, тем лучше для нас.

4

В комнате для инструктажей в прозрачных креслах, в которые невозможно вмонтировать никакую аппаратуру, сидят двое незнакомых. Младший лидер представляет меня:

— Это Виктор.

Я сдержанно кланяюсь им.

— Виктор, это Николай Сергеевич, полковник-инженер НИИ-107.

— Здравия желаю, товарищ полковник.

— Это Константин Андреевич, полковник-инженер из 1-го направления 9-го Управления службы информации ГРУ.

— Здравия желаю, товарищ полковник.

Я жму протянутые руки.

— Меня интересуют,— ухватил быка за рога Николай Сергеевич,— приемные устройства, захватывающие отраженный лазерный луч, который используется для подсветки движущихся целей при стрельбе с закрытых огневых позиций...

— Вы, конечно, понимаете, что мои знания в этом вопросе поверхностны.

— Конечно, мы это понимаем. Поэтому мы и находимся тут. Ваше дело вербовать, наше — осуществлять технический контроль.— Николай Сергеевич раскрывает свой портфель.— По данным службы информации ГРУ, наибольшего успеха в данной области добилась фирма «Хьюз», США, и «Силаз», Бельгия.

— Против них я на выставке работать не могу.

Они с недоумением смотрят на Младшего лидера. Но он поддерживает меня:

— Это наш закон. У стендов больших фирм на выставках постоянно находятся сотрудники безопасности этих фирм. На выставках мы работаем только против очень небольших фирм, у стенда которых находится лишь один человек. Как правило, это сам владелец фирмы. Вот против таких мы и работаем.

— Жаль.

— Ничего не поделаешь, стиль нашей работы резко меняется в различных обстоятельствах...

— Хорошо. Вот рекламные проспекты и статьи о небольших фирмах, связанных с этой проблемой. Вот схема их расположения на выставке. Вот фотография того, что нам надо. За эту черную коробочку ВПК готово платить 120 тысяч долларов, ибо разработка подобной системы в Союзе потребует многих лет и миллионов. Дешевле скопировать.

— Деньги у вас с собой?

— Да.

— Можно посмотреть? Я должен к ним привыкнуть.

Константин Андреевич кладет на прозрачный стол прямоугольный поблескивающий портфель и открывает его. Внутри портфель набит газетными вырезками, рекламными проспектами, еще какими-то бумагами: ведь на входе и выходе полицейский контроль, вся эта макулатура для полицейских глаз. Он щелкнул чем-то, открывая второе дно.

О, какое великолепие! Зеленое сияние очаровало меня. Я замер. Наверное, так граф Монте-Кристо рассматривал свои сокровища. Какие человеческие усилия, какая роскошь сконцентрирована в этих аккуратных пачках хрустящей зеленой бумаги.

Я равнодушен к деньгам. Вернее, почти равнодушен. Но то, что я увидел в этом маленьком чемоданчике, заставило меня чуть прикусить губу.

— Это демонстрационный портфель,— объясняет Константин Андреевич.— Деньги в нем настоящие, но их не так много, как кажется. Мы не можем проносить с собой на выставку много денег. Поэтому тайное отделение сделано так, чтобы создавалось впечатление нескольких сотен тысяч долларов. На самом деле тайное отделение не такое глубокое, как кажется. В ходе выставки мы не платим, а только демонстрируем. Для демонстрации лучше использовать крупные новые купюры. Оплату мы производим вдали от выставки и используем мелкие и потрепанные купюры. Вот они...

Он открывает старый, побитый чемоданчик, до краев наполненный пачками денег. Я трогаю их. Я беру в руки десяток пачек. Нюхаю их и кладу обратно. Все вокруг меня смеются. Чему?

— Не обижайся, Виктор,— объясняет Младший лидер,— во втором чемодане денег гораздо больше, чем в первом, но ты к ним равнодушен. А первый, демонстрационный, чемоданчик тебя просто очаровал. Это настолько разительно, что невозможно не засмеяться. Что ж, мы рады, что демонстрационный чемоданчик так хорошо действует даже на тебя.

5

Выставка — это поле битвы для ГРУ. Выставка — это поле, с которого ГРУ собирает обильные урожаи. За последние полвека на нашей крошечной планете не было выставки, которую не посетило бы ГРУ.

Выставка — это место, где собираются специалисты. Выставка — это клуб фанатиков. А фанатику нужен слушатель. Фанатику нужен кто-то, кто бы кивал головой и слушал его бред. Для того они и устраивают выставки. Тот, кто слушает фанатика, кто поддакивает ему, тот — друг. Тому фанатик верит. Верь мне, фанатик. У меня работа такая, чтобы мне кто-то поверил. Я как ласковый паучок. Поверь мне, не выпутаешься.

Для ГРУ любая выставка интересна. Выставка цветов, военной электроники, танков, котов, сельскохозяйственной техники. Одна из самых успешных вербовок ГРУ была сделана на выставке китайских золотых рыбок. Кто на такую выставку ходит? У кого денег много. Кто связан с миром финансов, большой политики, большого бизнеса. На такую выставку ходят графы и маркизы, министры и их секретарши. Всякие, конечно, люди на выставки ходят, но ведь выбирать надо.

Выставка — это место, где очень легко завязывать контакты, где можно заговорить, с кем хочешь, не взирая на ранги.

Но ГРУ никогда не работает в первый день работы выставки. Первый день — открытие, речи, тосты, суета, официальные лица, излишне нервная полиция. Любая выставка принадлежит нам, начиная со второго дня.

День, когда выставка открывается, важен для каждого из нас, как для командира последний день перед наступлением. В этот день командир вновь и вновь томительными часами прощупывает поле битвы своим биноклем: овраг обойти, вон там ребят дымовой завесой прикрыть, черт, в болотце бы не утонуть, неприметное на вид, а вон там заградительный огонь поставить десятью батареями, оттуда контратака будет.

Огромные силы агентурного добывания, обработки и агентурного обеспечения стянуты сейчас в этот милый город. Но мы пока не на выставке. Первый день — не наш. Мы разбрелись по бульварам и набережным, по узким улицам и широким проспектам. Каждый еще и еще раз готовит свое поле битвы: не обошли бы с фланга, не ударили бы в тыл.

Не знаю почему, но завтрашняя массовая вербовка меня пока не волнует. Не стучит и не сжимается сердце. Нет. Не оттого, что я великий разведчик, бесстрашно идущий на рискованную операцию. Наверное, просто оттого, что я занят другим. Меня занимает не предстоящая вербовка, а великий город Женева. Просто добрый волшебник бросил меня в царство прошлого, где на одной улице смешались все эпохи. Улица эта — rue de Lausanne — улица ГРУ.

Тут, на рю де Лозанн, до войны в большом старом доме в незаметной квартире на третьем этаже находился центр нелегальной резидентуры ГРУ, которой руководил Шандор Радо. Дипломатический резидент ГРУ и не подозревал, что прямо в двух кварталах от него работает сверхмощная тайная резидентура «Дора», опутавшая правительства Европы своими цепкими щупальцами. Тут же на этой улице находился узел связи нелегальной резидентуры ГРУ «Роланд», которой управлял генерал Мрачковский. Резидентура «Роланд» раскинула свои сети от Шанхая до Чикаго. Но Навигатор «Роланда» не подозревал о существовании «Доры». А Навигатор «Доры» не знал о Мрачковском и его чудовищной организации «Роланд». А дипломатический резидент не знал об обоих.

Яркий осенний день. Жарко. Но листья уже шуршат под ногами. Иностранные рабочие, испанцы или итальянцы, одетые в оранжевые комбинезоны, спешат убрать первое золото осени с дорожек парка.

Эй, не делайте этого. Неужели вам не нравится ходить по багровым и червонным коврам? Неужели шуршание осени вас не волнует? Неужели серый асфальт лучше? Нет у вас, братцы, поэзии ни на грош. И оттого ваш маленький прожорливый трактор так быстро и жадно заглатывает красу природы. А были бы вы чуть более поэтичны, то бросили бы работу да наслаждались. Сколько красок! Какое великолепие. Какая роскошь. Человек никогда не сможет сделать лучше того, что делает природа. Вот напротив входа в парк Мон-Репо — школа. Красивая, как замок. И часы на башне. Загляденье. Но ведь серая она. Нет бы пятнами ее изукрасить золотыми, да багровыми, да оранжевыми.

Под часами на башне школы дата «1907». Это значит, что и Ленин на эту школу любовался. А может быть, буржуазный стиль ему не нравился? Во всяком случае, он тут жил. На рю де Лозанн, где потом разместились резидентуры ГРУ, где сейчас огромные дома для дипломатов громоздятся. Голову на отрез, нелегальные резидентуры ГРУ и сейчас тут работают, не снижая производительности. Хорошее место. Понимал Владимир Ильич, где жить. Понимал, в каких парках гулять. Рабочих он любил, а буржуазию ненавидел. Поэтому он не жил в рабочих кварталах Манчестера или Ливерпуля. Он жил в стане врагов, в буржуазных кварталах Женевы. Наверное, хотел глубже понять психологию и нравы буржуазии, чтобы бить ее наверняка, чтобы всех сделать свободными и счастливыми.

В те дни тут по парку Мон-Репо и по рю де Лозанн гуляли террористы, мечтавшие убить русского царя,— Гоц, Бриллиант, Минор. Наверное, встречая Ленина, они раскланивались, приподнимая черные котелки, прижимая ладонь к накрахмаленной манишке. А может быть, они принципиально не замечали друг друга и не раскланивались. Во всяком случае, когда Ленин взял власть, он всех террористов, попавших в его руки, перестрелял, а заодно и царя, которого террористы так и не сумели убить.

Мне нужно спешить. У меня только один день. Последний день перед боем, перед моей первой зарубежной вербовкой. Я должен знать поле битвы, как свою ладонь, как командир батальона знает изрытое воронками поле, по которому завтра пойдут в наступление его ребята. Но я не спешу. Меня очаровал старый парк, который видел так много. Тут в октябре 1941 года на какой-то скамеечке состоялось совещание нелегальных резидентов ГРУ в Европе. Пока

Советский Союз не принимал участия в европейской войне, гестапо не трогало его агентуры, хотя и имело некоторые сведения о ней. Но в первый день войны начались провалы. Начались массовые аресты. Операции по локализации провалов результатов не давали. Провалы множились. Провалы групповые. Провалы по цепочке. Провалы как круги на воде от брошенного камня. Провалы на линиях связи. Связь потеряна. Явки ненадежны. Под подозрением все. Каждый резидент подозревает каждого своего офицера и агента, а каждый из них подозревает всех остальных. Каждый резидент уже чувствует дыхание гестапо на своей шее и запах теплой крови в камерах пыток. Каждый бессилен.

В этой обстановке они собрались в Женеве. В парке Мон-Репо. Им запрещено было это делать. Ни один из них не имеет права знать ничего о деятельности таких же резидентов ГРУ. Такая встреча — преступление. За такую встречу, если в Москве узнают,— расстрел. Но они встретились.

По своей инициативе. Как они нашли друг друга? Не знаю. Наверное, по «почерку». Точно как проститутка в огромной толпе среди тысяч женщин безошибочно может найти незнакомую подругу по профессии.

Как вор видит вора. Как сидевший в тюрьме без труда по каким-то неуловимым признакам узнает того, кто когда-то тоже был в тюрьме.

Они встретились. Они сидели угрюмые, может быть, под этим каштаном. Волки разведки. Высшая элита агентурного добывания — нелегальные резиденты. Навигаторы. Лукавые. Командиры. Они сидели тут и, наверное, больше молчали, чем говорили. Может быть, для них это молчание было и прощание

256

с жизнью, и моральная подготовка к пыткам, и взаимная братская поддержка.

Вряд ли кто, глядя со стороны, мог подумать, что тут собран цвет руководства сверхмощной организации, которая не единожды сжимала глотку Европы невидимой, но железной хваткой. Вряд ли, глядя на этих людей, кто-то мог подумать, что каждый из них повелевает безраздельно тайной организацией, способной проникать в высшие сферы власти и шатать устои государственности, смещая министров и целые правительства, потрясая столицы топотом миллионных демонстраций. Кто мог подумать, что эти люди в парке Мон-Репо обладают почти неограниченными богатствами? Они сидели в поношенных пальто, в истертых пиджаках, в стоптанных ботинках. Настоящий разведчик не должен привлекать к себе взглядов. Он незаметен, как асфальт. Он сер. Внешне.

Это были загнанные волки. Зажатые в угол. Им не было выхода. То, что они делали, карается в Советском Союзе высшей мерой наказания и именуется страшным термином: горизонтальные связи в агентурном добывании. В ухо им дышало гестапо.

Они сидели долго. Они о чем-то спорили. Они приняли решение. Они изменили тактику. Они изменили системы связи, способы локализации провалов, проверок и вербовок. Каждый делал это якобы по собственной инициативе, не докладывая в ГРУ о тайном сговоре. Да связи тогда и не было.

Они все пережили войну. Каждый из них добился блестящих результатов. Они все вместе доложили руководству ГРУ о незаконном совещании 4-го в 1956 году. Они все стали героями. Победителей не судят.

Но кто за рубежом взвешивал вклад этих людей в победу? Кто принимал их в расчет, когда планировал молниеносный разгром Красной Армии?

С первого дня существования ленинского режима ему пророчат быструю и немедленную гибель. Пророчат все, забывая предыдущие пророчества. Отчего же забывают об этих людях в потертых пиджаках на скамейке женевского парка Мон-Репо?

6

«Аскот», «Эпсом», «Амат», «Дэрби» — это гостиницы в Женеве. Это цитадели ГРУ. Вообще-то в Женеве любая гостиница в квадрате, ограниченном парком Мон-Репо, рю де Лозанн, набережной озера и рю де Монблан, давно превращена в пристанище ГРУ или КГБ. Из этих гостиниц ранним утром потянулись группы добывания на левый берег. Наш путь к Palais des Expositions. Это гигантское сооружение строилось много лет. С огромным, как вокзал, залом сливались такие же залы, образуя бескрайнее бетонное поле под общей крышей. Бетон застилают коврами, разделяют залы перегородками, и каждый выставляет свои достижения.

Сейчас к этому сооружению со всех концов выдвигаются группы агентурного добывания ГРУ. Сюда стекаются группы обработки и агентурного обеспечения. Если бы на огромной карте каждого нашего варяга и борзого, каждую нашу машину обозначить светящейся подвижной лампочкой, то получилась бы грандиозная картина. Так полчище крыс медленно окружает льва, которому суждено быть съеденным.

Так бесчисленные советские дивизии выдвигались на штурм окруженного рейхстага.

Сколько стянуто сюда машин с дипломатическими номерами! Сколько серых, незаметных «фордов» без дипломатических номеров. Сколько автобусов и фургонов. Генеральный консул из Берна и консул из Женевы поставили свои черные «мерседесы» в разных концах Plaine de Plainpalais. Они не в добывании. Они в обеспечении, и не в агентурном, а в общем обеспечении. Если кого-то из нас арестуют, они готовы вмешаться, они готовы протестовать, они готовы угрожать ухудшением добрососедских отношений и ответными санкциями, они готовы полицию отшивать, отмазывать. Советский посол в Швейцарии Герасимов и советский посол при отделении ООН в Женеве Миронова тоже на боевых постах. Они тоже в общем обеспечении. Они не знают, что происходит, но имеют шифрованное указание из Центрального Комитета находиться в полной готовности — угрожать, пугать, давить, отшивать, отмазывать. На боевом посту дипкурьеры. Возможно, будет срочный груз в Москву. На боевом посту Аэрофлот. Того из нас, кого арестуют, он готов немедленно после освобождения переправить домой. Чтобы шуму меньше было. Чтобы журналистам пищи не давать. Чтобы скандал не раздувался. Чтобы все тихо и мирно было.

Входов много. У каждого входа очередь. Это хорошо. В толпе мы серые, незаметные. Семь франков билет. Пожалуйста, три билетика. Двадцать один франк. Отлично. Хорошая цифра. Все, кто работает в добывании, суеверны, как старая дева. В нашей группе один портфель. Демонстративный. Можете проверить. Бумага. Ничего более. Можете рентгеном просветить или через магнитные ворота нас пропустить: бумага.

Спутники мои скорее к своим стендам торопятся. Ну уж хрен вам! Теперь я хозяин. Мне человека вербовать, мне с ним работать, так уж не спешите. Вот к этому дяде подойдем. Он вас не интересует? А этот ничего. Поговорим с ним, можем и кофе с ним попить. А теперь вот сюда подойдем и вот сюда. Опять посидим, побеседуем с представителями фирм, покачаем головами, повосхищаемся слегка. Вот и сюда зайти можно — радиостанции. Это вам совсем неинтересно? Знаю я, знаю. Но зайдем. Побеседуем.

А вот и наши стенды потянулись. Крупные фирмы, большие достижения. Мы сюда тоже подойдем, на серые коробки с завистью посмотрим и дальше пойдем. У стендов крупных фирм по многу людей скапливается. Объяснения дают специалисты фирмы, явно тут и служба безопасности фирмы присутствует. Дальше, дальше пойдем. Вот тут и остановимся. У серых коробочек одиноко скучает небольшого роста мужчина. Один. Фирма маленькая. Кто он? Владелец фирмы или ее директор, он же сам для себя и служба безопасности.

— Доброе утро.

— Здравствуйте.

— Ваши коробочки нас очень интересуют. Небывалая вещь.

Мои спутники притворяются, что языками не владеют, и оттого я играю роль переводчика. Это хороший прием: у них гораздо больше времени на обдумывание ответов. Кроме того, этим они меня как бы на передний план выталкивают.

Поговорили о всякой технической чепухе, цифры какие-то, у меня от этого голова болит. А спутники мои аж подпрыгивают, на месте усидеть не могут.

— И сколько вы за одну коробочку желаете?

— 5500 долларов.

Мы все смеемся. Я тут же (сзади никого нет) демонстрационный портфель открываю, прямо двойное дно, чтобы он сумел изумрудным сиянием насладиться. Тут же я его и закрываю. А он на портфель завороженным взглядом смотрит.

— Мы за одну эту коробочку готовы 120 000 долларов вот сейчас вам отсыпать. Да вот беда, мы из Советского Союза, а ваши западные правительства варварски попирают свободу торговли, и мы, к сожалению, вашу коробочку купить не можем. Так жаль!

Мы встаем и уходим. Отошли тридцать шагов. Завернули за угол. Смешались с толпой.

— Ну что? Настоящая коробка или макет?

— Настоящая! Иди вербуй!

Технические эксперты со мной ходят для умного разговора да для того, чтобы пощупать товар перед покупкой. Меня-то обмануть можно. Их нет. Я к стенду возвращаюсь. Портфель мой в руках. Он меня узнает. Улыбается. Я мимо иду. Тоже улыбаюсь. Вдруг, как бы на что-то решившись, я поворачиваюсь к нему: не хотели бы со мной вечером выпить по рюмочке?

Улыбка его гаснет. Долгим холодным взглядом он смотрит мне в глаза. Затем — на мой портфель. Снова в глаза и утвердительно кивает головой. Я протягиваю ему карточку с рисунком и адрес Hotel du Lac в Монтре. На карточке я еще вчера написал «21.00». Это чтобы сейчас времени на объяснения не тратить.

От стенда я на крыльях лечу. Вербовка! Он согласен! Он уже мой секретный агент! Черт побери! Только бы к потолку от восторга не начать прыгать. Только бы улыбку ликующую с лица стереть. Только бы сердце так не билось. Я догоняю своих спутников и говорю, что вербовку произвел.

Мы обходим еще несколько стендов. Беседуем. Восхищаемся. Качаем головами. Пьем кофе. А не открыть ли наш портфельчик еще раз? Не вербануть ли еще одного? Глаза у меня огнем загораются. Две вербовки! Но я старого доброго еврея дядю Мишу вспоминаю. Нет. Не будем вербовать второго. Жадность фраера губит.

7

На Plaine de Plainpalais половодье машин. Толпа настоящая. От горизонта до горизонта все машинами заставлено. Ищи своих. Вон машина советского генерального консула. Он на месте, значит, его помощь не потребовалась. Значит, все идет хорошо. Значит, проведены десятки ценнейших вербовок без проколов, без осложнений. Вон там огромный автобус среди десятков столь же огромных своих братьев-автобусов. Там Навигатор принимает самых успешных из своих учеников. Но я пока не дорос до такой чести — докладывать о результатах своей работы лично Навигатору. Я подчинен его первому заместителю — Младшему лидеру. Где же он, черт побери?

Ах, вот он. Среди бесконечных рядов машин я пробиваюсь к нашему автобусу.

Он уж полон. Все передние ряды офицерами информации ГРУ и ВПК заняты. Теми, кто помогал нам сейчас вербовать. Задние ряды свободны. Вроде бы от солнца занавески опущены. Там, на заднем сиденье,— Младший лидер. Он нас по одному подзывает. Шепотом доложи. Он, как полководец на поле выигранного сражения, первые рапорта о несметных трофеях принимает.

А мы все, борзые да варяги, в проходе столпились. Вроде как бесцельно. Шум. Толкотня. Шутки. Но это очередь. Очередь на доклад. Каждому не терпится. У каждого глаза горят. Хохот.

Младший лидер мне кивает. Мое время.

— Вербанул. За 6 минут 40 секунд. Сегодня вечером первая встреча.

— Молодец. Хвалю. Следующий.

8

Я завербовал ценного агента, который будет десятилетиями поставлять нам самую современную электронную технику для самолетов, для артиллерии, для боевых вертолетов, для систем наведения ракет. То, что он завербован,— в этом ни у меня, ни у Младшего лидера сомнений нет.

Правда, что о новом секретном агенте ГРУ мы знаем только то, что на его визитной карточке указано. О его аппаратуре известно больше: у нас две небольшие вырезки из газет об аппарате RS-77. Но это не беда. Это совсем не главное. Главное то, что его аппарат нужен нам, и он будет нашим. А о секретном агенте мы скоро узнаем больше. Главное, что он согласен тайно работать с нами.

За неполных семь минут вербовки я сообщил ему множество важных вещей. Я сказал самые обыкновенные фразы, из которых следовало, что:

— мы официальные представители Советского Союза;

— нас интересует самая современная военная электроника, в частности его аппараты;

— мы готовы хорошо платить за них, и он теперь знает нашу точную цену;

— мы работаем скрытно, умело, осторожно, не давим и не настаиваем;

— нам не нужно много экземпляров прибора, а лишь один для копирования.

Из всего этого он уже сам может заключить, что:

— мы не являемся конкурентами его фирмы;

— если подобное производство будет налажено в СССР, то он от этого не теряет, а выигрывает: возрастет спрос и на его аппаратуру, а может быть, западные армии закажут нечто еще более дорогое и современное;

— продав нам только один экземпляр аппарата, он может это легко скрыть от властей и от полиции, один — это не сто и не тысяча;

— наконец, ему совершенно ясны наши предложения, он знает, чего мы хотим, и поэтому не боится нас, он понимает, что продажа аппарата может быть квалифицирована как промышленный шпионаж, за который на Западе почему-то меньше наказывают.

Ему ясны все аспекты сделки. В одном предложении я сообщил ему наши интересы, условия и цены. Поэтому, когда он кивнул головой, согласившись встретиться, он совершенно отчетливо сказал «да» советской военной разведке. Он понимает, что мы занимаемся запрещенной деятельностью, и соглашается иметь с нами контакты. Значит...

Мой короткий вербовочный разговор это примерно то же самое, что молоденькой красивой студентке объяснить, что я богатый развратник и за половые сношения с хорошенькой девочкой готов щедро платить. Да деньги показать и сказать, сколько именно. И тут же ей предложить встретиться и наедине послушать музыку. Если она согласна, что же еще об суждать? О чем еще говорить?

Именно так осуществляются мгновенные массовые вербовки на выставках: это нам интересно, готовы платить, где встретимся?

С другой стороны, если бы весь мой разговор с ним записали на пленку, то в нем не было решительно ничего криминального. Мы посмотрели на прибор, сказали, что хотели бы его купить, но это не разрешено. А потом я вернулся и предложил вечером выпить вина.

9

Я молод и неопытен. Мне пока прощают семь минут на вербовку. Вообще-то мгновенная вербовка и должна делаться мгновенно. Десятью словами. Одним предложением. Одной доброй улыбкой.

Вербовка должна быть немедленно и надежно закрыта: я должен обойти сотни стендов, говоря примерно то же самое, улыбаясь примерно так же. Но не вербуя. Если за мной следят, то как определить одного из сотни, который сказал «да» советской военной разведке? Нас много на выставке. Много вербующих, много обеспечивающих. Каждый закрывает свою вербовку сотней других встреч. На выставке тысячи людей. Поток. Водоворот. Шанхай. Поди уследи попробуй.

Нового человека нужно немедленно уводить далеко. Уже сегодня ночью мои более опытные товарищи проведут встречи с вновь завербованными агентами на территории Франции, Италии, Западной Германии. Я встречаюсь в Монтре. Кто-то проводит тайные встречи в Базеле, Цюрихе, Люцерне. Дальше от Женевы! Еще дальше! Это только первые встречи. Вторые встречи будут проводиться и в Австрии, в Финляндии, в США. Дальше от Швейцарии! Еще дальше!

Я долго путаю следы. Меня хорошо обеспечивают. Если за мной следили, то меня давно потеряли. Я испарился.

Меня нет. Я растворился в огромных магазинах. Я потерян в бескрайних подземных гаражах. Я ускользнул в переполненном лифте.

В багажнике с дипломатическим номером меня вывозят из Женевы в Лозанну. Это первое обеспечение. Это варяги из дипломатической резидентуры ГРУ в Женеве. Они не видели меня и не знают обо мне. Они поставили свою машину в подземном гараже в точно определенное время, ушли, оставив багажник незапертым. Такова инструкция. Они, наверное, догадываются, что их обеспечение как-то связано с выставкой. Но как? Они не имеют права смотреть в багажник своей машины. Они стремительно несутся по автостраде. Они не менее четырех часов проверяли, нет ли слежки за ними. Они проверяют это и сейчас. Подземный гараж в Лозанне. Темное место со множеством этажей, лестниц и выходов. Если следят за ними, следят ли за машиной? Наверное, нет. У

266

них тысяча дел. Они ходят по городу, совершая абсолютно непонятные маневры. Они возвращаются к машине и едут дальше. Снова стоянки. Снова подземные гаражи. Они сами не знают, есть ли что в багажнике или уже нет. Там, конечно, ничего нет. Я давно еду в поезде. В вагоне без желтой полосы над окнами. Второй класс. Серый вагон. Серый билет. Серый пассажир. Я еду далеко. Я внезапно схожу. Я меняю поезд. Я снова еду. Я исчезаю в подземных переходах, в толчее, в подвалах пивных, в темных переулках. Это новая страна для меня. Но я знаю ее наизусть. Кто-то тщательно подготовил для меня все проходы. Кто-то месяцами выискивал и описывал их. Кто-то беспросветно работал в борзых, обеспечивая мою вербовку.

Существуют только четыре возможности, которые могут привести к провалу:

— если за мной следят;

— если под контроль взяты все люди, с которыми я встретился сегодня;

— если мой новый друг — провокатор полиции или, испугавшись, доложил в полицию и теперь стал провокатором;

— если на месте встречи нас совершенно нечаянно узнает кто-то, кто доложит в полицию.

Из четырех возможностей я отбрасываю три. Во-первых, за мной не следят. Во-вторых, я встретил сегодня около сотни людей. Установить контроль за каждым невозможно. В-третьих, место проведения встречи подобрано женевскими борзыми ГРУ совсем неплохо. Вероятность столкнуться со знакомыми почти исключена. Остается только мой новый друг. Но и его проверить нетрудно. Сегодня ночью эксперты ГРУ проверят доставленный им аппарат. Если он действует, значит, друг с полицией не связан. Вряд ли полиция будет так дорого платить секретами, не получая ничего взамен.

Место встречи подобрано для меня совсем неплохо. Это тоже некий безвестный борзой искал. Описывал. Доказывал преимущества. Если мне место не понравится, я могу пожаловаться Младшему лидеру завтра, еще через день об этом узнает начальник ГРУ и спустит Тузика на женевского Навигатора. Но я жаловаться не буду. Место нравится мне. Отель должен быть большим. Там никто ни на кого не обращает внимания. Отель должен быть хорошим, но не лучшим. Все именно так и подобрано. Но самое главное, я должен иметь защищенный наблюдательный пункт и следить за всем происходящим по крайней мере в течение часа до начала встречи. Есть такой пункт. Если друг доложил о встрече, если полиция готова следить, то вокруг места встречи возможно какое-то подозрительное движение.

Я жду час. Но ничего подозрительного не происходит. В 20.54 появляется он. Он один в желтом «Ауди-100». Номер машины я запоминаю. Это важная деталь. Никто не подъехал вслед за ним. Он заходит в ресторан, оглянувшись по сторонам. Это очень хороший признак. Если он под полицейской защитой, то не озирался бы. Смотреть по сторонам — это очень непрофессионально, но я ему этого не скажу. Будут другие встречи. Его всегда будут контролировать. Пусть озирается. Нам от этого спокойнее. Значит, он в дружбе с полицией не состоит.

В 21.03 я покидаю свой наблюдательный пост и захожу в ресторан

Мы улыбаемся друг другу. Самое главное сейчас — успокоить его, открыть перед ним все карты или сделать вид, что все карты раскрыты. Человек боится только неизвестности. Когда ситуация ясна, человек ничего не боится. А если не боится, то и глупостей не делает.

— Я не собираюсь вас вовлекать ни в какие аферы. — В этой ситуации я говорю «я», а не «мы». Я говорю от своего имени, а не от имени организации. Не знаю почему, но это действует на завербованных агентов гораздо лучше. Видимо, «мы», «организация» пугают человека. Ему хочется верить, что о его предательстве знают во всем мире он и еще только один человек. Только один. Этого не может быть. За моей спиной — сверхмощная структура. Но мне запрещено говорить «мы». За это меня карали в Военно-дипломатической академии.

— Я готов платить за ваш прибор. Он нужен мне. Но я не настаиваю.

— Отчего вы решили, что я пришел работать на вас?

— Мне так кажется. Отчего же нет. Полная безопасность. Хорошие цены.

— Вы действительно готовы платить 120 000 долларов?

— Да. 60 000 немедленно. За то, что вы меня не боитесь. Еще 60 000, как только я проверю, что прибор действительно действует.

— Когда вы сможете в этом убедиться?

— Через два дня.

— Где гарантия, что вы вернете и вторую половину денег?

— Вы очень ценный человек для меня. Я думаю получить от вас не только этот прибор. Зачем мне вас обманывать на первой же встрече?

Он смотрит на меня, слегка улыбаясь. Он понимает, что я прав. А я смотрю на него, на своего первого агента, завербованного за рубежом. Безопасность своей прекрасной страны он продает за тридцать сребреников. Это мне совсем не нравится. Я работаю в добывании оттого, что нет у меня другого выхода. Такова судьба. Если не здесь, то в другом месте система нашла бы для меня жестокую работу. И если я откажусь, меня система сожрет. Я подневольный человек. Но ты, сука, добровольно рвешься нам помогать. Если бы ты встретился мне, когда я был в Спецназе, я бы тебе, гад, зубы напильником спилил. Я вдруг вспоминаю, что агентам положено улыбаться. И я улыбаюсь ему.

— Вы не европеец?

— Нет.

— Я думаю, что нам не надо встречаться в вашей стране, но не нужно и в Швейцарии. Что вы думаете по поводу Австрии?

— Отличная идея.

— Через два дня я встречу вас в Австрии. Вот тут. — Я протягиваю ему карточку с адресом и рисунком отеля.— Все ваши расходы я оплачу. В том числе и на ночной клуб.

Он улыбается. Но я не уверен в значении улыбки: доволен, недоволен? Я знаю, как читать значение сотен всяких улыбок. Но тут, в полумраке, я не уверен.

— Прибор с вами?

— Да, в багажнике машины.

— Вы поедете в рощу вслед за мной, и там я заберу ваш прибор.

— Не хотите ли вы меня убить?

— Будьте благоразумны. Мне прибор нужен. На хрена мне ваша жизнь? «Ты мне живой нужен, —

270

добавляю я уже про себя. — Я на первом приборе останавливаться не намерен. Зачем же тебя убивать? Я миллион тебе готов платить. Давай только товар».

— Если вы готовы платить так много, значит, ваша военная промышленность на этом экономит. Так?

— Совершенно правильно.

— За первый прибор вы платите 120 000, а экономите себе миллионы.

— Правильно.

— В будущем вы мне заплатите миллион, а себе сэкономите сто миллионов. Двести. Триста.

— Именно так.

— Это эксплуатация! Я так работать не желаю. Я не продам вам свой прибор за 120 000.

— Тогда продайте его на Западе за 5500. Если у вас его купят. Если вы найдете покупателя, который вам заплатит больше, чем я, — дело ваше. Я не настаиваю. А я тем временем куплю почти такой же прибор в Бельгии или в США.

Это уже блеф. На крупную фирму не пролезешь. Ребра поломают. Нет у меня другого выхода к приемникам отраженного лазерного луча. Но я спокойно улыбаюсь. Не хочешь, не надо. Но ты не монополист. Я в другом месте куплю.

— Счет, пожалуйста!

Он смотрит мне в глаза. Долго смотрит. Потом улыбается. Сейчас свет падает на его лицо, и поэтому я уверен, что улыбка не таит в себе ничего плохого. И я вновь улыбаюсь ему.

Он достает сверток из багажника и передает мне.

— Нет-нет, — машу я руками. — Мне лучше его не касаться. Несите его в мою машину. (В случае чего, можно будет сказать, что ты нечаянно сверток

271

забыл в моей машине. Никакого шпионажа. Просто забывчивость.)

Он садится в мою машину (это, конечно, не моя, а взятая для меня напрокат теми, кто меня обеспечивает).

Двери изнутри запереть. Такова инструкция. Аппарат — под сиденье. Я расстегиваю жилет. Это специальный жилет. Для транспортировки денег. В его руки я вкладываю шесть тугих пачек.

— Проверяйте. Если через два дня вы привезете техническую документацию, я заплачу остающиеся 60 000 и еще 120 000 за документацию.

Он кивает головой.

Я жму ему руку.

Он идет к своей машине. Я, рванув с места, исчезаю в темноте.

10

Сколько офицеров ГРУ обеспечивают только меня? Не знаю точно. Но сегодня ночью у меня еще две встречи. Во-первых, полученный прибор должен как можно скорее оказаться за стенами советского посольства. Во-вторых, мне нужно отдать взятую напрокат машину и получить свою, дипломатическую.

Через полчаса на горной просеке в теплом тумане я встречаю второго секретаря советского посольства в Берлине. У него белая машина «Пежо-504». Ее еле видно в густых, лохматых клубах тумана.

Мой пакет уже упакован в зеленый плотный брезентовый мешок, заперт, опечатан двумя печатями. Дипломат — подполковник ГРУ. Но и ему не положено знать — ни кто я, ни что находится в пакете. Ему приказ встретить меня. Принять груз, запереть двери изнутри и — немедленно в посольство. В момент, когда пакет попал в дипломатическую машину, он в относительной безопасности. Как только он попадет за каменные заборы посольства — он в полной безопасности.

Я останавливаю машину борт к борту, опускаю стекло. У него уже стекло опущено. Принимай.

Он крупный светловолосый человек. Лицо серьезное. По упрямым складкам у рта без ошибок скажу, что он вербует успешно. Варяг без всяких сомнений. Такие упрямые парни долго в обеспечении не работают. Просто сегодня день сумасшедший. Просто всех сегодня в женевской и бернской резидентурах в обеспечение бросили.

Мы не имеем права говорить, тем более по-русски. Остановился, бросил груз, исчез. В это короткое мгновение он успевает рассмотреть меня.

По каким-то неприметным признакам он узнает во мне зелененького борзягу, замученного агентурным обеспечением, первый раз вкусившего варяжьего успеха. Он улыбается мне. Он ничего не говорит, он только чуть шевельнул губами. А я понимаю: успехов тебе.

И только красные огни по белому туману, только улыбка его зубастая за стеклом. Исчез.

Я жду три минуты. Ему сейчас преимущество. Он сейчас с грузом. Через два часа возле Интерлакен у меня еще одна встреча: отдать эту машину, получить свою.

В ту ночь меня могли видеть во Фрибурге и в Нешателе. Рассвет я встретил в Цюрихе. Главное сейчас — как можно больше контактов. Меня могли видеть в огромной библиотеке, в оружейном магазине, в пивной, на вокзале. Я разговаривал с мужчинами и женщинами. Я разыскивал фирму, которая реально существует, но мне совершенно не нужна. Я рылся в адресных книгах и искал людей, которые нам совсем неинтересны. Говорят, что лиса тоже так же путает свои следы.

Границу я пересек у Брегенца поздно вечером. Полицейского контроля почему-то не было. Но если бы и был контроль, разве позволено кому-то осматривать мою дипломатическую машину? Но если бы, применив силу и нарушая Венскую конвенцию 1815 года, они осмотрели мой багаж, могли бы они найти что-то? Нет. То, что интересно, то уже в Москве на Х..е в огромном здании, именуемом Аквариум. Пока я путаю следы, особый самолет с вооруженными дипломатическими курьерами уже давно привез десятки плотных зеленых опечатанных мешков, аккуратно уложенных в алюминиевые контейнеры.

Австрийские полицейские меня приветствуют, улыбаются. Документы? Пожалуйста. Осмотреть машину. Да ни в коем случае! Но у них и намерения такого нет. Толстый добродушный дядька с пистолетом на боку козыряет: проезжай.

Зачем им придираться к советскому дипломату, у которого такое простое доброе лицо. Разве он похож на лохматых террористов, фотографии которых вывешены у полицейского участка?

Я медленно проезжаю пограничный шлагбаум, салютуя им. Я вам не враг. Я почти друг. Мы провели массовую вербовку, но среди наших агентов ни одного гражданина Швейцарии, ни одного гражданина Австрии. Ваших мы вербуем в других местах. Против Австрии. Мои коллеги работают с территории всех остальных стран мира. А мы никогда не злоупотребляем гостеприимством.

11

Я смотрю в зеркало, а на меня смотрит серое лицо, поросшее щетиной. Глаза красные у этого человека в зеркале, ввалились. Он сильно устал.

— Спускайся вниз, попарь косточки. Побрейся. И к командиру на львиную шкуру.

— Зачем?

— Не бойся, не на расправу.

В сауне трое моих друзей: 4-й, 2-й, 32-й.

— Здорово, братцы.

— Здравствуй, варяг!

Парятся они уже, видно, давно. Раскраснелись.

— Садись, Витя! — И ржут все. Знают, что я сидеть не могу после двух суток за рулем. Они сами не сидят. Лежат на животах. — Хочешь, Витя, пивка?

— Еще бы...

Спину мне Колька березовым веником исхлестал и задницу тоже.

— Восстанавливается кровообращение?

— О-о-о... да.

— Вить, а Вить, да не спи ты, опасно это. Вить, лучше пивка попей.

В большом зале накрыт праздничный стол. Стульев нет. Кто сейчас сидеть будет? Все молчат. Улыбаются. Появляется Навигатор, за ним, как верный оруженосец, первый шифровальщик.

Деталей прошедшей операции я оглашать не буду. Не имею права. Но успеха добились все. Некоторые имеют по три вербовки. Несколько человек по две вербовки. Навигатор поворачивается к первому шифровальщику: Александр Иванович, зачитай личному составу шифровки в части, их касающейся.

Александр Иванович открывает зеленую папку и торжественным голосом читает:

— «Командиру дипломатической резидентуры 173-В генерал-майору Голицыну. Восемь контейнеров дипломатической почты, направленной вами из Женевы, Берна и Парижа, получил. Первый анализ, проведенный 9-м Управлением службы информации,— позитивный. Это позволяет сделать предварительное заключение о надежности всех лиц, привлеченных к сотрудничеству. Начальник 1-го Управления ГРУ вице-адмирал Ефремов. Начальник 5-го направления 1-го Управления ГРУ генерал-майор артиллерии Ляшко».

Мы улыбаемся.

— Читай дальше.— Командир сам сияет.

— «Проведенная вами операция — одна из наиболее успешных массовых вербовок последних месяцев. Поздравляю вас и весь личный состав резидентуры со значительными достижениями. Заместитель начальника Генерального штаба, начальник 2-го Главного управления генерал армии Ивашутин».

— Шампанское!

Пробки ударили залпом. Заиграл золотистый напиток, заискрился. Бутылки запотевшие. Ведерочки со льдом — серебряные. Как я устал! Как я хочу пить! Как я хочу спать!

По одному, по одному — к командиру.

И я подхожу.

— Товарищ генерал, поздравляю вас. Многое имеет Япония, многое имеет Америка, а мы с сегодняшнего дня имеем все.

Он улыбается.

— Не все, но выходы ко всему. Ты почему второго вербовать не стал?

— Не знаю, товарищ генерал, боялся испортить.

— Правильно сделал. Самое страшное в нашей работе: мнительность и излишнее увлечение. Одна вербовка — это тоже очень много. Поздравляю.

— Спасибо, товарищ генерал.

— Александр Иванович...

— Я!

— Читай последнюю.

Первый шифровальщик вновь открывает свою папку:

— «Генерал-майору Голицыну. Благодарю за службу. Начальник Генерального штаба генерал армии Куликов».

— Ура! — заорали мы.

Командир вновь серьезен. Он торжественно поднимает бокал...

12

Разбудил меня третий шифровальщик через четыре часа тридцать минут после того, как я коснулся подушки щекой. В комнате отдыха восемнадцать раскладушек. Некоторые уже свободны. На остальных еще спят мои товарищи, те, у которых сегодня вторая операция.

— Виктор Андреевич, я вас правильно разбудил? — Шифровальщик смотрит в свой список.

Я смотрю на часы и киваю.

Завтрак подают в большом зале, еще хранящем запах шампанского. Есть не хочется. Голова кружится. Я заставляю себя выпить стакан холодного сока и съесть кусок бекона. А в дверях уже шифровальщик:

— Младший лидер ждет вас. Кофе он разрешает взять с собой.

У Младшего лидера глаза ошалевшие. Наверное, он так и не ложился спать.

— Жилет с деньгами подгони поточнее. Дверь в машине должна быть постоянно закрыта изнутри. В случае неприятностей требуй советского консула. За ночь твою машину вымыли, проверили, отрегулировали, заправили, сбросили лишний километраж. Маршрут движения и сигналы снятия с операции согласуешь в группе контроля. Все. Желаю удачи. Следующий!

Я вернулся через двое суток. Новый агент, который теперь уже именуется 173-В-41-706 привез на встречу полное техническое описание прибора RS-77. Он передал список официальных лиц, которые имеют контакт с его фирмой и которые могли бы быть завербованы позже. На каждого из них было составлено короткое дело с фотографией, с адресом, а главное, с перечислением выявленных слабостей. Я заплатил ему 180 000 долларов. Назначил новую встречу. Данные, которые он собрал по собственной инициативе, будут оплачены в следующий раз.

Полученные документы экономили нам миллионы и годы.

13

Еще через восемь дней я получил очередное воинское звание — майор Генерального штаба.

Мне почему-то грустно. Первый раз в такой день мне нерадостно. Когда командир прочитал мне шифровку, я рявкнул: «Служу Советскому Союзу!» А сам подумал: со мной они как с моим агентом обращаются. Он получает сотни тысяч, а там, наверху, экономят миллионы. Я добываю эти миллионы, а мне за это алюминиевую звездочку в награду. Да и ее я носить не имею права, спрятав свой мундир в шкаф с нафталином.

Мне грустно. Меня не радуют чины и ордена. Меня что-то мучает. Я не знаю что. Главное — скрыть свою тоску от чужого взгляда. Если в моих глазах потухнет оптимизм, то это заметят и примут меры. Не знаю какие, но примут. Мне это совсем ни к чему.

Я смотрю в генеральские глаза и улыбаюсь радостно и счастливо.

ГЛАВА ДЕСЯТАЯ

1

Когда я сплю, я укрываюсь с головой, я укутываюсь в одеяло, как в шубу. Это старая армейская привычка. Это бессознательный рефлекс. Это попытка сохранить тепло до самого утра. Я уже не сплю в холодных палатках, в мокрых землянках, в продрогшем осеннем лесу. Но привычка кутаться — на всю жизнь.

Последнее время одеяло меня стало пугать. Внезапно проснувшись ночью в кромешной темноте от жуткого страха, я спрашиваю себя: не в гробу ли проснулся? Я осторожно носом касаюсь мягкого теплого одеяла. На гроб не похоже. А может, я в полотнище закутан, а доски гроба чуть выше? Медленно я трогаю воздух. Нет, я пока не в гробу.

Наверное, так люди начинают сходить с ума. Так к людям подкрадывается безумие. Но может быть, я давно шизофреник, только окружающие меня пока не раскусили? Это вполне допустимо. Быть сумасшедшим совсем не так плохо, как это может показаться со стороны. Если меня завтра замотают в белые

280

простыни и повезут в дурдом, я не буду сопротивляться и удивляться. Там мое место. Я, конечно, ненормальный. Но кто вокруг меня нормальный?

Вокруг меня сплошной сумасшедший дом. Беспросветное безумие. Отчего Запад пускает нас к себе сотнями и тысячами? Мы же шпионы. Разве непонятно, что я направлен сюда для того, чтобы причинить максимальный вред Западу? Отчего меня не арестуют, не выгонят? Почему эти странные, непонятные западные люди никогда не протестуют? Откуда у них такая рабская покорность? Может, они с ума все посходили? А может быть, мы все безумны? Уж я-то точно. И крышка гроба мне не зря мерещится. Ох, не зря. Началось это полтора года назад после встречи с Киром.

Кира все знают. Кир — большой человек. Кир Лемзенко в Риме сидел, но работал, конечно, не только в Италии. У Кира везде успехи были. Особенно во Франции. Римский дипломатический резидент ГРУ генерал-майор Кир Гаврилович Лемзенко власть имел непомерную. За то его папой римским величали. Теперь он генерал-полковник. Теперь он в административном отделе Центрального Комитета партии. Теперь он от имени партии контролирует и ГРУ, и КГБ.

Полтора года назад, когда я прошел выездную комиссию ГРУ, вызвал меня Кир. Пять минут беседа. Он всех принимает: и ГРУ, и КГБ офицеров. Всех, кто в добывание уходит. Кир всех утверждает. Или не утверждает. Кир велик. Кто Кира знает? Все знают. Судьба любого офицера в ГРУ и в КГБ в его руках.

Старая площадь. Памятник гренадерам. Милиция кругом. Люди в штатском. Группами. Серые плащи.

Тяжелые взгляды. Подъезд № 6. Предъявите партийный билет. «Суворов», — читает прапорщик в синей форме. «Виктор Андреевич», — отзывается второй, найдя мою фамилию в коротком списке. «Да, — отзывается первый. — Проходите». Третий прапорщик провожает меня по коридору. Сюда, пожалуйста, Виктор Андреевич. Ему, охраннику, не дано знать, кто такой Виктор Андреевич Суворов.

Он только знает, что этот Суворов приглашен в Центральный Комитет на беседу. С ним будут говорить на седьмом этаже. В комнате 788. Охранник вежлив. Пожалуйста, сюда.

Вот они, коридоры власти. Сводчатые потолки, под которыми ходили Сталин, Хрущев. Под которыми ходит Брежнев. Центральный Комитет — это город. Центральный Комитет — это государство в центре Москвы. Как Ватикан в центре Рима.

Центральный Комитет строится всегда. Десятки зданий соединены между собой, и все свободные дворики, переходы застраиваются все новыми белыми стеклянными небоскребами. Странно, но со Старой площади этих белоснежных зданий почти не видно. Вернее, они видны, но не бросаются в глаза. На Старую площадь смотрят огромные окна серых дореволюционных зданий, соединенных в одну непрерывную цепь. Внутри же квартал Центрального Комитета не так суров и мрачен. Тут смешались все архитектурные стили.

Пожалуйста, сюда. Чистота ослепительная. Ковры красные. Ручки дверей — полированная бронза. За такую ручку и взяться рукой страшно, не испачкать бы. Лифты бесшумные.

Подождите тут. Передо мной огромное окно. Там, за окном, узкие переулки Замоскворечья, там белый корпус гостиницы «Россия», золотые маковки церквей, разрушенных и вновь воссозданных для иностранных туристов. Там, за окном, громада Военно-инженерной академии. Там, за окном, яркое солнце и голуби на карнизах. А меня ждет Кир.

— Заходите, пожалуйста.

Кабинет его широк. Одна стена — стекло. Смотрит на скопление зеленых железных крыш квартала ЦК. Остальные стены светло-серые.

Пол ковровый — серая, мягкая шерсть. Стол большой, без всяких бумаг. Большой сейф. Больше ничего.

— Доброе утро, Виктор Андреевич. — Ласков.

— Доброе утро, Кир Гаврилович.

Не любит он, чтобы его генералом называли. А может быть, любит, но не показывает этого. Во всяком случае, приказано отвечать «Кир Гаврилович», а не «товарищ генерал». Что за имя? По фамилии украинец, а по имени — ассирийский завоеватель. Как с таким именем человека в Центральном Комитете держать можно? А может, имя его и не антисоветское, а, наоборот, советское? После революции правоверные марксисты каких только имен своим детям не придумывали: Владлен — Владимир Ленин, Сталина, Искра, Ким — Коммунистический интернационал молодежи. Ах, черт. И Кир в этом же ряду. Кир — Коммунистический Интернационал.

— Садитесь, Виктор Андреевич. Как поживаете?

— Спасибо, Кир Гаврилович. Хорошо.

Он совсем небольшой человек. Седина чуть-чуть только проступает. В лице решительно ничего выдающегося. Встретишь на улице — даже не обернешься, даже дыхание не сорвется, даже сердце не застучит. Костюм на нем самый обыкновенный, серый в полосочку. Сшит, конечно, с душой. Но это и все. Очень похож на обычного человека. Но это же Кир!

Я жду от него напыщенных фраз: «Руководство ГРУ и Центральный Комитет оказали вам огромное доверие...» Но нет таких фраз о передовых рубежах борьбы с капитализмом, о долге советского разведчика, о всепобеждающих идеях. Он просто рассматривает мое лицо. Словно доктор, молча и внимательно.

— Вы знаете, Виктор Андреевич, в ГРУ и КГБ очень редко находятся люди, бегущие на Запад.

Я киваю.

— Все они несчастны. Это не пропаганда. Шестьдесят пять процентов невозвращенцев из ГРУ и КГБ возвращаются с повинной. Мы их расстреливаем. Они знают это — и все равно возвращаются. Те, которые не возвращаются в Советский Союз по своей собственной воле, кончают жизнь самоубийством, спиваются, опускаются на дно. Почему?

— Они предали свою социалистическую родину. Их мучает совесть. Они потеряли своих друзей, родных, свой язык...

— Это не главное, Виктор Андреевич. Есть более серьезные причины. Тут, в Советском Союзе, каждый из нас — член высшего сословия. Каждый, даже самый незначительный офицер ГРУ — сверхчеловек по отношению ко всем остальным. Пока вы в нашей системе, вы обладаете колоссальными привилегиями в сравнении с остальным населением страны. Когда имеешь молодость, здоровье, власть, привилегии — об этом забываешь. Но вспоминаешь потом, когда уже ничего нельзя вернуть. Некоторые из нас бегут на Запад в надежде иметь великолепную машину, особняк с бассейном, деньги. И Запад платит им действительно много. Но получив «мерседес» и собственный бассейн, предатель вдруг замечает, что все вокруг него имеют хорошие машины и бассейны. Он вдруг ощущает себя муравьем в толпе столь же богатых муравьев. Он теряет чувство превосходства над окружающими. Он становится обычным, таким, как все. Даже если вражеская разведка возьмет этого предателя на службу, все равно он не находит утраченного чувства превосходства над окружающими, ибо на Западе служить в разведке не считается высшей честью и почетом. Правительственный чиновник, козявка, и ничего более.

— Я никогда об этом не думал...

— Думай об этом. Всегда думай. Богатство относительно. Если ты по Москве ездишь на «Ладе», на тебя смотрят очень красивые девочки. Если ты по Парижу едешь на длинном «ситроене», на тебя никто не смотрит. Все относительно. Лейтенант на Дальнем Востоке — царь и Бог, повелитель жизней, властелин. Полковник в Москве — пешка, потому что тысячи других полковников рядом. Предашь — потеряешь все. И вспомнишь, что когда-то ты принадлежал к могущественной организации, был совершенно необычным человеком, поднятым над миллионами других. Предашь — почувствуешь себя серым, незаметным ничтожеством, таким, как и все окружающие. Капитализм дает деньги, но не дает власти и почестей. Среди нас находятся особо хитрые, которые не уходят на Запад, но остаются, тайно продавая наши секреты. Они имеют деньги капитализма и пользуются положением сверхчеловека, которое дает социализм. Но мы таких быстро находим и уничтожаем...

— Я знаю. Пеньковский...

— Не только. Пеньковский всемирно известен. Многие неизвестны. Владимир Константинов, например. Он вернулся в Москву в отпуск, а попал прямо на следствие. Улики неопровержимы. Смертный приговор.

— Его сожгли?

— Нет. Он просил его не убивать.

— И его не убили?

— Нет, не убили. Но однажды он сладко уснул в своей камере, а проснулся в гробу. Глубоко под землей. Он просил не убивать, и его не убили. Но гроб закопать обязаны. Такова инструкция. Иди, Виктор Андреевич. Успехов тебе. И помни, что в ГРУ уровень предательства гораздо ниже, чем в КГБ. Храни эту добрую традицию.

2

В Мюнхене снег. Небо лиловое. И еще сыплет из снежной свинцовой тучи. Спешат бюргеры. Носы в воротники прячут. Елки. Елки кругом. Вокруг фонарей гуще снежинки, крупнее. Укрывает снег грязь и серость цивилизации. Все чисто, все без грязных пятен, даже крыша Дойче Банк. Тихо и тепло, когда снег валит. Если прислушаться, то можно услышать шорох белых мягких кристаллов. Слушайте, люди, как снег падает! Эй, бюргеры, да куда же вы торопитесь? Остановитесь. Чисто и тихо. Ни ветра пронзительного, ни визга тормозов. Только тишина над белым городом.

...Мягкие теплые снежинки падают мне на лицо. Я люблю их. Я не отворачиваюсь. Снег бывает колючим, снег бывает жестким и шершавым. Но сегодня не тот снег. Сегодня добрый снег падает с неба, и я не прячу от него лица.

С вокзала — на Мариенплац. Я путаю следы. За мной слежки нет. Но я должен следы запутать, закрутить. Лучше погоды для этого не придумаешь. Майор ГРУ 173-В-41. Я путаю следы после встречи с другом № 173-В-41-706. Встречу я провел в Гамбурге. Там же какой-то молодой борзой из боннской дипломатической резидентуры ГРУ принял полученные мной документы. В Мюнхене я только путаю следы. Переулками, переулками, все дальше в снежную мглу. Иногда меня можно увидеть там, где очень много людей. В бесконечных лабиринтах пивной, где когда-то родилась партия Гитлера. Это не пивная. Это настоящий город с улицами и площадями. С бесконечными рядами столов. С сотнями людей. Это целое независимое пивное государство, как Ватикан в Риме, как Центральный Комитет в Москве.

Дальше, дальше, вдоль столов, за угол, еще за угол. Тут, в темной нише, немного подождать. Кто появится следом? Тут, в черной нише, в огромном дубовом кресле не иначе Геринг сиживал. А теперь сижу я с огромной пивной кружкой. Это моя работа. Кто пройдет мимо? Кто вышел следом? Не ищут ли меня чьи-то глаза, потерявшие мою серую спину в этом водовороте, в этом сумраке, в пивных испарениях. Вроде никого. Тогда снова на улицу. В узкие переулки. В голубую метель.

3

В Вене — товарищ Шелепин. Проездом. Он едет в Женеву на заседание сессии Международной организации труда. Товарищ Шелепин — глава советских профсоюзов. Товарищ Шелепин — член Политбюро. Товарищ Шелепин — звезда первой величины. Но не восходящая звезда, заходящая. Было время, когда товарищ Шелепин был (тайно) заместителем председателя КГБ и одновременно (явно) вице-президентом Международной федерации демократической молодежи. Товарищ Шелепин организовал манифестации за мир и дружбу между народами. На его совести грандиозные манифестации в защиту мира. Миллионы дураков шли за товарищем Шелепиным. Кричали, требовали мира, разоружения и справедливости. За это его возвели в ранг председателя КГБ. Правил он круто и твердо. Правил половиной мира, в том числе и демократической молодежью, требующей мира. Но он сорвался. Теперь товарищ Шелепин правит советскими профсоюзами. Профсоюзы у нас — это тоже КГБ, но не все КГБ, а только филиал. И потому нет в посольстве особого уважения к высокому гостю. Едешь в свою Женеву, ну и вали. Не задерживайся. Всем как-то ясно, что товарищ Шелепин вниз скользит. Был председателем КГБ, а теперь только глава профсоюзов. Если скольжение вниз началось, то его уже ничем не удержишь.

Все посольство знает, что Железный Шурик напивается до полного безумия. Лидер советского пролетариата жутко матерится. Он бьет уборщиц. Он выбросил из окна тяжелую хрустальную пепельницу и испортил крышу лимузина кубинского посла. Он сам знает, что ему пришел конец. Бывший глава КГБ прощается с властью. Буйствует.

Я столкнулся с ним в коридоре. У него оплывшее морщинистое лицо, совсем непохожее на то, которое улыбается нам с портретов. Да и узнал я его только потому, что пьяный (никто так по посольству не осмеливается ходить), да еще по охране. Кого еще пять телохранителей сопровождать будут? У телохранителей лица каменные, как и положено. В телохранители набирают тех, кто смеяться не научился. Идут они важные. Крестьянские парни, вознесенные к вершине власти. Они, конечно, не понимают, что если падение уже началось, то его не остановить.

И только на губах старшего в команде телохранителей играет чуть брезгливая улыбка. Едва заметно его губы кривятся. Меня эта ухмылка не обманет: он не охраняет товарища Шелепина от врагов народа, он следит за тем, чтобы товарищ Шелепин, вождь самого сознательного революционного класса, не ударился в бега. Если товарищ Шелепин побежит, начальник охраны воспользуется пистолетом. Да в затылок!

Между ушей! Чтоб не убежал товарищ Шелепин очень далеко. И товарищ Шелепин — заходящая звезда первой величины — знает, что начальник охраны не телохранитель, а конвоир. Знает Шелепин, что дана начальнику охраны соответствующая инструкция. И я это знаю.

Ах, если бы мне дали такую инструкцию!

— Деза!

Навигатор суров. Я молчу. Что на такое заявление скажешь? В его руке шифровка. Семьсот Шестой друг начал производить дезу. Если анализировать полученные от него документы, то вскрыть попытку обмануть ГРУ невозможно. Но любой документ, любой аппарат, любой образец вооружения ГРУ покупает в нескольких экземплярах в разных частях мира. Информация о снижении шумов в редукторах атомных подводных лодок типа «Джордж Вашингтон» была получена ГРУ через дипломатического резидента в Уругвае, а полная техническая информация об этих лодках была получена нелегалами ГРУ через Бельгию. Одинаковые кусочки информации сравниваются. Это делается всегда, с любым документом, с любым кусочком информации. Попробуй добавить от себя, попытайся утаить — служба информации это вскроет. Именно это случилось сейчас с моим выставочным другом № 173-В-41-706.

Все было хорошо. Но в последнем полученном от него документе не хватает трех страниц. Страницы важные и убраны так, что невозможно обнаружить, что они когда-то тут были. Только сравнение с таким же документом, полученным, может быть, через Алжир или Ирландию, позволяет утверждать, что нас пытаются обмануть. Подделка выполнена мастерски. Выполнена экспертами. Значит, Семьсот Шестой под полным контролем. Сам он пришел в полицию с повинной или попался — роли не играет. Главное — он под контролем.

— Прикажете убрать Семьсот Шестого?

Навигатор с кресла вскочил:

— Очнись, майор! Белены объелся? Бульварной литературы начитался? Если предашь ты — мы тебя убьем, это урок для всех остальных. А если убить добропорядочного буржуа, владельца фирмы, для кого это урок? Кто знает, что он с нами был связан? Я бы его убил, если бы он опасен для нас был. Но он о нас решительно ничего не знает. Он даже не знает, работал он на КГБ или на ГРУ. Мы ему такой информации не давали. Единственный секрет, которым он обладает: Виктор Суворов — шпион. Но это весь мир знает. Велик соблазн убить. Многие разведки так и поступают. Втягиваются в тайную войну и забывают о своей главной задаче: добывать секреты. Нам же нужны секреты. Как здоровому мужчине нужны половые сношения. Запомни, майор, что только слабый, глупый, неуверенный в себе мужчина убивает и насилует женщин. Именно такими слабыми и глупыми нас изображают бульварные газетки и дешевые романчики. Умная, сильная, уверенная в себе разведка не гоняется за агентурой, как за женщиной. Умному мужчине женщины прохода не дают, на шее виснут. Мужчина, у которого сотни женщин, не мстит одной, даже изменившей ему, по той простой причине, что ему некогда этим заниматься. У него множество других девочек. Кстати, у тебя есть что-либо в запасе?

— Вы имеете в виду новых друзей?

— Только это я и имею в виду! — вдруг обозлился он.

Навигатор, конечно, знает, что, кроме Семьсот Шестого, у меня никаких друзей нет, как нет никаких намеков на интересное знакомство. Вопрос он задал только для того, чтобы ткнуть меня носом в грязь.

— Нет, товарищ генерал, ничего у меня в запасе нет.

— В обеспечение!

— Есть, в обеспечение!

5

С Семьсот Шестым я провел еще одну встречу. Он под контролем, но совсем не обязательно показывать, что ГРУ об этом знает.

Я провожу встречу, как всегда. Я плачу. Я говорю, что пока его материалы нам не нужны. Встретимся через год. Возможно, у нас появится заказ. Через год под любым предлогом его выведут в консервацию. В дремлющую сеть. Жди сигнала. На этом связь с ним и прекратится: жди, когда к тебе на связь выйдет особо важный нелегал! Пусть ждет он и полиция. Не дождетесь. Называется это «отсечение под видом консервации». От него мы получили очень нужные приборы. На нем мы сэкономили миллионы. Его материал, когда он был первосортным, тоже использовался для проверки какого-то другого. А теперь до свидания. Ждите очередного сигнала. Ждите особо важной встречи.

С Семьсот Шестым никаких проблем. Но что же мне теперь делать? Вновь собачья жизнь начинается. Вновь борзить. Вновь беспросветное агентурное обеспечение. А чего вы, Виктор Андреевич, хотели? Не можете работать самостоятельно, поработайте на других.

6

Я снова в обеспечении. Опять я полностью подчинен Младшему лидеру и лишен права встречаться с Навигатором лично. На таких, как я, у него нет времени. Правда, что те, кто успех имеет, тоже иногда в агентурном обеспечении работают. Но это случается только во время массового обеспечения, когда всю резидентуру выгоняют на проведение каких-то операций, смысл которых скрыт от нас. А еще их привлекают для обеспечения операций нелегальных резидентур ГРУ. Это другое дело. Обеспечивать нелегалов — почет. Обеспечивать нелегалов — совсем другое дело. Но нас, борзых, в обеспечение нелегалов бросают очень редко. Нам остается тяжелая неблагодарная работа: большой риск, уйма затраченного времени и никаких почестей. Простое агентурное обеспечение работой не считается. Вроде как секретарь-машинистка у великого писателя. Ни денег, ни почестей. Но попробуй ошибись!

Именно такая у меня сегодня работа. Я на пикник в горы еду. Время сейчас совсем не для пикников. Погода не та. Но мне нужно быть в горах. Если бы за нами следили, если бы нас арестовали и выгоняли, то я придумал бы какой-нибудь предлог поумнее. Но нас редко трогают в Великобритании, почти никогда в США, а в остальных странах к нам — шпионам — относятся доброжелательно. Поэтому нет нужды выдумывать что-то оригинальное. Пикник. Этого достаточно. Вряд ли кто на пикник ездит в одиночку. Но разве кому интересно, что делает советский дипломат в рабочее время?

В багажнике моей машины противотанковый гранатомет РПГ-7 и пять гранат к нему. Все это аккуратно упаковано. Все это я должен вложить в тайник. Гранатомет весит 6 кг. Каждая граната — 2 кг 200 г. Да упаковка. В общем, более 20 кг в одном длинном сером пакете. Кому этот гранатомет нужен? Я не знаю. Я зарою его к горах. Я спрячу его в тайнике, который я выбирал шесть дней. Кто-то кому-то когда-то передаст описание этого тайника и тайные приметы, по которым его совсем легко найти. Адресат всегда получает описание тайника только после того, как материал вложен в тайник. Следовательно, даже если он и захочет продать нас полиции, он не сумеет этого сделать. Адресат получит описание и поспешит к этому месту, но меня там уже давно нет. Так что я, моя дипломатическая резидентура, советская военная разведка, весь Советский Союз — мы к нему отношения не имеем. Лежал гранатомет в земле, вот и все. Может быть, он всегда тут лежал. Может быть, со дня сотворения Земли ему тут место было. Не беда, что гранатомет советский. Может быть, это американцы захватили его во Вьетнаме, да и прячут в Альпах?

Кому этот гранатомет нужен? Хоть убейте, не знаю. Ясно, что это не резерв на случай войны. Для долгосрочного хранения применяются тяжелые контейнеры, а тут совсем легкая упаковка. Значит, его в ближайшие дни кто-то заберет. Не исключено, что в ближайшие дни им и воспользуется. Иначе его придется долго хранить. Это опасно. Черт меня побери, а ведь я сейчас историю творю. Может быть, этот гранатомет повернет историю человечества в совсем неожиданное русло. РПГ-7 — мощное оружие, легкое да простое. Все лидеры Запада за пуленепробиваемое стекло попрятались. А если вас, господа, гранатой ПГ-7В шарахнуть? Ни один броневой лимузин не устоит. Шарахнуть с 300 метров можно. Вот визгу-то будет! Интересно, на кого же ГРУ око свое положило? Кому пять гранат предназначаются? Главе государства? Генералу? Папе римскому? Но ведь можно и не только по броневому лимузину шарахнуть. Защитник окружающей среды может в знак протеста ударить по цистерне с ядовитым газом или по атомному реактору. Защитник мира может подкараулить конвой с американскими атомными боеголовками да нажать на спуск. Шуму на весь мир будет. Ядерного взрыва, конечно, не получится, но уж газеты так взвоют, что придется Западу разоружиться.

Я кручусь по перекресткам, я часто меняю скорость, я выскакиваю на автострады и вновь ухожу на совсем неприметные полевые дороги. Кто за мной следит? Кажется, никто. Кому нужен я? Никому. Я один. Я в густом лесу на узкой дороге. Над моей головой шумит лес.

Свою машину я бросил на обочине узкой дороги. Тут иногда оставляют свои машины туристы.

Я сижу на пригорке в ельнике и со стороны наблюдаю за своей машиной. Слежки за мной не было. Гарантирую. Но возможно, в моей машине полиция вмонтировала радиомаячок, который сейчас сигналит им о моем местоположении. Они, может быть, не следили за мной, как обычно, а держались на значительном удалении. Если это так, то скоро кто-то должен появиться у моей машины. Кругом лес да горы. Появиться они могут, только используя одну дорогу. Но она под моим контролем. Они будут немного суетиться у моей машины, соображая, в каком направлении я ушел. Тогда я заберу свой драгоценный сверток и, сделав большой крюк по лесу, вернусь к своей машине, когда возле нее никого не останется. Двери я закрою изнутри и буду кружить по лесам и горам. А потом я вернусь в посольство и завтра повторю все с самого начала.

Я вновь смотрю на часы: прошло тридцать минут. Никто не появился у моей машины. Только сосны шумят. Упаковку с гранатометом можно было бы оставить в машине, и сейчас, убедившись, что не следят, вернуться к машине, захватить груз и идти в горы. Но это не наша техника.

Я еще несколько минут сижу в кустах, прислушиваюсь к шорохам леса. Нет никого. На ноги я надеваю резиновые сапоги, на голову — кепку с добродушным британским львом, рюкзак на спину: пусть меня за туриста принимают. В руках у меня сигара. Я, конечно, не курю. Много лет назад мне запретили это делать. Но ароматная сигара всегда со мной. Кончик ее отломить, табак потереть в ладонях и разбросать вокруг себя. Это вашим собачкам от меня привет. Я долго бреду через кусты, выхожу к ручью и бреду по воде против течения. Слежки нет. Но может быть, они через несколько часов нагрянут сюда с собаками, с вертолетами.

Жаль, что упаковка с гранатометом имеет очень необычную форму. Если кто-то увидит, что из моего рюкзака торчит такая непонятная, укутанная резиной деталь, всенепременно поймет, что я чернорабочий ГРУ, что я работаю в неблагодарном обеспечении в наказание за неспособность самостоятельно находить выходы к секретам.

Далек мой путь. Ножками, ножками. Как в Спецназе. По ручью вверх и вверх. Революционным отрядам борцов за свободу нужно оружие для свержения капиталистического рабства. Возможно, гранатомет заберут итальянские или германские ребята и воспользуются им, нанося еще один удар по гниющему капитализму.

Далек путь. Достаточно времени для умственной гимнастики. Что же мне придумать, чтобы меня на самостоятельную работу поставили? Может, написать рапорт начальнику 5-го направления 1-го Управления и предложить нечто оригинальное? Пусть, например, германские или итальянские ребята украдут президента или министра обороны. Это для них хорошо, для их революционных целей, для поднятия революционной сознательности масс. Захваченного пусть они судят своим революционным трибуналом. Пусть казнят его. Но перед казнью мы бы могли с ним поговорить: напильником по зубам — выдавай, падла, секреты!

Я бреду по воде, улыбаясь своим фантазиям. Конечно, этого я никогда не предложу. Неблагодарное дело — давать советы. Тех, кто подал идею, никогда не вспоминают. Награждают не инициаторов, а исполнителей. Идея проста. И без меня до нее додумаются. Мне нужно придумать нечто такое, где бы я был не только инициатором, но и исполнителем. Идея должна быть не общей, а конкретной. Перед тем как ее поведать командиру, я должен подготовить тысячи деталей. Перед тем как ее рассказать, я должен быть всецело связан с этой идеей, так, чтобы меня не могли оттеснить в сторону, доверяя проведение операции более опытным волкам.

Чистый горный поток журчит под моими ногами. Иногда я выхожу на берег, чтобы обойти водопад. Тогда я вновь отламываю кусочек сигары, тру табак в руках и разбрасываю его. Я ступаю только на камни, не оставляя следов.

Вот оно, это место, выбранное мной, одобренное Младшим лидером резидентуры и утвержденное начальником 1-го Управления ГРУ. Тайник — это не пещера и не тайный погреб. Совсем нет. Тайник — это место, которое легко может найти тот, кому положено, и которое очень трудно найти тем, кому не положено. Тайник — это место, где наш груз не могут обнаружить случайно, где он не может пострадать от стихийных бедствий.

Подобранный мной тайник отвечает этим требованиям. Он выбран в горах, вдали от человеческого жилья. Это место — в расщелине между скал. Это место закрыто непролазной чащей колючих кустов. Сюда не стремятся туристы. Тут не играют любопытные дети. Тут никогда не будет строительства. Этому месту не угрожают оползни и наводнения. А найти его легко. Если знаешь, как искать. Вот высоковольтная линия электропередач на гигантских металлических опорах. От опоры № 042 нужно идти в направлении опоры № 041. Нужно дойти до места, где провода более всего провисают, и тут повернуть влево. Далее пройти тридцать метров в направлении, точно перпендикулярном линии электропередач. Колючки лицо царапают? Это ничего. Вот в кустах груда камней и черные угли костра, горевшего тут много лет назад. Отсюда десять шагов вправо. Протиснемся в расщелину. Вот груда камней. Это и есть тайник. Место не очень приятное. Сыро, мрачно. Колючки. Прошлый раз, когда я это место нашел, я набросал тут всякого мусора, который обнаружил поблизости: ржавую консервную банку, бутылку, моток проволоки. Это чтобы никому в голову не пришло тут пикник устроить.

Я еще раз оглядываю все, что окружает меня. С момента моего первого появлении тут не изменилось ничего. Даже консервная банка на прежнем месте. Я долго вслушиваюсь в шум ветра в вершинах гор. Никого. Сбрасываю с плеч осточертевший за долгую дорогу рюкзак. Я предлагал командиру закопать гранатомет в землю, но он приказал только завалить его камнями, выбирая какие потяжелее. А еще я предлагал поймать бездомного кота, доставить сюда и тут принести в жертву интересам мирового пролетариата. Его останки отгонят от этого места и охотников, и туристов, и любовные пары, ищущие укромные уголки. Это предложение тоже не утвердили. Первый заместитель командира приказал воспользоваться жидкостью «ЗРГ, вариант 4». Флакончик у меня небольшой, но запах останется надолго. «ЗРГ, вариант 4» — это запах горелой резины, он сохранится тут на несколько недель, отгоняя непрошеных и гарантируя одиночество получателям моей посылки. Что ж, успеха вам, бесстрашные борцы за свободу и социальную справедливость. Я вслушиваюсь в шум ветра и, как осторожный зверь, скольжу между скал.

7

Западную Европу я уже знаю неплохо. Как хороший охотничий пес знает соседнюю рощу. Я мог бы экскурсоводом работать в Амстердаме или в Гамбурге: посмотрите направо, посмотрите налево. Вену я тоже знаю хорошо, но не так, как, например, Цюрих. Это и понятно: не занимайся любовью там, где живешь. Понятно, что мои коллеги из Рима, Бонна, Парижа, Женевы знают Вену лучше меня. Они работают тут, «выезжая на гастроли». А я гастролирую там. Система для всех одна.

У всех у нас одна тактика: не надо ссориться с местными властями, если можно операцию провести где-то очень далеко.

Сегодня я работаю в Базеле. Я не сам работаю. Обеспечиваю. Базель — это стык Германии, Франции и Швейцарии. Базель — это очень удобное место. Уникальное место. Базель — перекресток. Был в Базеле и исчез. Тут легко исчезнуть. Очень легко.

Я сижу в небольшом ресторанчике, прямо напротив вокзала. Вообще-то трудно сказать, ресторан это или пивная. Зал надвое разделен. В одной стороне — ресторан. Совсем небольшой. Там на столах красные скатерки. В другой стороне — пивная. Дубовые столы без всяких скатертей. Тут я и сижу. Один. На темном дереве стола вырезан орнамент и дата «1932». Значит, стол этот тут еще и до Гитлера стоял. Хорошо быть швейцарцем.

Граница Германии вон там проходит. Прямо по улице. А войны никогда не было.

Симпатичная невысокая тетенька кружку пива передо мной ставит на аккуратный картонный кружочек. Откуда ей, грудастой, знать, что я уже на боевой тропе. Что секунды стучат в моей голове, что сижу я тут неспроста, и так, чтобы большие часы на здании вокзала видеть. Откуда ей знать, что по этим часам еще кто-то ориентируется, которого я не знаю и никогда не узнаю. Откуда ей знать, что кончики пальцев моих уже намазаны кремом ММП и потому не оставляют отпечатков. Откуда ей знать, что в моем кармане лежит обыкновенная фарфоровая ручка, которые в туалетах на цепочке висят. Дернул — и вода зашумела. Эта ручка сделана в Институте маскировки ГРУ. Внутри — контейнер. Может быть, с описанием тайника или с деньгами, с золотом, черт знает с чем. Я не знаю, что внутри контейнера. Но ровно через семь минут я выйду в туалет и в предпоследней кабине сниму с цепочки ручку, положу ее в карман, а на ее место повешу ту, что у меня в кармане. Кто-то, тот, кто тоже сейчас смотрит на часы вокзала, войдет в эту кабину после меня, снимет ручку с контейнером, а на ее место прицепит обыкновенную. Она сейчас в его кармане хранится. Наверное, он тоже сейчас сжимает ее пальцами, намазанными кремом ММП. Все три ручки — как близнецы. Не различишь. Не зря Институт маскировки работает.

Стрелка больших часов чуть дрогнула. Еще шесть минут. Рядом с вокзалом большое строительство. То ли вокзал расширяют, то ли гостиницу строят. Сооружение вырисовывается из-под лесов изящное — вроде башни. Стены коричневого металла, и окна тоже темные, почти коричневые. Высоко в небе рабочие в оранжевых касках — мартышки стальных джунглей. А на карнизах голуби. Вот один голубь медленно и сосредоточенно убивает своего товарища. Клювом в затылок бац, бац. Подождет немного. И снова клювом в затылок. Отвратительная птица голубь. Ни ястребы, ни волки, ни крокодилы не убивают ради забавы. Голуби убивают только ради этого. Убивают своих собратьев просто потехи ради. Убивают очень медленно, растягивая удовольствие.

Эх, был бы у меня в руках автомат Калашникова. Бросил бы я сектор предохранителя вниз на автоматический огонь. Затвор рывком назад, и жутким грохотом залил бы привокзальную площадь полусонного

Базеля. Шарахнул бы длинной переливистой автоматной очередью по голубю-убийце. Свинцом бы его раздавил, разметал. Превратил бы в ком перьев да крови. Но нет автомата со мной. Я не в Спецназе, а в агентурном добывании. Жаль. А ведь и вправду убил бы и не вспомнил, что, спасая слабого голубя от верной смерти, я спасаю тоже убийцу. Натура у них у всех одна. Голубиная. Придет в себя. Отдышится. Найдет кого послабее, да и будет его клювом своим в затылок тюкать. Знает же, гад, в какое место бить. Профессионален, как палач из НКВД. Отвратительная птица — голубь. А ведь находятся люди, которые этого хладнокровного убийцу символом мира считают. Нет бы крокодила таким символом считали или анаконду. Мирная зверюшка анаконда. Убивает только на пропитание. А как покушает, так и спит. В мучительстве наслаждения не находит. А своих собратьев не убивает.

Слабый голубь на карнизе раскинул крылья. Голова его совсем повисла. Сильный голубь весь собрался в комок. Добивает. Удар. Еще удар. Мощные у него удары. Кончик клюва в крови. Ну ты свое дело кончай, а мне пора. В туалет. На совершенно секретную операцию по агентурному обеспечению.

8

Я не теряю времени. Когда я обеспечиваю кого-то в Германии, я думаю только о том, как самому проникнуть в германские секреты. Когда я в Италии, я думаю о выходах к итальянским секретам. Но в Италии можно завербовать и американца, и китайца, и австрийца. Мне нужны такие, которые владеют государственными секретами. Сейчас я вернулся из Базеля и докладываю Навигатору результаты операции.

Обычно рапорт слушает Младший лидер, но сегодня слушает Навигатор лично. Видимо, обеспечение было очень важным. Воспользовавшись случаем, я докладываю мои предложения о том, как добыть секретные документы о системе «Флорида». «Флорида» — это система ПВО Швейцарии. Швейцарская «Флорида» — это кирпичик. Но точно из таких кирпичиков сложена система ПВО США. Если познакомиться со швейцарским сержантом, то станет многое ясно с американской системой...

Навигатор смотрит на меня тяжелым взглядом. Свинец в глазах, и ничего больше. Взгляд его — взгляд быка, который долго смотрит на молоденького тореадора перед тем, как поднять его на могучие рога. Мысли от этого бычьего взгляда путаются. У меня есть имена и адреса персонала на командном пункте системы ПВО Швейцарии. Я знаю, как можно познакомиться с сержантом. Но он давит взглядом меня. Я сбиваюсь и забываю весь четкий порядок моих построений.

— Я постараюсь это сделать...

Он молчит.

— Я доложу все детали...

Он молчит.

Он втягивает ноздрями кубометр воздуха и тут же с шумом, как кит, выпускает его:

— В обеспечение!

Агентурное обеспечение — это вроде сладкого сиропа для мухи. Вроде и не рискованно, и сладенько, но не выберешься из него. Крылышки тяжелеют. Так в этом сиропе и сдохнешь. Только тот настоящим разведчиком становится, кто из него вырваться сумеет. Генка-консул, к примеру. Приехал он в Вену вместе со мной. На изучение города нам по три месяца дали. Чтоб город мы лучше венской полиции знали. Через три месяца нам обоим экзамен: десять секунд на размышление, что находится на Люгерплац? Названия всех магазинов, отелей, ресторанов, номера автобусов, которые там останавливаются, все называй. Скорее! А может, там ни одного отеля нет? Скорее, скорее! Знать город лучше местной полиции! Назови все улицы, пересекающие Таборштрассе! Скорее! Сколько остановок? Сколько почтовых ящиков? Если ехать в направлении... что слева? Что? Что? Как? Как? Как?

Экзамены мы с Генкой со второго раза оба сдали. Не сдашь с трех раз — вернут в Союз. После экзаменов меня сразу в обеспечение бросили. А его нет. Он пока город изучал, успел познакомиться с каким-то проходимцем, который паспортами торгует. Паспорта полуфальшивые или чистые бланки, или просто украденные у туристов. 17-е направление ГРУ паспорта и другие личные документы: дипломы, водительские удостоверения, солдатские книжки — скупает в титанических количествах. Не для использования. Для изучения в качестве образцов при производстве новых документов. Все эти бумаги особо, конечно, не ценятся, и их добывание совсем не высший класс агентурной работы. Да только меня в обеспечение, а Генку нет: добывай свои чертовы паспорта. Пока Генка с паспортами работал, времени у него достаточно было. И он времени не терял. Он еще с кем-то познакомился. Тут уж меня поставили Генкины операции обеспечивать, хвост ему прикрывать.

Я после его встреч какие-то папки получал да в посольство возил. Арестуют у входа в посольство, так меня, а не Геннадия Михайловича. А он чистеньким ходит. А потом у него и более серьезные вещи появились. Он на операцию идет, а его пять—семь борзых прикрывают. На следующий год ему досрочно подполковника присвоили. Майором он только два года ходил. Я не завистливый и не ревнивый. Пусть, Генка, тебе везет. Чистого тебе неба! Я, Генка, тоже из обеспечения скоро вырвусь.

Восемь часов вечера. Я спешу домой. Четыре часа спать, а ночью в обеспечение.

...Навигатор улыбается мне. Впервые за много месяцев:

— Наконец! Я всегда знал, что ты выйдешь на самостоятельную дорогу. Как ты с ним познакомился?

— Случайно. Я в обеспечении работал в Инсбруке. Возвращаюсь. Решил место для тайника про запас присмотреть. Встал у дороги. Место присмотрел. Хорошее. Решил возвращаться. Задние колеса на грунте. Грунт мокрый. Буксуют. Сзади откос. Сам тронуться не могу. Стою у дороги, прошу помочь. Все мимо несутся. Остановился «Фиат-132». Водитель один в машине. Помог. Чуть подтолкнул мою машину. Я вышел из грязи. Но его всего грязью обрызгал — газанул слишком сильно. Хотел в знак извинения ему бутылку виски дать, передумал. Извините, говорю, простите, давайте в ресторан зайдем. Почиститесь. А вечер мой. Приглашаю.

— Согласился?

— Да.

— Он спросил, кто ты таков?

— Нет, он только спросил, где я живу. Я ответил, что в Вене. Я же и вправду в Вене сейчас живу.

— Номер у тебя дипломатический был?

— Нет. Я в обеспечении работал. На чужой машине. Навигатор визитную карточку в руках вертит. Налюбоваться не может. Инженер. «Ото Велара». Каждый ли день генерал ГРУ такую визитную карточку в руках держит? «Ото Велара»! Золотое дно. Может быть, кто-то и недооценивает Италию как родину гениальных мыслителей, да только не ГРУ. ГРУ знает, что у итальянцев головы мыслителей. Головы гениальных изобретателей. Мало кто знает о том, что Италия в предвоенные годы имела небывалый технологический уровень. Воевала Италия без особого блеска, именно это и затмевает итальянские достижения в области военной техники. Но эти достижения, особенно в области авиации, подводных лодок, скоростных катеров, были просто удивительны. Полковник ГРУ Лев Маневич перед войной переправил в Союз тонны технической документации потрясающей важности. Италия! Италия — непризнанный гений военно-морской технологии. Может, кто этому и не верит, а ГРУ верит. «Ото Велара»! Инженер!

— А не подставлен ли он? — Навигатору в такую возможность совсем не хочется верить, но этот вопрос он обязан задать.

— Нет! — с жаром уверяю я. — Проверялся. И радиоконтроль ничего подозрительного не обнаружил.

— Не горячись. В таком деле нельзя горячиться. Если он не подставлен, то тебе крупно повезло.

Это я и сам понимаю.

— Вот что,— говорит Навигатор, — мы ничего не теряем. Срочно составь «лист проверки». До завтра успеешь?

— Я ночью в обеспечении работаю. — Он скривился. Потом поднимает трубку телефона и говорит, не набирая никаких номеров: — Зайди.

Входит Младший лидер.

— Виктора Андреевича замени завтра кем-нибудь.

— Некем, товарищ генерал.

— Подумай.

— Если только Геннадия Михайловича?

— Консула?

— Да.

— Ставь его в обеспечение. Пусть в обеспечении поработает, а то он себя переоценивать начал. Виктора Андреевича от всякого обеспечения освободить. У него очень интересный вариант наклевывается.

9

Ответная шифровка пришла через два дня. Навигатору совсем не хочется расставаться с «Ото Велара», с фирмой, которая строит удивительно быстрые и мощные военные корабли. Навигатору не хочется читать шифровку мне. Он просто повторяет ответ командного пункта ГРУ: «Нет». Шифровка не разъясняет, почему «нет». «Нет» в любом случае означает, что он — личность, известная большому компьютеру ГРУ. Если бы о нем ничего не было известно, то ответ был бы положительным: пробуйте. Жаль. Жаль такого интересного человека терять. А командиру, наверное, жаль меня. Может быть, первый раз жаль. Он видит, что я рвусь в варяги. И ему совсем не хочется вновь толкать меня в борзые. Он молчит. Но я-то знаю, что в обеспечении дикая нехватка рабочих рук.

307

— Я, товарищ генерал, завтра в обеспечении работаю. Разрешите идти?

— Иди. — И вдруг улыбается. — Ты знаешь, нет худа без добра.

— У меня, товарищ генерал, всегда худо без добра.

— А вот и нет. Тебе запретили его встречать, это плохо. Но к сокровищам нашего опыта мы добавили еще одну крупицу.

— ?

— Ты попал в беду и через это познакомился с интересным человеком. В нашей работе очень тяжелым является первый момент знакомства. Как подойти к человеку? Как завязать разговор? Как закрепить знакомство? Впредь, как только найдешь интересного человека, бей его машину своей. Вот тебе и контакт. Пусть он тебе адрес дает. А ты извиняйся. Приглашай выпить. Чем интересуетесь? Монеты? Марочки? Есть у меня одна...

— Вы, товарищ генерал, согласны платить за побитые машины? — смеюсь я.

— Согласен, — серьезно отвечает он.

ГЛАВА ОДИННАДЦАТАЯ

1

Были времена! Но — прошли. А ведь были же. Была Красная армия, а против нее Белая армия. А еще была Зеленая армия. Командовал ею батько Фома Мокроус. Хорошо зеленые воевали. Да вот беда — поверили красным, соединились с ними в Красно-Зеленую армию. Тут им и конец пришел. А армия снова Красной называться стала.

Хорошие были времена. Захотел к красным — пожалуйста. Не захотел — можешь к белым убежать или еще к каким. Много всяких было: григорьевцы, антоновцы, петлюровцы. А лучше: Революционно-повстанческая армия Украины — РПАУ. РПАУ — это и армия, и государство. Философия простая: роль государства — защищать население от внешних врагов. Это, и все. Внутри государства — каждый сам себе государь. Делай что хочешь, только других не обижай. Если враги нападут, государство армию выставляет — только добровольцы. Не хочешь за свою свободу воевать — будь рабом. Вот такие были порядки в РПАУ.

У нас на хуторе все старики те славные времена помнят. И руководителя той армии помнят — Нестора Ивановича Махно. Говорят старики, что Нестор Иванович совсем не таким был, как его в кино красные показывают. Говорят, он был парнем молодым. Я потом в энциклопедии проверял. Не врут старики: в восемнадцатом году Нестору Ивановичу тридцати лет не было. Волосы у него длинные были, правда. По плечам распущены. Мужики его святым почитали. Крестились, увидев.

Едет Нестор Иванович по Екатеринославу на четверке вороных. Хмур. Дума великая в глазах его. Четверкой вороных Великий Немой правит. Хромает Нестор Иванович, верхами не ездит: в тачанке рядом с пулеметом. А Великий Немой завсегда рядом. Он батьке Махно и кучер, и ординарец, и телохранитель, и придворный палач: приговоры Нестора Ивановича совсем короткие.

Едет Нестор Иванович — мужики в пояс кланяются, свой он: крестьянский царь. На тачанке его пулеметной сзади серебряными гвоздиками девиз выбит: «Эх, не догонишь!» Спереди — «Эх, не возьмешь!». А рядом с батькиной тачанкой верхами: батько Максюта, Николай Мельник, Гришка Антихрист, Никодим Пустовойт да Лев Андреевич Задов — начальник разведки. Разведка в РПАУ на уровне высших мировых стандартов стояла. В невыгодных условиях Махно никогда боя не принимал. Уходил. Исчезал. Армия его рассыпалась. Пушки, пулеметы по оврагам да буеракам, кони на лугах пасутся, тачанки пулеметные девок на ярмарку возят. Мужики по дворам сидят. На солнышке. Улыбаются.

Махновская армия от всех других юмором острым отличалась да улыбками. Сам Нестор Иванович большой шутник был. Дума великая на челе его, а в глазах бесенята озорные. За хорошую шутку жаловал он, как за победу в бою. Лихо Нестор Иванович воевал! В одну ночь собирал он всю свою армию в кулак и бил тем кулаком внезапно по самому уязвимому месту. В армии его семнадцать кавалерийских дивизий было. Трепетали города от грохота копыт его конницы. А если удача против него, свистнет батько — и вновь его армия рассыпалась, затаилась, до первой темной ночки исчезла.

Неуязвим был батько Махно. Но красным поверил. Зря, батько, поверил. Нашел кому верить. Махновская кавалерия вместе с красными в Крым ворвалась белых резать. А как белых порезали, развернулась внезапно Первая Конная армия против своего союзника. Конная армия! Голая степь. Конец ноября двадцатого года. Конная армия! Лавина. Грохот копыт на десятки верст. Степь уже морозом прихватило. Степь вроде бескрайнего бетонного поля. От горизонта до горизонта. Красные не стреляли и даже «ура» не кричали. Десятки тысяч клинков со свистом вылетели из ножен, засверкали на солнце. И пошла Конная армия! И пошла. Вой и свист. Человек в толпе звереет. И лошадь звереет. Пена клочьями. Кони-звери! Люди-звери! Свист клинков. Блеск нестерпимый. Грохот копыт. Кавалерийские дивизии красных большим крюком махновскую армию обходят, отрезая пути, а вся Конная армия в лоб. Галопом. Внезапно. Против союзника! Руби! Даешь! Отдельная кавалерийская бригада особого назначения пленньх тут же клинками рубит и своих тоже. Тех, кто в бою не звереет. *Руби!!!*

Развернул Нестор Иванович триста восемьдесят пулеметных тачанок. Четыреста шестнадцать его пулеметов стегнули Первую Конную армию свинцовым ураганом. Но поздно. Поздно. Кому ты, Нестор Иванович, поверил? Поздно. Никогда ты боя в неравных условиях не принимал. Уходил. А тут куда же уйдешь от союзника? Руби! Захлебнулась 6-я кавалерийская дивизия красных собственной кровью. Трупов — горы. Раненых нет. Раненых кони топчут: Первая Конная армия лавиной идет! Ей не время своих раненых обходить. Руби! Зря ты, Нестор Иванович, им поверил. Зря. Я бы им не поверил. Я им и сейчас не верю.

Знаешь, Нестор Иванович, я бы к красным служить не пошел. Я бы под твои черные знамена. Да нет тебя, и нет других армий, кроме Красной. И никуда не убежишь. Прошли те славные времена. В принципе мало что изменилось. Каждый сам себе банду вербует. Только называется это не банда, а группа. Правда, что группы друг друга шашками не секут, но разве от этого легче? Раньше хоть ясно было, кто белый, кто зеленый. А сейчас каждый себя для удобства к красным причисляет, но каждый красный остальным красным не верит. Другие красные для него союзники, как Первая Конная армия для батьки Махно союзником была.

Плохие времена. Все товарищи. Все братья. А когда человек человеку друг, товарищ и брат, как тут угадаешь, откуда по тебе удар нанесут? Откуда лавина внезапно развернется и затопчет тебя копытами?

2

Трясина агентурного обеспечения все глубже засасывает меня. Не вырвешься.

Если каменщик стенку кладет, то даже ему по закону трое подручных положены: раствор мешать, кирпичи подавать, кирпичи на половинки рубить, если понадобится. В агентурном добывании подручных гораздо больше нужно на каждого работающего. И каждый хочет каменщиком быть. Никому подручным быть не хочется.

А мастером можно стать, только доказав, что ты умеешь работать сам на уровне других мастеров или еще лучше. А как это сделать, если агентурное обеспечение забирает все время? Все ночи. Все праздники. Все выходные.

Николай Викторович Подгорный, советский президент, исчез. Испарился. Пропал. Был. Теперь нет его. Конечно, президент — только пешка. Президент — ничто. Президент — ширма. Вроде как советский посол. Ходит по посольству гордый. С высокими особами разговаривает. Руки жмет. Улыбается. Но решений не принимает. И к большим секретам не допущен. Улыбайся и жми руки. Такая тебе работа. А у нас прямой канал подчинения. Навигатор отчитывается перед начальником ГРУ. А он перед начальником Генерального штаба. А тот перед Центральным Комитетом. А послы и президенты — маскировка. Ширма.

Но, черт побери, если президент, пусть даже липовый, исчезает, если о нем вспоминают только полдня, вспомнит ли кто обо мне, если я вдруг исчезну?

Советский военный атташе в Вене исчез. Пропал. Испарился. Его увезли домой. В Союз. Эвакуировали, как у нас выражаются. Эвакуация офицеров ГРУ и КГБ производится в случаях крупных ошибок, полной бездеятельности, в случае, если кто-то заподозрен в недозволенных контактах или в подготовке к побегу.

За что эвакуировали военного атташе, я не знаю. Этого никогда не объявляют. Исчез, и точка. Пропал. Уехал в отпуск и не вернулся. Советский Союз большой. Затерялся где-то.

Его зеленый «мерседес» перешел по наследству к новому военному атташе полковнику Цветаеву. Новый военный атташе горд. Начальником себя считает. Наши соседи из КГБ думают, что он Младший лидер. Но у нас, как в любой тайной организации, официально занимаемое положение ничего не значит. У нас своя иерархия.

Тайная. Подпольная. Невидимая миру.

Походи, полковник, покрасуйся. Но смотри, скоро тебя Навигатор в свой кабинет позовет. На львиную шкуру. Он тебе, полковник, очень ласково сообщит, что подчинен ты не Навигатору лично, не Младшему лидеру и даже не обычному заместителю Навигатора, а просто одному из очень успешных волков ГРУ, одному из наших варягов. А им может оказаться любой, например твой помощник. Официально, на людях, ты будешь улыбаться и жать руки, а помощник военного атташе в звании майора или подполковника сзади твой портфель носить будет. Ты на «мерседесе», он на «форде». Но это только официально. А то, что делается официально, на виду у всех, никакой роли не играет. Главарь мафии днем может официантом прикидываться. Но это совсем не значит, что директор ресторана имеет больше влияния. У нас в ГРУ — та же система. Внешние ранги и отличия роли никакой не играют. Бутафория. Наоборот, своих лидеров и наиболее талантливых офицеров мы со сцены в тень убираем, выставляя на сцену чванных вельмож. А за кулисами у нас свои ранги, свои отличия, своя особая шкала ценностей. И тут, за кулисами, варяг правит борзыми. Варяг глотки рвет. Варяг секреты добывает. Его обеспечивать надо. Твой помощник уже выбился в варяги. А ты, полковник, еще только борзой. Шакал. Шестерка. Бобик. Тузик. Ты на своем «мерседесе» своего помощника обеспечивать и прикрывать будешь. За малые ошибки майор тебя публично осмеет в присутствии всей нашей добывающей братии. За большие ошибки — в тюрьму посадит. Он добывает секреты для ГРУ. А ты только обеспечиваешь его. Он на тебя характеристику писать будет. Твоя судьба в его руках. Ошибешься — пропадешь, исчезнешь. Тебя эвакуируют, как твоего предшественника. А пока улыбайся, борзяга, подметка, каштанка. И помни, через три месяца экзамен на знание города. Знать Вену лучше венской полиции! Сто вопросов. Должно быть сто правильных ответов. Ошибка в ответе приведет к ошибке в агентурном обеспечении. А это — провал, скандал, комиссия Центрального Комитета, конвейер, тюрьма. А если сдашь, полковник, экзамен, то ждет тебя обеспечение. Будешь хвосты прикрывать. Без выходных. Без праздников. Без просвета. А пока улыбайся.

3

Агентурное обеспечение бывает прямое и общее. В прямом обеспечении сегодня работает вся наша славная резидентура. Весь забой. Вся свора.

Все обеспечение координирует Навигатор лично. А в общем обеспечении работает посол Союза Советских Социалистических Республик и генеральный консул. Они, работающие в общем обеспечении, понятия не имеют о том, что происходит. Просто из Центрального Комитета (это называется «из инстанции») им шифровка: прикрыть, оградить, отмазать. Если ошибемся мы, прямое обеспечение, то общее обеспечение будет нас дымовой завесой прикрывать. Точно как осьминог уходит от врага, прикрываясь непроглядной завесой. Посол и генеральный консул будут кричать, шуметь, обвинять в клевете и провокациях австрийскую полицию, отрицать все что угодно. Они будут нагло смотреть в глаза, разыгрывая оскорбленную невинность. Они будут угрожать ухудшением дружеских отношений и концом разрядки. Они вспомнят, что Красная Армия бескорыстно освободила Австрию. Они вспомнят о жертвах войны и о преступлениях нацизма. У них работа такая. Они придуманы для того, чтобы прикрыть наш отход, если мы ошибемся.

Но мы пока не ошиблись. Пока все идет хорошо. Операция, которую мы проводим, требует усилий нескольких резидентур и всех добывающих офицеров в каждой из резидентур, вовлеченных в операцию: через Австрию идет танковый двигатель.

Он уже прошел несколько стран. Транзитом. Назначение — Турция. Якобы Австрия — последний трудный этап этого сложного пути. Дальше он пойдет в Венгрию, а дальше он резко изменит направление движения. Танковый двигатель весит полторы тонны. Наши варяги увели его в какой-то стране и переправили через границу под каким-то другим названием. Он путешествует уже давно, пересекая границы, каждый раз меняя свое название, точно как нелегал ГРУ меняет паспорта, пересекая границы.

Сейчас контейнер с танковым двигателем уже в Австрии. Тут он путешествует под названием «экспериментальная энергетическая установка для дренажных систем орошения». В странах Азии и Африки голод! Пропустите «экспериментальную энергетическую установку»! Пусть бедные страны решат проблему продовольствия!

Нервная работа. Тяжелая. Тот, кто не связан с транзитом тяжелых грузов через государственные границы, даже представить не может, сколько бюрократов вовлечено! А ГРУ должно быть уверено, что ни один из них не подозревает об истинном назначении «экспериментальной энергетической установки». А тот из них, кто вдруг догадался, должен немедленно получить мощный гонорар за догадливость и сделать вид, что не догадывается. Каждого из них ГРУ должно контролировать хотя бы издалека. Вот этим мы и занимаемся.

Кто-то из наших варягов сверлит дырку для ордена. Танковый двигатель. Новейший. Не для копирования, конечно. Но для изучения. Точно так же, как для американского конструктора гоночных машин был бы очень интересен новейший японский двигатель.

Черт побери, где же мне добыть что-то подобное? Интересных вещей множество. И добыть их иногда не очень трудно. Но служба информации покупает три-четыре одинаковых образца или документа в разных частях мира, и все. Больше не нужно. Давай новейшее, то, чего никто добыть не может. Иногда предлагаешь что-то потрясающе интересное, но ГРУ

отвечает отказом. Спасибо, но дипломатическая резидентура ГРУ в Тунисе работала быстрее. Спасибо,
у нас уже это есть.

ГРУ — это жестокая конкуренция. Выживают
сильнейшие.

4

Медленно струится время: тик, тик, тик. Ночь. А
у нас в забое всегда один цвет — голубой. Можно регу-
лировать яркость света. Но от этого не меняется цвет.
Все по-прежнему остается голубым. 2 часа 43 минуты. Нужно пройтись, разогнать сон. Обычно в помещениях резидентур нет никаких окон. У нас в Вене в
огромном сооружении их только три. Нужно из общего рабочего зала выйти в коридор, подняться по
лестнице, мимо фотодешифровочной лаборатории в
коридор «С» и оттуда вверх по лестнице. Сорок восемь ступеней. Вот тут у нас совсем небольшой ко-
ридорчик, который ведет к мощной двери антенного
центра. В этом-то коридорчике и есть три окна. Место это называется Невский проспект. Наверное, потому, что, насидевшись в глубинах наших казематов,
каждый норовит тут, на пятачке, покрутиться у сол-
нышка. Этот пятачок отделен от наших рабочих помещений десятками дверей, бетонными перекрытиями
и стенами. Тут не разрешено обсуждать секретные
вопросы. Тем не менее три окна защищены так, как
должны быть защищены окна помещений ГРУ. Снаружи они ничем не отличаются от других окон. Такие же решетки, как и везде. Но наши окна чуть
мутны. Поэтому снаружи очень трудно разглядеть то,

воинских званий, стать добывающим офицером — красивая, но неосуществимая мечта.

— Виктор Андреевич, кофе?

Это Боря, третий шифровальщик. Ему нечего делать. Главный приемник молчит, приемник агентурной радиосигнализации тоже молчит.

— Да, Боря. Пожалуйста.

Я собирался закончить описание подобранных мной площадок десантирования для работы Спецназа 6-й гвардейской танковой армии. По приказу ГРУ я подобрал три такие площадки. На случай войны. Но если Боря вышел из своего отсека, то завершить эту работу все равно не удастся.

— Сахар?

— Нет, Боря. Я всегда без сахара.

Боря поклоняется Венере. Все шифровальщики ГРУ и КГБ по всему миру поклоняются этой даме. Боря знает, что у меня много работы, и ходит вокруг, обдумывая, как отвлечь мое внимание от будущей войны и переключить его на обсуждение вопросов его религии.

— Виктор Андреевич!

— Чего тебе? — Я не отрываюсь от тетради.

— Дипкурьеры стишок новый принесли.

— Сексуальный, конечно?

— У дипкурьеров всегда только такие.

— Хрен с тобой, Боря. Давай свой стишок.

Боря кашляет. Боря прочищает горло. Боря в позе великого поэта:

> Я хожу по росе,
> Я в ней ноги мочу,
> Я такой же, как все:
> Я е... хочу!

— Это я, Боря, и до тебя слышал. Боря огорчается ненадолго:

— У нас в Ленинграде один страдатель был. Знатные стихи выдавал:

О, Ленинград!
О, город мой!
Все люди — б...
А я святой!

От него не отвяжешься. Да и портить отношения с ним опасно. Шифровальщики — более низкая каста, да зато ближе всех к Навигатору стоят, как верные холопы. В его поэзию мне никак углубляться не хочется, но и прерывать его неразумно. Лучше разговор в сторону повернуть:

— Ты в штабе Ленинградского округа служил?

— Нет, в восьмом отделе штаба 7-й армии.

— А потом?

— А потом прямо в Ватутинки.

— Ого!

Ватутинки — это совершенно секретный городок под Москвой. Главный приемный радиоцентр ГРУ. Там секретно все. Даже кладбище Ватутинки — рай. Но как настоящий рай, он имеет одно неудобство: нет выхода наружу. Тот, кто попал в Ватутинки, может быть уверен, что похоронят его именно на этом кладбище и нигде более. Некоторые из тех, кто попал в это райское место, бывают за рубежом. Но жизнь от этого разнообразнее не становится. Для всех шифровальщиков внутри посольства установлены четко ограниченные зоны. Для каждого своя. Для Бори это только шестнадцать комнат, включая комнату, в которой он живет, общий рабочий зал, кабинет Навигатора и его заместителей.

За пределы этой зоны он перемещаться не может. Это уголовное преступление. А за пределы посольства — тем более. В этой зоне Боря проживет два года, а затем его отвезут в Ватутинки. В зону. Боря не ездит. Его возят. Под конвоем. Боря счастливый.

Многих из тех, кто попал в Ватутинки, вообще никуда не возят. Но и они счастливцы в сравнении с теми тысячами шифровальщиков, которые служат в штабах округов, флотов, армий, флотилий. Для каждого из них Ватутинки — красивая, но неосуществимая мечта.

— Виктор Андреевич, расскажите, пожалуйста, про проституток. А то мне скоро в Ватутинки. Там ребята засмеют: был в Вене, а никаких рассказов не привез.

— Боря, я ничего не знаю о проститутках.— Голову даю на отрез, Боря не по приказу свыше меня провоцирует, ему просто послушать хочется. Любой шифровальщик, вернувшийся в Ватутинки, ценится только умением рассказывать истории на сексуальные темы. Все понимают, что у него была очень ограниченная зона для передвижения внутри посольства, иногда пять комнат. Все понимают, что его истории — выдумки, что ни один добывающий офицер не осмелится рассказать шифровальщику ничего из того, что он видит вокруг себя. И все же умелый рассказчик ценится в Ватутинках, как у народностей, не имеющих письменности, ценится сказочник. Вообще-то у цивилизованных народов то же самое наблюдается. Магазины Вены забиты фантастическими романами о приключениях на вымышленных планетах. Все цивилизованные люди понимают, что это выдумка, но чтут авторов этих вымыслов точно так же, как в Ватутинках чтут рассказчиков сексуальных историй.

— Виктор Андреевич, ну расскажите про проституток. Что, прямо так и стоят на улице? А одеты в чем? Виктор Андреевич, я знаю, что вы к ним близко не подходите, но как они издалека выглядят?

5

...Ощущаю острую нехватку воображения. А без него — труба. Тот, кто сам планирует свои ходы, всеми силами старается уйти в тень, выталкивая обеспечивающих под свет полицейских фонарей. На что уж полиция в Австрии добродушная, но и она иногда злиться начинает. Публично нас, конечно, не выгоняют: мы все-таки не в Великобритании, тем не менее потихоньку и из Австрии иногда выставляют. Без шума, без скандала. А уж если ты в Австрии не сумел работать, можно ли тебя в Голландию отправить, где полиция работает вполне серьезно, или в Канаду, где условия и перспективы теперь совсем не те, что были когда-то.

Каждый варяг в тени. Каждый борзой всему миру известен. Что ж, обмани ближнего, иначе дальний приблизится и обманет тебя. Варяги правильно делают, что нас под огонь подставляют, прикрываясь нашей нерасторопностью и неумением. Но я тоже стану варягом. Это я решил точно. Ночи спать не буду, а свой выход к секретам найду!

Без выхода к настоящим документам нет вербовки. Без вербовки нет жизни в ГРУ. Заклюют. Все, что нам в Академии преподавали, имело не менее 20 лет выдержки и использовалось на практике много раз. Нужны новые пути.

Для развития криминального воображения нас заставляли детективные романы читать. Но это скорее для развития критического отношения к действиям и решениям других. Авторы детективов профессиональные развлекатели публики, а не профессиональные добыватели секретов. Легко и свободно они главный вопрос обходят: как командир может поставить задачу на добывание нового оружия, если о нем ничего не известно? Вообще ничего. Если мир еще и не подозревает о том, что подобное оружие может существовать. А ведь ГРУ начало охоту за атомной бомбой в США, когда никто в мире не подозревал о возможности создания такого оружия и президент США еще по достоинству его не оценил.

Для развития воровского подхода в добывании возили нас в секретный отдел Музея криминалистики на Петровку. Московское УГРО, конечно, не знало, кто мы такие. В том музее множество секретных делегаций и из МВД, и из КГБ, и из народного контроля, и из комсомола, и еще черт знает откуда. Всем криминальное мышление развивать надо.

Интересный музей, ничего не скажешь. Больше всего мне машина понравилась, которая деньги делала. Ее студенты МВТУ сработали и грузинам за 10 000 рублей продали: нам настоящие деньги нужны, а фальшивую машину мы еще одну сделаем. Показали студенты, куда краску лить, куда бумагу вкладывать, куда спирт заливать. Делала машина великолепные хрустящие десятки, которые ни один эксперт от настоящих отличить не мог. Предупредили студенты грузин: не увлекайтесь — жадность фраера губит. Не перегревайте машину — рисунок расплывчатым станет. Уехали грузины в Грузию. Знай себе по вечерам денежки печатают. Но встала машина. Пришлось в шайку механика вербовать. Вскрыл механик ту машину, присвистнул. Обманули вас, говорит. Не может эта машина денег фальшивых делать. В нее сто настоящих десяток было вставлено. Крутнешь ручку — новенькая десятка и выскочит. Было их только сто. Все выскочили. Больше ничего не выскочит. Грузины в милицию. Студентов поймали — по три года тюрьмы за мошенничество. А грузинам — по десять. За попытку и решимость производить фальшивые деньги. Оно и правильно: студенты только грузин обманули, а грузины хотели рабоче-крестьянское государство обманывать.

Эх, везет же людям с такой роскошной фантазией. А что мне придумать?

ГЛАВА ДВЕНАДЦАТАЯ

1

Вербовка — сложное дело. Как охота на соболя. В глаз нужно бить, чтобы шкуру не испортить. Но настоящий охотник не считает трудностью попасть в соболиный глаз. Найти соболя в тайге — вот трудность.

ГРУ ищет людей, которые обладают тайнами. Таких людей немало. Но советник президента, ракетный конструктор, штабной генерал отделены от нас охраной, заборами, сторожевыми собаками, тайными привилегиями и огромными получками. Для ГРУ нужны носители секретов, которые живут одиноко, без телохранителей, нужны носители государственных секретов, которые не имеют радужных перспектив и огромных получек. Как найти таких людей? Как выделить их из сотен миллионов других, которые не имеют доступа к секретам? Не знаете? А я знаю! Теперь я знаю. У меня блестящая идея.

Но вот беда: к Навигатору на прием попасть невозможно. Уже много дней он сидит в своем кабинете, как в заключении, и никого не принимает. Младший лидер — злее пса. К нему подходить опасно — укусит. Младший лидер тоже почти все время в командирском кабинете проводит. А кроме них, там Петр Егорович Дунаец сидит. Официально он — вице-консул. Неофициально — полковник ГРУ, заместитель Навигатора. Теперь к этой компании присоединился еще и контр-адмирал Бондарь — заместитель начальника 1-го Управления ГРУ. Он в Вену прилетел как член какой-то делегации, не военной, а гражданской, конечно. В делегации его никогда не видели. У него более серьезные заботы.

Вся компания — генерал, адмирал и два полковника — очень редко из командирского кабинета появляется, как стахановцы, в забое сидят. Мировой рекорд добычи поставить решили?

Женя, пятый шифровальщик, носит им в кабинет и завтрак, и обед, и ужин. А потом подносы оттуда выносит. Все холодное, все нетронутое. А еще Женя оттуда выносит груды кофейных чашек и пирамиды окурков. Что там происходит, Женя, конечно, не знает. Все командирские шифровки обрабатывает только Александр Иванович — первый шифровальщик. Но у него рожа всегда каменная. Без эмоций.

Наверняка то, чем занимаются четверо в кабинете, именуется научным термином «локализация провала». Знать, крупный провал, глубокий. И нужно рубить нити, которые могут нащупать следователи. И потому в командирский кабинет вызывают по одному самых опытных варягов резидентуры, и после короткого инструктажа они исчезают на несколько дней. Что они делают, я не знаю. Мне этого не положено знать. Ясно, что нити рубят. А как рубят? Можно только догадаться. Дают агентам деньги и паспорта: уходи в Чили, уходи в Парагвай, денег на всю жизнь хватит. Это не всем, конечно, такая удача. Речь о безопасности ГРУ идет. Речь идет о том, останется ли могущественная организация, как всегда, в тени, или о ней начнут болтать все бульварные газеты, как о КГБ или CIA. Для ГРУ очень важно вновь увернуться в тень. Ставки в игре небывалые. И поэтому ГРУ рубит нити и другими способами. Кто-то сейчас с диким воплем под поезд падает в награду за долголетнюю верную службу. Каждому свое. Кто-то при купании утонул. Со всяким это может случиться. Но чаще всего автомобильные катастрофы происходят. ГРУ, как анаконда, никогда не убивает ради любви к убийству. ГРУ убивает только при крайней нужде. Но убивает неотвратимо и чисто. Нервная это работа. Вот почему к Младшему лидеру сейчас лучше не подходить. Укусит.

2

— Ты, Витя, на доброте своей сгоришь. Нельзя быть таким добрым. Человек имеет право быть добрым до определенного предела. А дальше: или всех грызи, или ляжь в грязи. Дарвин это правило даже научно обосновал. Выживает сильнейший. Говорят, что теория только для животного мира подходит. Правильно говорят. Да только ведь и мы все животные. Чем мы от них отличаемся? Мало чем. У остальных животных нет венерических болезней, а у людей есть. Что еще? Только улыбка. Человек улыбаться умеет. Но от ваших улыбок мир не становится добрее. Жизнь —

выживание. А выживание — это борьба, борьба за место под солнцем. Не расслабляйся, Витя, и не будь добрым — затопчут...

Давно за полночь. С берега Дуная тянет прохладой. Где-то далеко садится самолет. Дождь прошел. Но с каштанов еще падают тяжелые теплые капли. Младший лидер сидит напротив меня, горестно подперев щеку кулаком. Вообще-то он уже не Младший лидер. Это просто по привычке мы его так называем, да и то не все. Теперь он просто полковник ГРУ Мороз Николай Тарасович. Добывающий офицер, действующий под дипломатическим прикрытием. Это немного. Полковник ГРУ — это тоже не очень высоко. Полковники всякие в ГРУ бывают. Важно не звание, а успехи и положение. Добывающий полковник может быть просто борзым, как два военных атташе, которых эвакуировали одного за другим. Он может быть гордым и успешным варягом. Полковник может быть заместителем лидера или Младшим лидером. А в некоторых случаях и лидером небольшой дипломатической или нелегальной резидентуры. Сейчас полковник Николай Тарасович Мороз сведен с предпоследнего этажа на самый низ. Локализация провала завершена. Младшего лидера сместили. Троих борзых, что его всегда обеспечивали, эвакуировали в Москву. И все затихло. Со стороны изменений ведь не увидишь.

Кончилась власть полковника Мороза. На его место пока никого не прислали. Так что Навигатор правит нами лично и через заместителей. Нелегко ему без первого заместителя, но, откровенно говоря, и Навигатор не очень сейчас старается. Все как-то само собой идет.

Падение Младшего лидера каждый по-своему переносит. Каждый по-своему реагирует. Для офицеров «ТС», радиоконтроля, фотодешифровки, для охраны, для операторов систем защиты, связистов, шифровальщиков и всех остальных, не участвующих в добывании, он так и остался полубогом. Ведь он же по-прежнему добывающий офицер! Но среди нас, добывающих, к нему теперь по-разному относятся. Конечно, капитаны, майоры и подполковники не хамят ему. Он равен нам по положению, но тем не менее полковник.

Но вот среди полковников, особенно малоуспешных, кое-кто и посмеивается. Интересно мы устроены: те, кто больше других к нему в дружбу лез, те больше других сейчас над ним потешаются. Друзья в беде познаются. Николай Тарасович на шутки не обижается. Не огрызается. Пьет Николай Тарасович. Здорово пьет. Навигатор внимания не обращает. Пусть пьет.

Горе у человека. Сдается мне, что и сам Навигатор поддает. Боря, третий шифровальщик, говорит, что Навигатор с зеркалом пьет, закрывшись в кабинете. Без зеркала пить не хочет, считает, что пьянство в одиночку — серьезный вид пьянства. Не знаю, шутит Боря или правду говорит, но только месяца три назад не осмелился бы Боря ни шутить так, ни личные командирские тайны выдавать. Видать, ослабла рука Навигатора, нашего папочки, нашего командира. Ослабла рука Лукавого. Возможно, что Навигатор с бывшим Младшим лидером иногда и вдвоем напиваются. Но Лукавый умудряется это в секрете сохранить, а Николай Тарасович не прячется.

Сегодня вечером под проливным дождем бегу я к своей машине, а он, бедолага, мокрый весь, ключом в дверь своего длинного «ситроена» попасть не может.

— Николай Тарасович, садитесь ко мне, я вас домой отвезу!

— Как же я, Витя, тогда утром в посольство вернусь?

— А я за вами утром заскочу.

Поехали.

— Вить, айда выпьем?

Как не выпить? Отвез я его за Дунай. У меня тут места есть, мало каким разведкам известные. Да и цены умеренные. Пьем.

— Добрый ты, Витя. Нельзя так. Ты человека из беды выручаешь, а он тебя и сожрет. Говорят, что люди — звери. Я с этим, Витя, ну никак согласиться не могу. Люди хуже зверей. Люди жестоки, как голуби.

— Николай Тарасович, все еще на свои места встанет, не расстраивайтесь. Навигатор вас за брата считает, он вас поддержит. Да и в Аквариуме у вас связи могучие, и в нашем управлении, и на КП, и в информации...

— Это все, Витя, правильно... Да только... ш-ш-ш, секрет... Провал у меня... Жестокий... В Центральном Комитете разбирали... Тут связи в Аквариуме не помогут. Ты думаешь, почему я не в Союзе? Потому как странно будет: в одной стране процесс шпионский, а из соседней — дипломаты советские исчезают... Проныры журналисты мигом параллель проведут... А для политики разрядки это вроде как серпом по глотке. Это вроде признания нашей вины и заметания следов. Временно я в Вене. Немного уляжется, забудется, тогда и меня уберут. Эвакуируют.

— А если вы успеете особо важного вербануть?

Он на меня грустным взглядом смотрит. Мне немного за свои слова неудобно. Мы оба знаем, что чудес не бывает. Но что-то в моей речи нравится ему, и он грустно улыбается.

— Вот что, Суворов, я сегодня слишком много болтаю, хотя права у меня нет такого. Болтаю я, потому как пьян, а еще потому, что среди многих известных мне людей ты, наверное, меньше всех подлостью заражен. Слушай, Суворов, и запоминай. Сейчас в нашей своре полное расслабление с полудремотой, как после полового сношения. Это потому, что Навигатору по шее дали — еле удержался, да меня сбросили, да транзит нелегалов временно через Австрию прекращен, да поток добытой документации сейчас по другим каналам в Аквариум идет. И многим кажется, что делать ничего не надо. Все разленились, распустились без тяжелой руки папаши. Это ненадолго. Наша свора потеряла ценнейший источник информации, и Центральный Комитет скоро об этом напомнит. Лукавый на дыбы взовьется. С каждого спросит. Лукавый любого в бараний рог скрутить может. Он обязательно себе жертву выберет и на алтарь советской военной разведки положит. Чтоб никому неповадно было расслабляться. Будь, Виктор, начеку. Скоро Лукавому шифровку от Кира принесут. Лукавый страшен во гневе. Многим карьеры переломает. И правильно. Какого черта напоминаний ждете, как бараны в стаде? Виктор, работай сейчас. Завтра, может быть, уже поздно будет. Послушайся моего совета...

— Николай Тарасович, у меня идея есть неплохая, но я уже давно к Навигатору на прием попасть не могу. Может, завтра еще раз попробовать?

— Не советую, Витя. Не советую. Подожди. Скоро он всех по одному на львиную шкуру на великий суд вызывать будет, тогда и скажешь ему свою идею. Только мне ее не говори. Я ведь никто сейчас. Не имеешь права ты мне свои идеи говорить. А еще я ведь и украсть твою идею могу. Мне идеи сейчас позарез нужны. Не боишься?

— Не боюсь.

— Зря, Суворов, не боишься. Я такая же скотина, как и все остальные. А может быть, и хуже. Пойдем по бл... по лебедям?

— Поздно, Николай Тарасович.

— Самое время. Я тебе таких девочек покажу! Не бойся, пошли.

Вообще-то я не против на девочек посмотреть. И не боюсь я его. Он хоть и считает себя зверем и хотя рука его к убийству вполне привычна, он все же человек. Редкое исключение среди тысяч двуногих зверей, встречавшихся на моем пути. Я — зверь в большей степени, чем он. И инстинкт размножения во мне не слабее инстинкта самосохранения. Но он пьян, и с ним можно нарваться. А за этим следует эвакуация.

— Поздно уже.

Он понимает, что я не прочь на девочек посмотреть и в их обществе немного расслабиться, но сегодня не пойду. И он не возражает.

3

Люди делятся на капиталистов и социалистов. И тем и другим деньги нужны. Это их объединяет. А разъединяет их метод, которым они деньги добывают. Если капиталисту нужны деньги — он упорно работает. Если социалисту нужны деньги — он бросает работу да еще и других подстрекает делать то же самое.

У капиталистов и социалистов все ясно и логично. А я отношусь к черт знает какой категории. В нашем обществе все наоборот. Всем тоже деньги нужны. Но о деньгах неприлично говорить и преступно их делать. Не общество, а непонятно что. Если было бы у нас нормальное общество, я всенепременно стал бы социалистом. Я бы бастовал постоянно и на этом сколотил огромный капитал. Мне хочется сейчас думать о чем угодно: о капиталистах и социалистах, о светлом будущем планеты, когда все станут социалистами, когда все будут помнить только свои права, но не свои обязанности. И вообще мне сейчас хочется думать обо всем, кроме того, что ждет меня через несколько минут за броневой дверью командирского кабинета.

Свиреп Лукавый во гневе. Страшен он, особенно когда от Кира шифровку получит. Шифровку «из инстанции» Александр Иванович, первый шифровальщик, по приказу Лукавого всей своре зачитал. Суровая шифровка.

А после нее потянулись полковники по одному на львиную шкуру. Пред ясны очи. А за полковниками — подполковники. Быстро Лукавый резолюции выносит, точно как батько Махно приговоры. Скоро уже моя очередь... Страшно.

— Докладывай.
— Альпийский туризм.
— Альпийский туризм? — Навигатор медленно встает со своего кресла. — Ты сказал — альпийский

туризм? — Ему не сидится. Он быстро ходит из угла в угол, чему-то улыбаясь и глядя мимо меня.— Альпийский туризм. — Указательный палец правой руки коснулся его мощного лба и тут же наставлен на меня, как пистолет. — Я всегда знал, что у тебя золотая голова.

Он усаживается удобно в кресло, подперев щеку кулаком. Оранжевый отблеск лампы скользнул по его глазам, и я вдруг ощутил на себе подавляющую тяжесть его могучего интеллекта.

— Расскажи мне об альпийском туризме.

— Товарищ генерал, 6-й флот США контролирует Средиземное море. Понятно, что ГРУ смотрит за ним из Италии, из Вашингтона, из Греции, Турции, Сирии, Ливана, Египта, Ливии, Туниса, Алжира, Марокко, Испании, Франции, с Мальты, с Кипра, со спутников, с кораблей 5-й эскадры. На 6-й флот мы можем смотреть не со стороны, а изнутри. Наблюдательный пункт — Австрийские Альпы. Конечно, наш опыт будет перенесен в Швейцарию и другие страны, но мы будем первыми, 6-й флот золотое дно. Атомные авианосцы, новейшие самолеты, ракеты всех классов, подводные лодки, десантные корабли, а на них — танки, артиллерия и любое вооружение сухопутных войск. В 6-м флоте мы найдем все. Там ядерные заряды, атомные реакторы, электроника, электроника, электроника...

Он не перебивает меня.

— ...Служба в 6-м флоте — это возможность посмотреть на Европу: зачем лететь в США, если отпуск можно великолепно провести в Австрии, в Швейцарии, во Франции? После изнурительных месяцев под палящим солнцем флотский офицер попадает в снежные горы...

Его глаза блестят.

— Если бы ты родился в волчьей семье капиталистов, то тебе бы предпринимателем быть. Продолжай...

— Я предлагаю сменить тактику. Я предлагаю ловить мышь не в норе, а в момент, когда она из нее выйдет. Я предлагаю не проникать на особо секретные объекты и не охотиться за какой-то определенной мышью, а построить мышеловку. Небольшой отель в горах. Это нам не будет практически ничего стоить. 500 тысяч долларов, не более. Для выполнения плана мне нужно только одно: секретный агент, который долго работал в добывании, но сейчас потерял свои агентурные возможности. Мне нужен один из стариков, который втянут в наши дела совершенно и окончательно, которому вы верите. Я думаю, что у вас должны быть старики на агентурной консервации. Мы найдем небольшой горный отель на грани банкротства. Таких немало. В него мы вдохнем новую жизнь, введя нашего агента с деньгами в качестве компаньона. Этим мы спасем отель и поставим владельца на колени. Собрав предварительно данные об отелях, мы выберем тот, в котором американцы из 6-го флота останавливаются наиболее часто. Отель не место вербовки. А место изучения. Молниеносная вербовка после. В другом месте.

— Отель — пассивный путь. Кто-то заедет. Или нет. Долго ждать...

— Как рыбак, забросив удочки... надо знать, куда забрасывать и с какой наживкой.

337

— Хорошо. Приказываю тебе собрать материалы о небольших горных отелях, которые по разным причинам продаются... Продаются не от хорошей жизни.

— Товарищ генерал, я уже собрал такие сведения, вот они...

4

Я больше в обеспечении не работаю. Это видят в забое все. Каждый мою судьбу предсказать пытается. Надолго ли мне привилегии такие.

Судьбу предсказывать не очень трудно. Нужно на первого шифровальщика смотреть. Он все знает. Все тайны. Он барометр командирской милости и немилости.

А первый шифровальщик меня по отчеству называть начал: Виктор Андреевич. Вам шифровка, Виктор Андреевич. Доброе утро, Виктор Андреевич. Распишитесь тут, Виктор Андреевич.

Это катаклизм. С первым шифровальщиком такого никогда не случалось. Он не добывающий офицер, но он к персоне Навигатора ближе всех стоит. По званию он подполковник. Он по имени и отчеству только добывающих полковников называл, а подполковников, майоров, капитанов он никак не называл: вам шифровка! И не более. И вот на тебе: вспомнил имя мое и публично его произнес. Главный рабочий зал затих, когда он это впервые сказал. Лица удивленные в мою сторону повернулись. У Сережи, Двадцать Седьмого, аж челюсть отвисла.

В тот самый первый раз, когда это случилось, первый шифровальщик меня к Навигатору вызывал:

— Командир ждет вас, Виктор Андреевич.

Теперь к этому уже привыкли. Каждый гадает, где это я успел отличиться. Краем уха слышу я иногда обрывки разговора обо мне: китайского атташе вербанул! Слухи обо мне разные. Но кроме меня, о моих делах знают только Навигатор, первый шифровальщик и Николай Тарасович Мороз, бывший Младший лидер. Он уже не пьет. Над ним никто больше не шутит. Раньше, когда он был Младшим лидером, он говорил: «Приказываю!» Потом он ничего не говорил. Теперь, оставаясь просто добывающим офицером, он стал говорить: «Именем резидента приказываю!» В его голосе вновь зазвенели железные нотки повелевающей машины. Раз приказывает, значит, есть такие полномочия. Раз заговорил таким тоном, значит, чувствует силу за собой.

Титул Младшего лидера утерян, это важно, конечно, очень. Но более важно другое: Навигатор полковнику по-прежнему верит и опирается на него. Раньше Младший лидер своей властью всю свору в кулаке держал, теперь он делает то же самое, но только от командирского имени.

— Товарищ генерал, мне на завтра три человека в обеспечение нужны и в ночь с субботы на воскресенье пятеро.

— Бери.

— Кого?

— Согласуй с Николаем Тарасовичем. Кто не занят, тех и забирай.

— А если там полковники и подполковники?

— И их забирай.

— И командовать ими?

339

— И командуй. В день проведения операции разрешаю использовать формулу «Именем резидента».

— Спасибо, товарищ генерал.

С Николаем Тарасовичем мы в паре работаем. Как два аса под прикрытием целой эскадрильи.

Мы мышеловку в горах создаем. Большой бизнес разворачиваем. Я совсем не против того, что его к моей идее подключили, что меня ему полностью подчинили. У него опыт, у него агентура.

С разрешения Аквариума Навигатор снимает с агентурной консервации стариков и стягивает их в Австрию для проведения операции «Альпийский туризм». Отель не один куплен, а три. Это недорого для ГРУ.

Снятые с консервации старые добывающие агенты используются по-разному. Большинство из них вошло в состав агентурной группы с прямым каналом связи. Они прямо в Ватутинки сообщения передавать могут, не подвергая себя и нас риску. Несколько стариков работают под контролем Николая Тарасовича. Один подчинен непосредственно мне.

Раньше его звали 173-В-106-299. Теперь его зовут 173-В-41-299. Завербовали его в 1957 году в Ирландии. Пять лет он в добывании работал. Что он добывал, в его деле не сообщается. В деле только между строк можно прочитать о высокой активности и немалых успехах. После этого идет совершенно темная полоса в его биографии. В деле только говорится, что он в этот период состоял на прямой связи с Аквариумом, не подчиняясь венскому Навигатору ГРУ. Этот период оканчивается присвоением ему ордена Ленина, выдачей мощной премии, выводом в длительную консервацию с переводом под контроль нашей резидентуры.

За годы консервации с ним встреч не проводилось. Таких ребят именуют Миша, Дремлющий, Кот. Теперь он из спячки возвращен к активной работе. Теперь ему контрольные задания поставлены. Он думает, что работает, но это его просто проверяют. Не охладел ли? Не раскололся ли? Не перековался ли?

5

Навигатор меняет курс. Мы все это чувствуем. Он круто переложил руль и гонит наш корабль по бурным волнам. Он рискует. Он клонит корабль. Так можно и зачерпнуть бортом! Но у него крепкая рука.

Что-то меняется. Интенсивность обеспечения нарастает. В обеспечение всех! Операции другого рода пошли. Связаться с рекламными бюро! Собрать материалы на гидов и обслуживающий персонал отелей! Секретно. Ошибешься — тюрьма! Установить прямые контакты с рекламными бюро на средиземноморском побережье. Черт побери, что мы бизнесом туристским занялись?

Добывающие идут чередой в кабинеты заместителей Навигатора. Добывающие исчезают на несколько дней. Спрятать передатчик в горах! Вложить деньги в тайник. Больше денег! Заместители Навигатора проверяют выполнение заданий. Что, черт побери, происходит? Каждый раз за советом к Навигатору не побежишь. Навигатор занят. Никого не пускать! Где заместителю правильный ответ искать? К Николаю Тарасовичу Морозу, что ли, обратиться? Он теперь не Младший лидер, но, черт побери, все по-прежнему знает. Толпятся заместители в кабинете Николая Тарасовича. Ему кабинет вообще-то не положен. Он сейчас никто. Он просто добывающий. Но пока новый Младший лидер не прибыл...

Николай Тарасович — никто. Но лучше заместителю Навигатора к нему лишний раз забежать проконсультироваться, лучше выслушать его упреки, чем ошибиться. Ошибешься — Сибирь-матушка.

И опять обеспечение всех колесом закрутило. Днями и ночами. Без выходных. Без праздников. Без просветов.

— Николай Тарасович, некого в обеспечение ставить!

— А вы, Александр Александрович, подумайте.

Александр Александрович думает.

— Может, Витю Суворова?

— Нет. Его нельзя.

— Кого ж тогда? — Александр Александрович, заместитель Навигатора, только одного добывающего офицера в резерве имеет, и это Николай Тарасович Мороз. Александр Александрович вопросительно на Николая Тарасовича смотрит. Может, сам догадается в обеспечение попроситься? Некого ведь посылать. Всех разослали. Но Николай Тарасович молчит.

— Что ж, мне самому, что ли, в обеспечение идти? Я все-таки заместитель.

— А почему бы, Александр Александрович, и не сходить разок? Если посылать некого?

Александр Александрович еще думает. Наконец решение находит: я Виталия-Аэрофлота два раза в ночь погоню.

— Ну вот видишь, а говоришь — посылать некого.

Куда ты, Навигатор, гонишь нас? Можно ли так котлы перегревать? Не лопнули бы? Не лопнут! Тренированные. Из Спецназа. В обеспечение! Всех! Александр Александрович, в обеспечение! А твое обеспечение обеспечивает новый военный атташе. На зеленом «мерседесе».

Замотались. Закрутились. Ошибешься — тюрьма. На каждую операцию план написать. О каждой операции — отчет. Это чтобы следователям 9-го направления ГРУ легче виновных потом найти было.

В большом рабочем зале свет не тушат. Старший дежурный по забою сейчас не назначается: все равно полно офицеров добывающих в любое время суток в забое.

Слева от меня за рабочим столом Слава из торгпредства. Молоденький капитан совсем. Отчет пишет. Рукой от меня закрывает. Правильно, никому не положено чужих секретов знать. Откуда ему, Славе, знать, что это я ему операцию придумал. Что все ее детали мы с Навигатором и с Николаем Тарасовичем неделю назад всю ночь обсуждали. Откуда тебе, Слава, знать, что это ты меня обеспечивал. И когда ты на лесную просеку выходил, я тебя видел. Хорошо видел. А ты меня не видел. И не мог видеть. И не имел права видеть. Ну пиши, пиши.

6

У Виктора Андреевича голова болит. И глаза тоже. Виктор Андреевич в кабинете Николая Тарасовича сидит. Мы книги регистрационные проверяем. Много их. Из разных отелей. Из тех, что нам и не принадлежат. Но у нас копии регистрационных книг. Десятки отелей и десятки тысяч имен. Это уже история. Но тот, кто знает историю, может прогноз на будущее составить. Точный или неточный, это другой вопрос. Но нет возможности познать будущее, не познав настоящего и прошлого.

Тысячи отелей в Австрии. Миллионы туристов. Если обеспечивающие добудут больше регистрационных книг, можно будет и электронную машину использовать для расчета прогнозов. А пока это мы вручную делаем.

Группа японских туристов. Шестнадцать человек. Интересные люди? Может быть. Только у нас к ним никакого ключика нет. Не знаем мы, интересные они или неинтересные. Жаль. Но их мы сразу в число неинтересных зачисляем. Мы их просто пропускаем. Вдобавок японский турист никогда не возвращается на одно и то же место, точно как диверсант в Спецназе никогда назад не возвращается. Японский турист спешит осмотреть всю планету. Японского туриста мы пропускаем.

Английская пара из Лондона. Интересно? Не знаю. Пропускаем.

— Николай Тарасович, посмотрите, что я нашел!

Он смотрит. Он качает головой. Он цокает языком. Одинокий американец из маленького итальянского порта Гаета. Что это название сказало вам? Что это название может сказать любому? Что это название скажет офицеру КГБ? Совершенно ничего. Маленькая рыбачья деревушка. В ней почему-то оказался американец. Почему? Да кому это интересно? Любой, кто узнал бы, что в маленьком австрийском горном отеле остановился американец из Гаеты, не обратил бы на это ни малейшего внимания.

Но мы — военные разведчики. Каждый из нас начинал службу в информационной группе или отделе. Каждый из нас учил наизусть тысячи цифр и названий. Для каждого из нас Пирмазенс, Пенмарш, Обен, Холи-Лох, Вудбридж, Цвайбрюккен — звенят райской музыкой. Какое наслаждение слышать название Гаета! В этой деревушке базируется всего один военный корабль. На его борту — огромная цифра «10». Теперь вспомнили? Нет? Это американский крейсер «Олбани»! Это флагман 6-го флота. Это концентрация всех секретов и всех нитей управления. О моя деревянная голова! Почему идея о горных отелях не пришла тебе год назад? Совсем недавно в горном отеле отдыхал американец из небольшой итальянской деревушки. Он обязательно был связан с крейсером «Олбани». Мы не знаем, кто он. Но не может американец в этом забытом селении не знать других американцев с крейсера. Пусть он не капитан, не офицер и даже не матрос крейсера. Пусть он даже не военный. Может, он пастор, может быть, продавец порнографии. Но он имеет контакты с моряками крейсера, и это самое главное. Если бы наша мышеловка была поставлена год назад, то мы обязательно обрушились бы на бедного американца всей мощью нашей своры.

Массовый загон! Десятки шпионов против одной жертвы. Жертва чувствует, что акулы со всех сторон, что путей отхода нет. Иногда, когда осуществляется массовый загон всей сворой, стеной, македонской фалангой,— жертва не выдерживает и кончает самоубийством. Но чаще соглашается работать с нами. Если бы знали о нем, когда он появился в Австралии, на него обрушилась бы вся несокрушимая мощь ГРУ. А если бы Навигатор помощи попросил, то по приказу Аквариума на одну вербовку могли бы быть брошены силы нескольких резидентур. В таких случаях жертва кричит и мечется, всюду нарываясь на варягов и борзых. Он бы звонил в полицию. Что ж, своих ребят мы и в полицейскую форму иногда нарядить можем. Полиция спасла бы его и посоветовала или кончать с собой, или соглашаться на предложение ГРУ. Когда гонят одного целой ордой, несчастный может звонить во все мыслимые адреса, но везде получит один ответ. В угол его! В тупик! Углы всякие бывают: физические и нравственные, бывают финансовые тупики и пропасти безнадежности. А можно и просто в угол загнать. Голого человека в угол ванны. Голый среди одетых всегда ощущает непреодолимое чувство стыда и бессилия. Мы умеем загонять в угол! Мы умеем унижать и возвеличивать. Мы умеем заставить броситься в пропасть и умеем вовремя протянуть руку помощи.

— Замечтался?

— Замечтался, Николай Тарасович.

— Смотри, что я нашел.

Я читаю запись. Британская чета из небольшого городка Фаслейна — базы британских подводных лодок. Если пара живет в Фаслейне, то вероятность того, что она связана с лодками, очень велика. Может быть, он командир лодки, а может быть, простой охранник на базе. Может быть, он мусорщик на военной базе или вблизи нее, поставщик молока, владелец пивной. Может быть, он работает в библиотеке, или в столовой, или в госпитале. Любое из этих положений великолепно: они имеют контакты с экипажа-

346

ми, с ремонтными бригадами, со штабными офицерами. Если в Фаслейне есть проститутки, то смело можно утверждать, что и они с базой связаны. Да еще как! И через них можно добывать секреты, о которых, может быть, и капитаны лодок не знают.

Фаслейн слишком мал. Поэтому любой его обитатель как-то связан с базой.

Во Франции тоже база есть атомных подводных лодок. Но это Брест. Большой город. Совсем не каждый с лодками связан. Поэтому мы и выискиваем очень маленькие городки, в которых находятся военные объекты чрезвычайной важности. Тот же Фаслейн, например. Дипломатической резидентуре ГРУ в Лондоне очень неудобно своих ребят в Фаслейн посылать. В Великобритании ловят часто и выгоняют безжалостно. Не разгонишься. Да и появление постороннего в маленьком городке настораживает. Вот поэтому мы охотимся тут, в Австрии, на обитателей этих маленьких городков, название каждого из которых так сладко звучит в ушах военного разведчика.

Ночи напролет мы листаем регистрационные книги. Чем черт не шутит, решится кто-нибудь из этих людей второй раз в то же самое место вернуться? А если и нет, мы других найдем.

Регистрационные книги — это прошлое. Жаль, но его не вернешь. Но, листая книги о прошлом, мы ясно видим контуры наших будущих операций.

7

Командир серьезен. Командир строг.

— Приказом начальника ГШ назначен мой первый заместитель

Мы все молчим.

— Александр Иванович, зачитай шифровку.

Александр Иванович, первый шифровальщик, осматривает нас ничего не выражающим взглядом и опускает глаза на небольшой ярко-желтый плотный листок:

— «Совершенно секретно. Приказываю назначить первым заместителем командира дипломатической резидентуры ГРУ 173-В полковника Мороза Николая Тарасовича. Начальник Генерального штаба Маршал Советского Союза Огарков. Начальник ГРУ генерал армии Ивашутин».

Командир улыбается. Первый шифровальщик улыбается. Улыбается Николай Тарасович. Он снова Младший лидер. Улыбаюсь я. Улыбаются мои товарищи. Не все.

У нас, в ГРУ, а также во всей Советской Армии, в КГБ, во всем Советском Союзе возвышение после опалы — вещь редкая. Это вроде как из могилы назад вернуться: немногие возвращаются. Срыв означает падение. А падение — всегда на самое дно, на камушки.

Мы подходим к Младшему лидеру и по очереди поздравляем его. Ему больше не надо использовать формулу «Именем резидента», он теперь всемогущ и юридически. Он жмет руки всем. Но мне кажется, что он не совсем забыл, кто потешался над ним, когда падение началось. Не забыл. И те, кто потешался, тоже знают, что не забыл он. Вспомнит. Не сейчас, подождет. Все знают, что ожидание мести хуже самой мести. Младший лидер не спешит.

— Поздравляю вас, Николай Тарасович. — Это моя очередь подошла. Он жмет мне руку, смотрит в глаза. Он тихо говорит мне «спасибо».

Кроме нас, только лидер да первый шифровальщик понимают истинное значение этого «спасибо».
Месяц назад агент 173-В-41-299, ставший теперь со-
владельцем маленького отеля и подчиненный мне,
вызвал меня на экстренную встречу и сообщил о по-
стояльце из маленького бельгийского городка, название которого снится любому офицеру ГРУ. На
вербовку должен был выходить я — немедленно. Я
связался с Навигатором и отказался. Не могу, опыта
недостаточно. За эту вербовку я бы получил красную
звезду на грудь или серебряную на плечи. И опыта у
меня достаточно. Но... я отказался. Навигатор послал
Николая Тарасовича. Вот он сегодня и именинник.

— Спасибо, Витя. — Это Навигатор мне руку жмет.

Все вокруг смотрят на нас. Никто ничего не понимает. Отчего мне вдруг Навигатор руку жмет? За что
благодарит? Вроде не я сегодня именинник. А Навигатор мне руку на плечо положил, по спине хлопает —
будет и на твоей улице праздник. Не знаю почему, но я
глаза вниз опустил. Не жалко мне той вербовки, ничуть не жалко.

Пусть вам повезет, Николай Тарасович.

8

Болеют только ленивые. Неужели трудно раз в
месяц в лес выбраться и положить конец всем болез-
ням? Предотвратить все грядущие недуги? Я такое
время всегда нахожу, даже в периоды самого беспро-
светного обеспечения. А сейчас и подавно.

Я далеко в горах. Я знаю, что тут никого нет. Я
умею это проверять. Нет, ни тайники, ни встречи

меня не ждут. Муравьи. Большие рыжие лесные муравьи. Вот их царство, город-государство. На солнечной поляне, меж сосен. Я раздеваюсь и бросаюсь в муравейник, как в холодную воду. Их тысячи. Толпа. Муравьиный Шанхай. Побежали по рукам и ногам. Вот один больно укусил, и тут же вся муравьиная свора вцепилась в меня. Если посидеть подольше — съедят всего. Но если выдержать только минуту — лечение. Это как яд змеиный. Много — смерть. Немного — лекарство. Недаром змея символом медицины считается. Но я змеиным ядом не лечусь. Не знаю почему. Просто времени никогда не было. А на муравьев времени много не надо. Нашел огромный муравейник, да и прыгай в него!

Жидкость, выделяемая железами муравья, консервирует и сохраняет все что угодно. Укусит муравей гусеницу и в свое муравьиное хранилище тащит. От одного укуса мертвое тело не сгниет ни за год, ни за два. Так и будет лежать, как в холодильнике.

А с живым телом и подавно чудеса происходят. Ни морщин, ни желтизны на лице никогда не будет. Зубы все целые останутся. Мой дед в девяносто три года умер без морщин и почти со всеми зубами. Потерял только три — красные выбили. Сбежал он от них, а иначе все бы зубы потерял вместе с головой. Всю жизнь прожил, махновское свое прошлое скрыть ухитрился. Иначе меня никто бы в Красную Армию не взял. Да, наверное, мне и родиться не суждено было б.

Секретами муравьиными не один мой дед пользовался. Вся Русь. А до нее Византия. А еще раньше Египет. Муравей в Египте первым доктором почитался. Увидели египтяне много тысяч лет назад, как

Оффут. Наша агентура в туристическом бизнесе получила тоненькие листочки с названиями мест, где практически каждый житель должен быть связан с объектами экстраординарной важности. Но результатов пока нет. Попалась рыбка в сети, и все. Попалась одна рыбка, и я ее добровольно Младшему лидеру отдал. Ему важнее иметь успех сейчас.

А на мою долю не выпадает ничего.

Шифровки из Аквариума — с легким раздражением: почему Сорок Первого в обеспечение не ставите? Он же сам признался, что еще не готов работать самостоятельно?

10

У наших соседей, у Друзей Народа, то есть у КГБ, — большой праздник. Несколько лет назад с советского боевого корабля бежал офицер. За ним многие резидентуры КГБ охотились, но повезло венской дипломатической резидентуре. Она провела головокружительную провокацию. Заместитель резидента КГБ связался с американской разведкой и подбрасывал ей вполне правдоподобные секреты. А потом и в США бежать собрался. Но перед побегом попросил гарантий: хочу поговорить с беглым советским офицером, правда ли, что ему хорошо живется. Американская разведка прислала несчастного беглеца на встречу с КГБ. Потому в КГБ и праздник.

Что ж, Друзья Народа, успехов вам. Воровать людей вы здорово научились. Но почему вам не удалось украсть американские атомные секреты, отчего вы никогда не приносили советской промышленности ни чертежей французских противотанковых ракет, ни британских торпед, ни германских танковых двигателей? А?

— Виктор Андреевич, вам сигнал.

Чашку кофейную в сторону. Документы в портфель. Портфель — в сейф. Ключ — в малый сейф. Закрывающая комбинация сегодня сменена. Это помнить надо.

— Пошли!

Четвертый шифровальщик впереди. Я следом. По бетонной лестнице вниз. В «бункер». Он на кнопку сигнала жмет. Дверь щелкнула — можно открывать. Мы в небольшой бетонной комнате. Стены ее белые, шершавые. Хранят на века отпечатки поверхностей досок, из которых опалубка была выполнена, когда бункер строили. Двери закрыты. Любопытные телекамеры осматривают нас. Четвертый шифровальщик входную дверь плотно задраивает. Изнутри она на герметический люк подводной лодки похожа. Шифровальщик опускает руку под занавеску и набирает номер. Руку его я видеть не могу и не имею права. И не знаю, что он там своей рукой делает. Говорят, что, если ошибешься в наборе комбинации,— капкан руку прищемит. Не знаю, правда это или шифровальщики шутят. Добывающему офицеру не положено знать их тайн.

Внутренняя охрана бункера наконец убедилась, что мы — свои. Главная дверь плавно, без всяких щелчков, медленно уплывает в сторону. За дверью Петя, Спецназ: заходите. КГБ свою внутреннюю охрану из офицеров пограничных войск комплектует. А ГРУ — из офицеров диверсионных батальонов и бригад. Одним выстрелом двух зайцев ГРУ убивает.

И охрана надежная, и диверсантов иногда по стране на автобусе повозить можно: вот ваши площадки десантирования, тут тайники, тут укрытия, тут полицейские посты.

Дипломатическую резидентуру ГРУ в Вене охраняют диверсанты из 6-й гвардейской танковой армии. Это горная армия с особыми традициями. Она через Большой Хинган прорвалась на пути к Тихому океану. Она 800 километров без остановки прошла по местам, которые любыми теоретиками считались недоступными для танков. Теперь 6-я гвардейская танковая армия готовится к проведению молниеносного броска через Австрию по левому незащищенному берегу Рейна к Северному морю. В сравнении с Хинганом Австрийские Альпы, конечно, просто холмы. Но и их надо умело преодолевать. Вот поэтому в Вене только из этой армии диверсанты постоянно находятся. Им впереди идти. Им дорогу очищать своими острыми ножами.

— Здравствуйте, Виктор Андреевич. — Петя меня приветствует.

— Здравствуй, здравствуй, головорез. Обленился в бункере?

— Не обленился, а озверел, — смеется Петя. — Юбку женскую шесть месяцев уже не видел. Даже издалека.

— Крепись. На подводных лодках хуже бывает.

По коридору — вдоль стальных дверей. Коридор десятками тяжелых портьер завешан. Так что не скажешь, длинный он или нет. Может, за следующей занавеской коридор раздваивается или уходит в сторону. Нам этого знать не положено. Дверь комнаты сигнализаторов первая слева.

В комнате с низкими потолками тоже все в занавесках серых. Говорят, это на случай пожара. Может быть, и так. Но опять же, бываю я в этой комнате, а сколько в ней сигнализаторов стоит — понятия не имею.

В ожидании меня одна занавеска сдвинута. За ней серый ящик с аккуратной надписью «Передал 299-й. Принял 41-й». Шифровальщик вставляет свой ключ в скважину, поворачивает его и выходит из комнаты. Я вставляю свой ключ, поворачиваю его и открываю стальную дверку. За ней ряды маленьких зеленых лампочек. Одна — с номером 28 — горит.

Я нажимаю кнопку сброса. Сигнальная лампочка гаснет. Одновременно гаснет сигнальная лампочка над моим сигнализатором. Она говорит шифровальщику, что какой-то сигнал получен. Но он не имеет права знать, какой именно сигнал. Это знаю только я. Это сигнал «28». Но если бы шифровальщик и узнал, что я получил сигнал «28» от агента 173-В-41-299, как он может узнать, что означает сигнал «28»?

Сигнал «28» означает, что агент 173-В-41-299 вызывает меня на связь. «28» означает, что безличная встреча состоится в первую субботу после получения сигнала. Время между 4.30 и 4.45 утра. Место — Аттерзее, район Зальцбурга.

299-й имеет целую систему сигналов и может вызывать нас на личную или безличную связь в любой момент. Каждый вариант связи разработан до мельчайших деталей, и каждый вариант имеет свой номер. Под номером «28» кроется целый план с вариантами и запасными комбинациями.

Неуязвимость ГРУ обеспечивается прежде всего тем, что количество встреч с ценной агентурой сводится к минимуму и, если возможно, — к нулю. Я работаю десять месяцев с 299-м агентом, но никогда не видел его и не увижу. Безличные встречи с ним проводятся по два-три раза в месяц, но за двадцать один год работы с ГРУ он имел только шесть личных встреч и видел в лицо только двух офицеров ГРУ. Это правильная тактика. Отсутствие личных встреч защищает нашу агентуру от наших же ошибок, а наших офицеров от скандальных провалов и сенсационных фотографий на первых полосах.

При безличной встрече офицер ГРУ и его агент могут находиться в десятках километров один от другого. Каждый не знает, где находится его собеседник. Для передачи сообщения или для обмена сообщениями мы не используем радио или телефон. Мы используем водопроводные или канализационные трубы. Иногда два телефонных аппарата могут быть подключены к металлическому забору или к ограде из колючей проволоки. Эти «участки связи» заранее подбираются и проверяются обеспечивающими офицерами.

Но чаще всего для связи с ценными агентами ГРУ использует воду. Пусть полиция прослушивает эфир. Вода — лучший проводник сигналов и гораздо менее контролируемый. Когда полиция начнет контролировать все водоемы, все реки, озера, моря и океаны, тогда мы перейдем на другие способы агентурной связи. Институт связи ГРУ что-нибудь к тому времени придумает.

11

Капли росы на сапогах. Я бреду по высокой мокрой траве к озеру. Березы да ели вокруг. Клинья еловых вершин сплошным частоколом вокруг воды стоят. Стенкой. Тишина звенящая. На сучок не наступить. Зачем шум? Шум оскорбляет эту чистую воду, эту хрустальную прозрачность неба и розовые вершины гор. Тут всегда будет тишина. И когда сюда придет Спецназ, грохот солдатского сапога не нарушит тишины: мягкая обувь диверсанта не стучит, как кованый сапог пехотинца. Потом тут пройдет 6-я гвардейская танковая армия. Это будет грохот и рев. Но совсем ненадолго. Вновь воцарится звенящая тишина, и маленький уютный концлагерь на берегу озера ее не нарушит. Может, я буду начальником лагеря, а может быть, обыкновенным зеком вместе с местными социалистами и борцами за мир. Так всегда было: кто Красную Армию первым приветствует или с ней о мире договориться желает — первым под ее ударами падает.

Земля зарей объята. Земля восторженно приветствует восход светила. Жизнь ликует. Жизнь торжествует, готовясь встретить брызжущий водопад света, который обрушится из-за вершин гор. Вот сейчас, вот еще немного. Оглушительный щебет загремит гимном, приветствуя свет. А сейчас еще тишина. Еще не засверкали капли бриллиантами, еще не потекло червонное золото по склонам гор, еще не принес легкий ветер аромат диких цветов. Природа утихла в самое последнее мгновение перед взрывом восторга, радости и жизни.

Кто любуется этим? Один я. Витя-шпион. А еще мой агент под 299-м номером. Он пробирается к озеру совсем с другой стороны. Интересно, понимает ли он поэзию природы? Может ли он часами вслушиваться в ее шорохи? Понимает ли он, что сейчас мы с ним вдвоем ведем подготовку к строительству маленького концлагеря на отлогом берегу? Понимает ли этот старый дурак, что и я, и он можем стать обитателями этого самого живописного в мире лагерька? Соображает ли он, что те, кто очень близко у жерла мясорубки работает, попадают в нее чаще обычных смертных? Думает ли он своей деревянной головой, что волей случая его лагерный номер может быть очень похож на его агентурный индекс? Ни черта он не думает. Мне деваться некуда, я родился и вырос в этой системе. И от нее не убежишь. А он добровольно нам помогает, собака. Если меня не поставят коммунисты к стенке, не сожгут в крематории и не утопят в переполненной барже, а поставят концлагерем командовать, то таким добровольным помощникам я особый сектор отгорожу и кормить их не буду. Пусть по очереди друг друга пожирают. Как крысы в железной бочке сжирают самую слабую первой, чуть более сильную второй... Пусть каждый день они выясняют, кто из них самый слабый. Пусть каждый заснуть боится, чтобы его сонного не удушили и не съели. Вот, может, тогда поймут они, что нет на земле гармонии и быть не может. Что каждый сам себя защищать обязан. Эх, черт. Поставили бы меня начальником лагеря!

Время.

Я забрасываю удочку в озеро. Моя удочка на обычные очень похожа. Разница только в том, что из ручки можно вытянуть небольшой проводок и присоединить его к часам. Часы, в свою очередь, соединены кабелем с маленькой серой коробочкой. От часов кабель идет по рукаву и опускается во внутренний карман. Циферблат моих слегка необычных часов засветился, а через минуту погас. Это значит, передача принята и записана на тонкую проволоку моего магнитофона. Волны, несущие сообщения, не распространяются в эфире. Наши сигналы распространяются только в пределах озера и за его берега не выходят. Заблаговременно сообщения записываются на магнитофон и передаются на предельной скорости. Перехватить агентурное сообщение очень трудно, даже если знаешь заранее время и место передачи и частоты. Без такого знания — перехватить передачу невозможно.

Я делаю вид, что завожу свои часы. Циферблат чуть засветился и погас: ответное сообщение передано. Пора и удочки сматывать.

ГЛАВА ТРИНАДЦАТАЯ

1

— Товарищ генерал, я имел связь через воду с 299-м. Он сообщает, что в ближайшие месяцы в его отеле вряд ли будут клиенты из интересующих нас мест.

— Плохо.

— Но 299-й не даром хлеб ест. Он установил дружеские отношения с владельцами соседних отелей и иногда под разными предлогами имеет возможность просматривать записи о предварительных заявках.

— Ты думаешь, это не опасно? — Командир знает, что это не опасно, но он обязан задать мне этот вопрос.

— Нет, товарищ генерал, не опасно, 299-й хитер и опытен. Так вот, он сообщает, что в соседнем отеле, — я придвигаю к себе лист бумаги и пишу название отеля. Я не имею права называть дат, адресов, названий или имен. Даже в защищенных комнатах мы должны писать это на бумаге, иногда при этом произнося совершенно не относящиеся к делу даты, названия и имена, — в соседнем отеле зарезервировано место для человека. — Я пишу имя на бумаге. — Он работает в Испании. В городе...

Я положил перед собой лист бумаги и торжествующе начертал огромными буквами название РОТА.

Он смотрит на меня, не желая верить. И тогда я на листе вновь пишу это короткое очаровательное название, которое каждому разведчику снится ночами, которое звучит хрустальным звоном для каждого из нас,— РОТА.

Он смеется, я смеюсь. В мире сотни мест, которые очень интересны для нас, любое из них — находка, любое — улыбка фортуны для разведчика. Мне выпало настоящее счастье — РОТА!

— Тебя проверить? — смеется он. Это шутка, конечно. Ибо нельзя быть офицером ГРУ, не зная характеристики этой базы. При слове «РОТА» в мозгу каждого офицера ГРУ, как в электронной машине, отражаются короткие фразы и четкие цифры: площадь акватории 25 квадратных километров; гавань защищена волноломом — 1500 метров, три пирса — 350 метров каждый, глубина у пирсов 12 метров, склад боеприпасов — 8000 тонн, хранилище нефтепродуктов — 300 000 тонн; аэродром, взлетная полоса одна — 4000 метров. А то, что тут базируются американские атомные ракетные подводные лодки, — это все знают.

Навигатор ходит по кабинету. Навигатор трет руки.
— Пиши запрос.
— Есть!

2

Человек из маленького испанского местечка Рота. Об этом человеке я не знаю ничего. Еще даже неясно: ты американец или испанец. Но я заполняю «Запрос». Завтра этот запрос пропустят через большой компьютер ГРУ. Большой компьютер сообщит все, что он знает о тебе.

Большой компьютер ГРУ создан творческим гением американских инженеров и продан Советскому Союзу близорукими американскими политиками. За большой компьютер Америка получила миллионы, потеряла миллиарды. Большой компьютер знает всех. Он очень умный. Он поглощает колоссальное количество данных о населении Земли. Он прожорлив. Он заглатывает телефонные книги, списки выпускников университетов, списки сотрудников астрономического количества фирм. Он ненасытен. Он поглощает миллионы газетных объявлений о рождениях и смертях. Но он питается не только этой макулатурой. Ему доступны секретные документы, и притом в огромных количествах. Каждый из нас заботится о том, чтобы этот прожорливый американский ребенок не голодал.

Может быть, информация о человеке из Роты будет совсем отрывочной и недостаточной. Может быть, большой компьютер сообщит нам дату рождения, может быть, дату, когда это имя впервые появилось в секретном телефонном справочнике, может быть, название банка, в котором этот человек держит деньги. Но и этих отрывочных данных вполне достаточно, чтобы немедленно командный пункт ГРУ направил несколько шифровок в места, где возможно добыть что-то еще. Какие-то борзые, может быть, найдут твоих родителей, твоих школьных друзей, твой родной город, твою фотографию. И когда я встречу тебя в небольшом отеле на берегу горного озера, я буду знать о тебе больше, чем ты думаешь. Дорогой друг, до скорой встречи. Кстати, для удобства тебе уже присвоен номер 713. А если не сокращать— 173-B-41-713. Чтобы все, кому положено, сразу знали, что работает с тобой Сорок Первый офицер добывания венской дипломатической резидентуры ГРУ.

3

Время летит, как стучащий экспресс, оглушая и упругим потоком отбрасывая от насыпи. Снова день и ночь смешались в черно-белом водовороте: транзит из Ливана, прием на связь людей, завербованных в Южной Африке, тайниковая связь с каким-то призрачным «другом», завербованным неизвестно кем, обеспечение нелегалов и опять транзит в Ирландию. И командир и Младший лидер запрещают меня отвлекать по пустякам. Но слишком часто идет обеспечение особой важности, то есть обеспечение нелегалов или массовое обеспечение, когда в прикрытии работают все, включая и заместителей резидента. И никому нет поблажек. В обеспечении все! Где людей взять? Дважды в ночь пойдешь! Прием транзита из Франции. Прием транзита из Гондураса. Понимать надо!

И вдруг колесо остановилось. Я листаю свою рабочую тетрадь, исписанную вдоль и поперек, и вдруг внезапно открываю совершенно белую страницу. На ней только одна запись: «Работа с 713-м». И этот белый лист означает сегодняшний день. День, когда я сижу в своем кресле, а в моей голове галопом несутся встречи, тайниковые операции, безличная связь.

Я долго смотрю на короткую фразу, затем поднимаю белую телефонную трубку и, не набирая никаких цифр, спрашиваю:

— Товарищ генерал, вы не могли бы принять меня?

— До завтра подождет?

— Я уже несколько дней пытаюсь попасть к вам на прием, — это я вру, зная, что сейчас у него нет времени проверять, — но сегодня последний день.

— Как последний?

— Даже не последний, товарищ генерал, а первый.

— Ах ты, черт. Слушай, я сейчас не могу. Через тридцать минут зайдешь ко мне. Если кто-то будет в приемной, пошли на хрен от моего имени. Понял?

— Понял.

Я доложил ему маршрут следования, приемы и уловки, которыми я намеревался сбить полицию со следа. Я доложил все, что мне теперь известно о нем,— человеке из Роты.

— Ну что ж, неплохо. Желаю удачи.

Он встал. Улыбнулся мне. И пожал руку. За четыре года третий раз.

4

Дороги забиты туристами. Я тороплюсь. Я рассчитываю попасть в гостиницу к вечеру, чтобы и этот вечер использовать для выполнения задачи. Пять часов я гоню по большой дороге. Иногда приходится подолгу стоять, когда образовываются гигантские пробки на дорогах, но как только путь освобождается, я снова гоню свою машину, не жалея ни мотора, ни шин, обгоняя всех. Когда солнце стало склоняться к западу, я сошел с большой дороги на узкую и, не снижая скорости, погнал по ней. Из-за поворота — белый «мерседес». Тормоза надрывно визжат. Над ним облако пыли: его на обочину вынесло. Водитель меня по глазам фарами своими хлещет и зычным ревом сигнала — по ушам моим. Женщина на заднем сиденье «мерседеса» пальцем у виска крутит, внушает мне, что я ненормальный. Зря стараетесь, мадам, я это знаю и без вас. Я чуть педали тормоза коснулся на повороте, отчего тормоза взвыли, протестуя, унося мою машину на встречную полосу, тут же я тормоза отпускаю, а педаль газа в пол жму, до упора, пока нога не упрется. Голову на отрез — моего номера запомнить они не могли и рассмотреть даже времени не имели. Я уж за поворотом. Я руль ухватил и не отпущу его. Если в пропасть лететь — так и тогда не отпущу. А машина моя ревет. Не нравятся машине повадки мои. На первом же перекрестке я ухожу на совсем узкую дорогу в темном лесу. По ней, по этой дороге, я долго вверх карабкаюсь, а потом вниз, вниз, в горную долину. Более широкой дорога стала. По ней и пойду. Картой не пользуюсь. Местность эту я хорошо представляю да по багровому солнцу ориентируюсь. А оно уж своим раскаленным краем поросшей лесом скалистой гряды коснулось.

В гостиницу я попал, когда уж совсем стемнело. Гостиница та — на берегу лесного озера у отлогого горного ската. Зимой тут, наверное, все пестрит яркими лыжными костюмами. А сейчас, летом, — тишина, покой. С гор прохладой тянет, а над некошеным лугом кто-то раскинул упругую перину белого тумана. А мне некогда на красоты любоваться. Я в номер. На второй этаж. А ключ в дверь не попадает. Я сам себя успокаиваю. Дверь открываю. Чемодан в угол бросаю и — в душ. Грязный я совсем. Целый день за рулем.

Вот уж и чистенький. Полотенцем по коже сильнее, сильнее. Костюм свеженький на себя, глаженый.

Платок яркий — на шею. А теперь в зеркало. Нет, так, конечно, не пойдет. Глаза свинцовые, губы сжаты. На лице беззаботное счастье светиться должно. Вот так. Так-то лучше. А теперь вниз. Да не спеша. Смотрят люди на меня, и никто не подумает, что сегодня в моей очень трудной жизни, лишенной выходных и праздников, — один из наиболее утомительных дней. И не думайте, что мой рабочий день уже кончился, нет, он продолжается.

А в зале музыка грохочет. А в зале по темным стенам яркие огни мечутся, по потолку тоже и по лицам счастливых людей, распыляющих уйму энергии в угоду своему наслаждению. В бурном водовороте звуков вдруг яростно доминирует труба, заглушая все своим ревом, и ритм торжествует над толпой, подчиняя себе каждого. И по властному велению ритма звенит хрусталь, вторя пьянящему шуму танцующей толпы.

Моя рука чувствует режущий холод запотевшего хрусталя, я поднимаю перед собой сверкающий, искрящийся сосуд, наполненный обжигающей влагой, и в то же мгновение в нем отражается весь бушующий ураган звука и цвета. Улыбаясь брызжущему огню и закрывая им лицо, я медленно обвожу зал глазами, стараясь не выдать своего напряжения. Вот уголком глаза я увидел того, кто в зеленой блестящей папке числится под номером 713. Я видел его только раз, только на маленькой фотографии. Но я узнаю его. Это он. Я медленно подношу бокал к губам, гашу улыбку, пригубливаю спиртное и так же медленно поворачиваю лицо. Вот он медленно поднимает глаза на меня. Вот наши взгляды встретились. Я изображаю радостное удивление на лице и салютую широким приветственным жестом. Он изумленно оборачивается, но сзади — никого. Он вновь смотрит на меня с неким вопросом: ты это кому? «Тебе! — молча отвечаю я. — Кому же еще?» Расталкивая танцующих, с бокалом в руке, я пробиваюсь к нему.

— Здравствуй! Никогда не думал тебя встретить тут! Ты помнишь тот великолепный вечер в Ванкувере?

— Я никогда не был в Канаде.

— Извините, — смущенно говорю я, всматриваюсь в его лицо. — Тут так мало света, а вы так похожи на моего знакомого... Извините, пожалуйста...

Я вновь пробился к бару. Минут двадцать я наблюдаю за танцующими.

Я стараюсь уловить наиболее характерные движения: в моей жизни никогда не было времени для танцев. Когда приятное тепло разливается по всему телу, я вступаю в круг танцующих, и толпа радушно расступилась, открывая ворота в королевство веселья и счастья.

Танцую я долго и исступленно. Постепенно мои движения приобретают необходимую гибкость и вольность. А может, это только мне кажется. Во всяком случае, на меня никто не обращает внимания. Веселая толпа принимает в свои ряды всех и прощает всем.

Когда он ушел, я не знаю. Я уходил поздней ночью в числе самых последних...

5

Звонок будильника разбудил меня рано утром. Я долго лежу, уткнувшись лицом в подушку. Меня мучает хроническая нехватка сна. И пять часов никак не могут компенсировать многомесячного недосыпа.

Потом я заставляю себя резко вскочить. Пятнадцать минут я мучаю себя гимнастикой, а потом душ жгуче холодный, беспощадно горячий, снова холодный и снова нестерпимо горячий. Тот, кто так делает регулярно, выглядит на пятнадцать лет моложе своего возраста. Но не это мне важно. Я должен выглядеть бодрым и веселым, каким подобает быть праздному бездельнику.

Вниз я спускаюсь самым первым и погружаюсь в утренние газеты, изображая равнодушие.

Вот к завтраку спустилась пожилая чета. Вот прошла женщина неопределенного возраста, неопределенной национальности со вздорной, не в меру агрессивной собачкой. Вот группа улыбающихся японцев, обвешанных фотоаппаратами. А вот и он. Я улыбнулся и кивнул. Он узнал меня и кивнул...

После завтрака я иду в свой номер. Уборка еще не началась. Я вешаю на двери табличку «Не беспокоить», запираю дверь на ключ, опускаю жалюзи на окнах и, оказавшись в темноте, с удовольствием вытягиваюсь на кровати. О таком дне, когда никуда не надо спешить, я мечтал давно. Я пытаюсь вспомнить все детали вчерашнего дня, но из этого получается только блаженная улыбка на лице. С этой улыбкой я, наверное, и засыпаю.

Вечером я исступленно танцую в толпе. Он все на том же месте, что и вчера. Один. Увидев его, я улыбаюсь. Я подмигиваю и жестом приглашаю в толпу безумствующих. Он улыбается и отрицательно качает головой.

Следующим утром я первым спустился в холл. Он был второй.

— Доброе утро, — говорю я, протягиваю свежие газеты.

— Доброе утро, — улыбается он.

На первых страницах всех газет президент Уганды Амин Дада. Мы перебросились фразами и пошли завтракать.

Самое главное сейчас — не испугать его. Можно, конечно, быка взять за рога, но у меня есть несколько дней, и потому я использую «плавный контакт». Многое об этом человеке нам неизвестно. Но даже наблюдение в течение нескольких дней дает очень много полезной информации: он один, на женщин не бросается, деньгами не сорит, но и не жалеет каждый доллар, весел. Последний факт очень важен — хуже всего вербовать угрюмого. Не напивается, но пьет регулярно. Книг читает много. Последние известия смотрит и слушает. Юмор понимает и ценит. Одевается аккуратно, но без роскоши. Никаких ювелирных украшений не носит. Волосы на голове не всегда гладко причесаны — уже этого достаточно для того, чтобы что-то знать о внутреннем мире человека. Часто челюсти сжаты — это верный признак внутренней подтянутости, собранности и воли. Такого трудно вербовать, зато потом легко с таким работать. Очень долго украдкой я наблюдаю за выражением его лица. Особенно мне нужны все детали о его глазах: глаза расположены широко, веки не нависают, небольшие мешки под глазами. Зрачки с одного положения на другое переходят очень медленно и задерживаются в одном положении долго. Веки опускает медленно и так же медленно их поднимает. Взгляд долгий, но не всегда внимательный. Чаще взгляд отсутствующий, чем изучающий. При изучении человека особое внимание уделяется мышцам рта в разных ситуациях: в улыбке, в гневе, в раздражении, в расслаблении. Но и улыбка бывает снисходительной, презрительной, брезгливой, счастливой, иронической, саркастической, бывает улыбка победителя и улыбка проигравшего, улыбка попавшего в неловкое положение или улыбка угрожающая, близкая к оскалу. И во всех этих ситуациях принимают участие мышцы лица. Работа этих мышц — зеркало души. И детали эти гораздо более важны, чем знание его финансовых и служебных затруднений, хотя и это неплохо знать.

Ночью я бросаю в машину рюкзак, длинные сапоги, удочки и еду на дальнее озеро ловить рыбу. На рассвете из камышей появляется Младший лидер. Он садится рядом со мной и забрасывает удочку в воду. Кругом никого. Вода теплая к рассвету, парит слегка. Розовая от восхода, солнца еще не видно.

Заместитель командира рыбалку терпеть не может. Особенно его раздражает то, что находятся на свете люди, которые добровольно руками берут червяков. Он к ним притронуться боится, если бы приказали — другое дело. Но тут старшим был он. Нужды брать их в руки не было, и потому он забрасывает удочки с пустым крючком. Он очень устал. Глаза у него совсем красные, а лицо серое. Ради короткой встречи со мной он явно всю ночь провел за рулем. А у него множество своих ответственных дел. Он неудержимо зевает, слушая меня. Правда, в конце рассказа он зевать перестал, слегка даже заулыбался.

— Все хорошо, Виктор.

— Вы думаете, можно вербовать?

Третий раз в жизни я удостоился взгляда, который усталый учитель дарит на редкость бестолковому ученику. Учитель трет свои красные от недосыпа глаза.

— Слушай, Суворов, ты чего-то не понимаешь. В таком деле ты просто не имеешь права спрашивать разрешения. Если ты спросишь, я тебе дам отказ. Когда-нибудь ты станешь Младшим лидером и даже Навигатором, но запомни: и тогда ты не должен никого спрашивать. Ты пошлешь запрос в Аквариум, а ответ по техническим причинам обязательно опоздает. Я могу знать очень многое о твоем человеке, но я не могу его чувствовать. Ты разговариваешь с ним, и только твоя собственная интуиция может тут помочь. В этой ситуации ни я, ни Навигатор, ни Аквариум брать на себя ответственность не желаем. Если ты человека не завербуешь, это твоя ошибка, которую тебе не скоро простят. Если ты ошибешься и тебя арестуют на вербовке, тебе и этого не простят. Все зависит только от тебя. Хочешь вербовать — это твой будет орден, это тебя будут хвалить, это твой успех и твоя карьера. Мы тебя все тогда поддержим. Запомни, что Аквариум всегда прав. Запомни, что Аквариум всегда на стороне тех, у кого успех.

Если ты будешь нарушать правила и провалишься — попадешь под трибунал ГРУ. Если будешь действовать точно по правилам, но провалишься — опять ты же и будешь виноват: догматично использовал устав. Но если ты будешь иметь успех, то тебя поддержат все и простят все, включая нарушение самых главных наших правил. «Творчески и гибко использовал устав, отметая устаревшие и отжившие правила». Уверен в успехе — иди и вербуй. Не уверен — откажись сейчас. Я другого пошлю, о такой возможности любой разведчик мечтает. Дело твое.

— Я буду вербовать.

— Это другой разговор. И запомни: ни я, ни Навигатор, ни Аквариум твоих намерений не одобряем. Мы просто их не знаем. Ошибешься — мы скажем, что ты глупый мальчишка, который превысил свои полномочия, за что тебя нужно выгнать на космодром Плесецк.

— Я понимаю.

— Тогда желаю успеха.

Чтобы быть похожим на рыбака, он взял несколько пойманных мной рыбешек и скрылся в камышах.

6

Вечером мы пьем с 713-м. Он и не подозревает о том, что у него давно есть номер, что большой компьютер уделил ему особое внимание, что вокруг горного отеля собраны немалые силы ГРУ, что из Аквариума прибыл один из ведущих психологов ГРУ полковник Стрешнев, который проводил анализ короткого фильма, снятого мной. 713-й не знает, что работу его лицевых мышц анализировали, может быть, самые успешные психиатры тайного мира разведки.

Мы пьем и смеемся. Мы говорим обо всем. Я начинаю говорить о погоде, о деньгах, о женщинах, об успехе, о власти, о сохранении мира и предотвращении мировой ядерной катастрофы. Должна быть какая-то тема, которую он поддержит и начнет говорить. Главное, чтобы он говорил больше меня. Для этого нужен ключик. Для этого нужна тема, которая его интересует. Мы снова пьем и снова смеемся. Ключик найден. Его интересуют акулы. Смотрел ли я фильм «Челюсти»? Нет, еще не смотрел. Ах, какой фильм! Акулья пасть появляется, когда зал, полный зрителей, ее не ждет. Какой эффект! Мы снова смеемся. Он рассказывает мне о повадках акул. Удивительные существа... Мы снова смеемся. Он старается угадать, какой я национальности. Грек? Югослав? Смесь чеха и итальянца? Смесь турка с немцем? Да нет же, я русский. Мы оба хохочем. Что же ты тут, русский, делаешь? Я — шпион! Ты хочешь меня завербовать? Да! Мы хохочем до упаду.

Потом он вдруг перестает смеяться.

— Ты правда русский?

— Правда.

— Ты шпион?

— Шпион.

— Ты пришел вербовать меня?

— Тебя.

— Ты все обо мне знаешь?

— Не все. Но кое-что.

Он долго молчит.

— Наша встреча заснята на пленку, и ты будешь теперь меня шантажировать?

— Наша встреча заснята на пленку, но шантажировать я не буду. Может быть, это не совпадает со шпионскими романами, но шантаж никогда не давал положительных результатов и потому не используется. По крайней мере моей службой.

— Твоя служба — КГБ?

— Нет. ГРУ.

— Никогда не слышал.

— Тем лучше.

— Слушай, русский. Я давал клятву не передавать никаких секретов иностранным державам.

— Никаких секретов никому передавать не надо.

— Чего же ты от меня хочешь? — Он явно никогда не встречал живого шпиона, и ему просто очень интересно со мной поговорить.

— Ты напишешь книгу.

— Про что?

— Про подводные лодки на базе Рота.

— Ты знаешь, что я с этой базы?

— Поэтому я и вербую тебя, а не тех за соседним столом.

Мы снова смеемся.

— Мне кажется, что все как в кино.

— Это всегда так бывает. Я тоже никогда не думал, что попаду в разведку. Ну, спокойной ночи. Эй, девочка, счет.

— Слушай, русский, я напишу книгу, и что дальше?

— Я опубликую эту книгу в Советском Союзе.

— Миллион копий?

— Нет. Только сорок три копии.

— Немного.

— Мы платим семнадцать тысяч долларов за каждую копию. Контракта мы не подписываем. 10 % мы платим немедленно. Остальные сразу по получении рукописи, если, конечно, в ней освещены вопросы, интересующие наших читателей. Потом книгу можно опубликовать и по-английски. Если западному читателю что-то может быть неинтересно, это можно в американском издании опустить. Так что никакой передачи секретов нет. Есть только свобода печати, и ничего более. Люди пишут не только про подводные лодки, но и про кое-что пострашней, и их никто за это не судит.

— И всем им вы тоже платите?

— Некоторым.

Я оплатил счет и пошел спать в свой номер.

ГЛАВА ЧЕТЫРНАДЦАТАЯ

1

Чувство глубокое и неповторимое: возвращаться в родные бетонные казематы после самостоятельной вербовки.

Неделя отсутствия замечена всей нашей ордой, всей сворой. Если добывающий офицер отсутствует три дня — ясно, в обеспечении работал. А если больше недели? Где был? Всем ясно, на вербовке.

И вот иду я по коридору. Вся наша шпионская братия расступается и при моем приближении умолкает. А я губы кусаю, чтобы не улыбнуться. Не положено мне улыбаться до командирского поздравления, неприлично.

А они тоже традиции уважают. Никто вопроса нескромного не задаст. Никто не улыбнется. Никто не поздравит. Не положено никого поздравлять до командирского поздравления. Никто, конечно, не знает, с чем меня поздравлять. Но каждый понимает, что есть такая причина. Каждый каким-то внутренним чувством понимает, что я триумфатор сейчас. И серый мой помятый костюм — это мантия пурпурная. И каждый сейчас на моей голове сияющий венец с бриллиантами видит.

Приятно думать, что нет ни в ком сейчас зависти, но — понимание, уважение есть, радость. И есть гордость и за меня, и за всех нас: вот идешь ты, Витька, по красному ковру прямо к генеральскому кабинету, и рады мы за тебя, и мы вот так же по этому ковру хаживали, а если нет, то обязательно вот так же гордо и сдержанно пойдем по нему.

Смотрит на меня шпионская братия, дорогу уступает. И как-то радостно всем и смешно, что вот вернулся я, и не попался, и не скрутили меня, не повязали, не обложили, как медведя в берлоге, не гнали собаками, как раненого волка.

Дверь командирского кабинета передо мной открывается. Сам Навигатор меня на пороге встречает. Просто все. Посторонился, пропуская в дверь: заходи, Виктор Андреевич. Вроде ничего и не случилось, да только такое обращение совсем необычно. И оттого кто-то в глухой тишине так глубоко вздохнул, что командир в двери обернулся и засмеялся.

И за командиром все засмеялись этому простодушному вздоху.

Устав ГРУ категорически запрещает объявлять одним офицерам что-либо о работе других, будь то успехи или провалы. Навигаторы устав свято блюдут. Понимают, что никто не должен знать больше, чем положено для выполнения своих функций. Но как же тогда поддерживать атмосферу жесткой конкуренции внутри тайной организации? И потому выдумывают командиры всяческие хитрости, чтобы устав обойти и продемонстрировать всей своре свое персональное расположение к одним и неудовольствие к другим. Находят командиры эти пути.

В моем случае — сразу вслед за мной по коридору продефилировал шестой шифровальщик в белых перчатках с серебряным запотевшим ведерком и бутылкой шампанского в нем.

Ведерко со льдом да накрахмаленные салфетки братия дружным гулом одобрения встретила: лихо Батя устав обходит! А Витька Суворов, прохвост, эвон на какие высоты взлетел. На форсаже вверх идет. Молодые борзяги о моем взлете с блеском в глазах говорят. Старые мудрые варяги головами качают. Они знают, что в жизни добывающего офицера успех — самое тяжелое время. Успеху предшествует дикое напряжение сил, нечеловеческая концентрация внимания на каждом слове, на каждом шаге, на каждом дыхании. Вербующий разведчик собирает в кулак всю свою волю, свой характер, все знания и наносит удар по своей жертве, и в этот момент величайшего напряжения и концентрации воли против объекта вербовки он еще и обязан следить за всем происходящим вокруг него.

Успех — это расслабление. Внезапная разрядка может кончиться катастрофой, срывом, истерикой, глубочайшей депрессией, преступлением, самоубийством. Мудрые варяги знают это.

И Навигатор знает. И оттого он и радостен, и строг. Навигатор мне на какие-то несуществующие мои промахи указывает: дабы не взорвался я от ликования. А как не ликовать? Он согласен. Он взял деньги. Он взял список вопросов, которые должны быть отражены в книге (в английском издании многие из этих деталей могут быть опущены). Получив 10 %, он в наших лапах. 73 тысячи он растратит быстро, и ему захочется получить остальные. Опыт ГРУ говорит, что было множество людей, желавших получить 10 % и ничего потом не делать. Но каждый из них, почувствовав вкус денег, за которые не надо много работать и не надо много рисковать, делал работу на совесть и получал остальное. Это правило без исключений.

2

Не знаю почему, но успех не радует меня. Правы, наверное, люди, которые говорят, что счастье можно испытывать, лишь карабкаясь к успеху. А как только успеха достигнешь, то уже не ощущаешь себя счастливым. Среди тех, кто добился успеха, мало счастливых людей. Среди оборванных, грязных, голодных бродяг гораздо больше счастливых, чем среди звезд экрана или министров. И самоубийства среди всемирно признанных писателей и поэтов случаются гораздо чаще, чем среди дворников и мусорщиков.

Мне плохо. Я не знаю почему. Сейчас я готов на все. Почему, интересно, нас никто не вербует? Вот если бы сейчас подошел ко мне американский дипломат и сказал: «Эй ты, давай завербую!»

Не вру, согласился бы. Он бы удивлялся, зная повадки ГРУ. Эх ты, дурак, сказал бы мой американский коллега, ты соображаешь, что тебя ждет в случае провала? Соображаю, радостно ответил бы я. Ну, вербуй меня, проклятый капиталист! Я на тебя без денег работать буду. Все, что американская разведка мне передавать будет, клади в свой карман! Я просто так хочу головой рисковать. Разве не упоительно по краю пропасти походить? Разве не интересно со смертью поиграть? Ведь находятся же идиоты, которые на мустангах скачут диких или перед бычьими рогами танцуют. Не ради денег. Удовольствия ради.

Ну, вербуйте меня, враги, я согласен!

Что же молчите?

Проверки, проверки, снова проверки. Совсем замучили проверки, надоели.

Завербованных нами друзей проверять легко. Всех их постоянно контролирует служба информации, конечно, не зная ни их имен, ни их биографий, ни занимаемых постов. Один и тот же вопрос можно освещать, находясь в тысячах километров от интересующего ГРУ объекта: планы германского генштаба освещались из Женевы, но и из Токио, но и из Никозии. И ни один источник не подозревает о существовании других и их возможностей. Если данные одного источника резко отличаются от других, то, значит, что-то неладно с этим источником. Но может быть и наоборот: что-то неладно со всеми другими источниками — они заглатывают дезу, и лишь один глаголет истину. Во всяком случае, если с разных концов света поступает один и тот же аппарат, который вдобавок ко всему при копировании дает положительные результаты и разрешает проблемы армии, то можно пока не беспокоиться. Пусть даже друг перевербован. Пусть он двойник. Не беда. Давал бы материальчик. Если полиция думает так дорого платить только за то, чтобы поиграть с нами, пусть платит. Мы и такие подарки принимаем. А как только подарки окажутся негодного качества, с гнильцой, информация нам быстро об этом просигнализирует.

Но Аквариум не только друзей проверяет, но и нас. Проверяет часто, утомительно, придирчиво. Против нас другой метод придуман — провокация. За время учебы и работы много я таких штучек от Аквариума получал. Все они беспокоятся — как я реагировать буду. А я правильно всегда реагирую: немедленно обо всем, что со мной приключится, что с друзьями моими случается, все и точно своему командиру докладываю. Увидев в лесу своего друга — командиру доложи. С другом ничего не случилось, значит, он на операции в том лесу был, а может, он там просто находился, чтобы командир проверить мог: увижу ли я его, доложу ли вовремя. Меня все время проверить пытаются: кто для меня дороже — Аквариум или друг. Конечно, Аквариум! А попробуй не доложи! А если это только проверка? Вот и конец всему, вот ты уже и на конвейере.

Впрочем, последнее время мне доверять больше стали. Я теперь сам постоянно в проверках участвую. Вот и сейчас, темной ночью, бросив далеко машину, я шлепаю по лужам в темноте. Ногам холодно и мокро. Когда вернусь домой, обязательно в ванну залезу на целый час, попарюсь.

В кармане у меня пакет, в котором Библия. Книжечка маленькая совсем на тоненькой бумаге отпечатана. Это их всякие религиозные общества так специально выпускают, чтобы их удобнее в Союз провозить можно было. Библию эту я в почтовый ящик брошу. Почтовый же ящик Вовке Фомичеву принадлежит — он капитан, помощник военного атташе — наш то есть парень, из Аквариума, недавно прибыл. Догадывается он или нет, но ему сейчас Аквариум серию гадостей подбрасывает. Вот я и иду к его дому.

Библию он завтра утром из своего почтового ящика достанет — их всякие религиозные общины и организации нам постоянно подбрасывают. Вряд ли он знать будет, что это мы на этот раз в его ящик пакет опускаем. Может, книжечка заинтересует его, может, он ее ради бизнеса сохранить попытается: в Союзе народ с ума посходил, за такие книжечки уйму денег платит, не скупится. Завтра — выходной, на работу идти не надо. Вот мы и полюбуемся — прибежит он утром с докладом или до понедельника подождет, а может, и вообще не доложит: сохранит или тайно выбросит, чтоб лишних неприятностей не было. Но любой из этих вариантов, кроме первого, кроме немедленного рапорта, — для него конец означает. Конвейер то есть.

Холодно, мокро. Листья ветер по тротуару гонит. А как попадет листок в лужу, вот и все. Влип. Больше не летает. Его теперь мусорная метла подхватит. Заметет.

Никого на улице. Лишь я — одинокий шпион великой системы. Я своего собрата сейчас проверяю. Впрочем, трудно сказать, кто кого проверяет. Вовка Фомичев — мне друг. Мы с ним уже дважды на операции совместные выходили. Работает он мастерски и уверенно. Но, черт его знает, прибыл он недавно, а может быть, со спецзаданием. Может быть, с его помощью меня сейчас проверяют? То-то он ко мне в друзья мостится. Опыта желает набраться! Может быть, это меня вновь проверяют. Брошу я пакет в его ящик, а сам его по-дружески предупредить попытаюсь, чтоб бегом докладывать бежал. Тут мне и конец. Тут уж меня на конвейер поставят: друг тебе дороже доблестной советской военной разведки.

Дом Вовки Фомичева — большой, нарядный, в нем множество дипломатов живет всяких наций и стран. Дом, конечно же, под контролем полиции, парадные двери во всяком случае. Может быть, и нет — но лучше предполагать, что да, и на основе такого предположения строить свои планы. Поэтому я не через парадный вход иду. Я темными задними дворами, мимо аккуратных мусорных ящиков — в подземный гараж. Ключи у нас есть от очень многих гаражей и подъездов домов, в которых обычно дипломаты живут. В любой отель Вены я тоже без труда пройду. У нас громадный шкаф с ключами. И где наши собратья из Аквариума ни пройдут, они везде копии ключей снимают. Главное — установить точный порядок учета и хранения, чтобы вовремя нужный ключ найти. Сегодня у меня в кармане три ключа. Если надо, я к Вовке и в квартиру залезть могу. Откуда ему знать, что три года назад в этой квартире его неудачливый предшественник жил, который и сделал для ГРУ копии ключей? К сожалению, ни на что более героическое у него сил не хватило, и он был с позором эвакуирован и изгнан из Генерального штаба.

От мусорного ящика коты в разные стороны метнулись с воем душераздирающим. Это хорошая примета: значит, тут поблизости других людей нет. Может, телекамера скрытая? Света нет — экономят. Зачем на заднем дворе свет? Но телекамера может работать и в инфракрасных лучах. Поэтому пальто у меня расстегнуто так, чтобы скрепка галстука была видна. На вид она совсем обычная, но покрыта особой краской, и если в темноте меня облучат инфракрасными лучами, то она будет светиться.

Ибо она — индикатор ИК-излучений. Повернувшись вокруг, я и направление на скрытую камеру могу определить. Если за мной следят, я малую нужду меж мусорных ящиков справлю да и побреду дальше. Но застежка не блестит, наблюдения нет. Я достаю ключ и осторожно вставляю в скважину. Дверь гаража тихо скользит в сторону. Я в громадном гараже с сотнями машин.

Ступаю осторожно. Но моя походка не должна быть крадущейся, а взгляд вороватым. Пусть думают, что я только что приехал, оставил в парке свою машину и иду домой. Стальную дверь открываю другим ключом. На лифте из подземного гаража я поднимаюсь на самый верхний этаж и жду там несколько минут, внимательно прислушиваясь. Дом спит. Ни дверь не стучит, ни лифт не скользит по шахте. Я смотрю на часы. Если за мной и следят, мое посещение должно остаться непонятным. Может, я к американскому дипломату на встречу пришел, может, меня женщина ждет. Если за мной следят, то даже истинная моя цель — бросить Библию в почтовый ящик — может им показаться маскировкой, а над истинной целью они еще будут голову ломать: слишком долго я оставался наверху.

Впрочем, лифты так и замерли в шахтах, и по лестницам никто не ходит, полная тишина.

Теперь я осторожно спускаюсь вниз по лестнице. Ступаю не на носки и не на всю площадь подошвы. Нет. Я касаюсь пола только внешними рантами ботинок, как клоун, искривив ноги колесом. Подошвы у меня мягкие. Не скрипят. Но все же лучше идти так, как учили. Так никогда не слышно шагов. Вот нижний этаж. В мраморном вестибюле десятки дверок почтовых ящиков. Я знаю, какой нужен мне, но останавливаюсь у многих, разглядываю надписи с именами владельцев.

Всем телом прилегаю к блоку ящиков и незаметно бросаю пакет в нужную щель. Если бы мне в спину смотрели, то вряд ли точно определили, какой ящик интересовал меня и что я с ним сделал.

Со скучающим видом, не обнаружив ничего интересного, я дальше спускаюсь по лестнице вниз в подземный гараж.

Тот, кто использует один и тот же путь для входа и для выхода, демонстрирует отсутствие вкуса к конспиративной работе. Я вкус этот чувствую. Он не похож ни на вкус вина, ни на вкус любви, ни на вкус борьбы. Вкус конспиративной жизни не похож ни на какие другие, я его понимаю и ценю. У меня он есть. И не отсутствие вкуса вновь гонит меня в темный гараж. Просто нет у меня лучшего пути.

3

У меня вновь недосып. А когда выспишься? Глаза воспалены. Я рано утром в забое появляюсь, хоть сегодня и выходной. Я Вовку жду. Если бы он появился еще раньше меня, это было б великолепно. Но только Саша-Аэрофлот в углу зевает. У него глаза тоже красные. Он, наверное, тоже каверзы кому-то ставил, может быть, даже мне. Он тоже, наверное, ждет кого-то, кто должен прибежать запыхавшись. Он передо мной оправдывается: нужно срочно финансовый отчет закончить. Я, конечно, понимаю, что это правда, но не вся. В 6 утра в воскресенье его в забой другая нужда пригнала. Я ему говорю, что у меня к следующей почте три отчета об операциях еще не отпечатаны. Это действительно так. Но только он понимает, что это не единственная причина, пригнавшая меня сюда. Он вид делает, что работает, а сам на часы поглядывает, я тоже вид демонстрирую. Сам тоже на часы поглядываю, но украдкой. Документы я на своем рабочем столе разместил, а сам в стенку смотрю. Жаль, окошек нам не положено иметь в рабочих помещениях. В 10 утра Младший лидер приглашает Сашку-Аэрофлота в свой кабинет. Теперь в большом рабочем зале я один.

В 11.32 появляется Навигатор.

— Ну что?

— Товарищ генерал, я подарок вложил без происшествий. Но он еще не отреагировал.

По выражению лица Навигатора я понимаю, что это не меня проверяли, а Вовку Фомичева. Элементарная провокация. Он клюнул. По какой-то причине, найдя Библию в почтовом ящике, он немедленно не доложил руководству. А если с ним что-то серьезное случится, доложит ли он тогда или нет? Ясно, что он опасен всей нашей тайной организации и всей советской системе.

— Виктор Андреевич, иди домой, отдыхай. Вернешься в 6 вечера.

— Есть.

Весь мир имеет выходные дни. Дни, когда никто на работу не ходит. Советские дипломаты по два таких дня в неделю имеют. Субботу и воскресенье.

Но ГРУ не имеет выходных дней. И КГБ тоже. Но вот представим себе картину, что в каждый выходной часть дипломатов в посольство не ходит. А другая, большая часть, — ходит. Всем сразу ясно станет, кто чистый дипломат, а кто не очень.

Чтобы этого не случилось, много всяких хитростей придумано, чтобы чистого дипломата в выходной день в посольство завлечь, чтобы его широкой дружеской улыбкой загородиться, чтобы активность резидентур скрыть. Посольство в выходной день — муравейник, и неспроста. В выходные, и только в выходные, почту из Союза выдают. Письма да газеты. Всем «Известия» нужны. Там курс валют печатается. Каждый вычислениями занят: сейчас менять валюту на сертификаты или подождать, курс валют скачет. Какова позиция советского Госбанка через неделю будет, одному только Богу известно, но никому другому, даже и председателю Госбанка.

А еще по выходным дням в посольствах советских по всему миру особые магазины работают с ценами удивительными; вся советская колония в магазин валом валит. А еще в воскресенье лекции читают. Все тоже валом валят. Но не потому, что лекции любят. Там на лекциях всем крестики ставят: был, не был. Вообще-то никого не заставляют на лекции ходить, дело твое. Но если вдруг покажется кому-то, что Иван Никанорович, к примеру, апатию проявляет и политикой особенно не интересуется, то ему — эвакуация. Внезапно ночью ему в дверь позвонят: папаша ваш не в себе, проститься желает. И конвой Ивану Никаноровичу приставят. Хочешь прощаться с родителем, не хочешь, а пошли к самолету.

А еще по воскресеньям в советских посольствах фильмы показывают. Новые и не очень новые. Тоже народ валом валит. Массовость посещения — признак высокой сознательности и нерасторжимой связи с социалистической родиной.

Много народу по выходным дням в посольстве. Машину поставить негде. Но я поставил. У меня на этот случай место особое зарезервировано.

Мы с Навигатором по парку гуляем. Парк огромный. Беседуем. Мы на ворота издали поглядываем.

Тут же Петр Егорович Дунаец, вице-консул, да Николай Тарасович Мороз, первый секретарь посольства, прогуливаются. Нас они вроде не замечают. Но не зря они тут гуляют. Готовится эвакуация. Помощник советского военного атташе в Вене капитан ГРУ Владимир Дмитриевич Фомичев ненадежен. Самолет уже вызван. В эвакуации участвует очень ограниченное число людей: Навигатор — это его решение, я — потому что в проверке участвовал и знаю о ненадежности Фомичева, полковники Дунаец и Мороз — заместитель и первый заместитель резидента.

Вот серый «форд» Фомичева плавно проплыл через ворота. В кино помощник военного атташе приехал с супругой. Отчего же ты, Володя, утром не прибежал, высунув язык? Отчего ты Библию с собой не принес? Зачем ее спрятал? Ну зачем она тебе нужна? Бога нет, усвоить пора. Выдумки про Бога — гнусная антисоветская стряпня. Рай не после смерти. Рай на земле нужно строить. Если ты думаешь, что рай после смерти наступит, то этим самым самоустраняешься от активного строительства рая на земле. Это бабкам неграмотным простят. Тебе — нет. На конвейер пойдешь. Из тебя правду сумеют вырвать. Зачем Библию прятал? Может, ты ее и не прятал совсем. Может, ты боялся неприятностей и поэтому взял и выбросил ее в мусорный ящик, думал, никто не узнает? А мы все знаем, обо всем, что с тобой случается, ты обязан докладывать. Молчания тебе ГРУ не простит.

Заместитель командира медленно (гуляет!) побрел к воротам. Войти в посольство можно только одним путем, но и выйти можно только им. Путь этот уже отрезан для помощников военного атташе. У ворот охрана. Она ничего не знает. Охрана так ничего и не узнает, если помощник военного атташе не попытается бежать. А если попытается, то мышеловка захлопнется перед самым его носом. Командир и Младший лидер к библиотеке бредут. Не спешат. Они тоже гуляют. Там, возле библиотеки, запасной вход в бункер.

Я немного еще тут подожду.

Вот Боря, третий шифровальщик, на парковку спешит. Боря в эту тайну не посвящен. Его задача подойти, поздороваться и сказать: Владимир Дмитриевич, вам шифровка.

Я издалека наблюдаю.

Вот Боря около машины. Вот Фомичев выходит. Выражения лица не видно. Вот он что-то жене говорит. Вот он ее целует слегка. Вот она одна пошла к кинозалу. Эх, не знаешь ты, капитан, что тебя ждет! Преступник ты. Не доложил командиру, что буржуазный мир тебя совратить пытается, сбить с правильного пути. За это, капитан, тебя, конечно, не расстреляют, но в тюрьму посадят — за попытку обмануть резидента. А в тюрьме еще тебе срок добавят. Там таким, как ты, добавляют обязательно. Если ты когда-нибудь из тюрьмы выйдешь (у нас особая тюрьма есть), то жена с тобой вряд ли встретиться пожелает. Она бросит тебя. Я ее лицо видел однажды на дипломатическом приеме близко совсем. Бросит наверняка.

Пора и мне.

Стальная дверь. Коридор. Лестница вниз. Еще дверь. Это та дверь, что с черепом улыбающимся. Снова вниз. В бункер. В забой. Большой рабочий зал. Коридор. Малый рабочий зал. Еще коридор. Двери вправо и влево. Он сейчас в комнате Младшего лидера. Жму на звонок. Лицо Младшего лидера появляется из-за двери. Дверью он, как щитом, прикрывается. Что внутри кабинета — не разглядишь.

— Чего тебе?

— Помощь нужна?

— Да нет. Иди, Виктор Андреевич, кино смотри. Сами справимся.

— До свидания, Николай Тарасович.

— До свидания.

По коридору. По лестницам вверх. Малый рабочий зал...

— Витя! — Младший лидер за мной спешит.

— Слушаю вас.

— Витя, совсем забыл. Дождешься конца фильма. Встретишь его жену Валентину, скажешь, что муж ее на срочном задании на два дня. Пусть не волнуется. Секретное задание, скажешь. Сообразишь так, чтобы она не заподозрила. И домой ее отвезешь. А пока машину его с парковки убери. В подземный гараж спрячь, вот ключи. Все. До завтра.

— До свидания, Николай Тарасович.

Валя Фомичева — женщина особая. На таких оборачиваются, таким вслед смотрят. Она небольшая совсем, стрижена, как мальчишка. Глаза огромные, чарующие. Улыбка чуть капризная. В уголках рта что-то блудливое витает. Но это только если присмотреться внимательно. Что-то в ней дьявольское есть, несомненно. Но не скажешь что. Может быть, вся красота ее дьявольская. Зачем ты, Володя, себе такую жену выбрал? Красивая женщина — чужая жена. Кто на нее в посольстве только не смотрит? Все смотрят. И в городе тоже. Особенно южные мужчины, французы да итальянцы, высокие, плотные, с легкой сединой. Им эта стройная фигурка покоя не дает. Едем в машине, останавливаемся на перекрестке, взгляды упрекающе меня сверлят: зачем тебе, плюга-вый, такая красивая женщина?

А она вовсе и не моя. Я ее домой везу, ибо муж ее уже на конвейере, уже показания дает. Из него еще тут, в Вене, вырвут нужные признания. А потом он в Аквариум попадет, в огромное стеклянное здание на Хорошевском шоссе.

Валя, его жена, об этом пока не догадывается. Ушел в ночь, в обеспечение. Ее это не волнует, при-выкла. Она мне о новых блестящих плащах расска-зывает, вся Вена такие сейчас носит. Плащи золотом отливают, и вправду красивые. Ей такой плащ очень пойдет. Как Снежная Королева, будешь ломать наш покой своим холодным, надменным взглядом. Сколь-ко власти в ее сжатых узких ладонях. Несомненно, она повелевает любым, кто встретится на ее пути. Если сжать ее, раздавишь, как хрустальную вазу. С такой женщиной можно провести только одну ночь, а после этого бросать и уходить, пусть будет огорче-на. В противном случае — закабалит, подчинит, со-гнет, поставит на колени, я знаю таких, в моей жизни была точно такая женщина. Тоже совсем маленькая и хрупкая. На нее тоже оборачивались. Я ушел от нее сам. Не ждал, когда прогонит, когда обманет, когда поставит на колени.

Глуп ты, капитан, что за такой пошел. Наверняка знаю, что она смеялась тебе в лицо, а ты, ревнивец, следил за ней из-за угла. А потом, повинуясь мимо-летному капризу, она согласилась стать твоей женой. Ты и сейчас, на конвейере, только о ней думаешь. Тебе один вопрос покоя не дает: кто ее сейчас домой везет. Успокойся, капитан, это я, Витя Суворов. Не нужна она мне, обхожу таких стороной. Да и не в

391

Вене этими вещами заниматься. Слишком строго мы друг друга судим, слишком пристально друг за другом следим.

— Суворов, ты почему никогда мне не улыбаешься?
— Разве я один?
— Да. Мне все улыбаются. Боишься меня?
— Нет.
— Боишься, Суворов. Но я заставлю тебя улыбаться.
— Угрожаешь?
— Обещаю.

Остаток пути мы молчим. Я знаю, что это не провокация ГРУ. Такие женщины только так и говорят. Да и не может сейчас ГРУ следить за мной. Операции ГРУ отточены и изящны. Операции ГРУ отличаются от операций любых других разведок простотой. ГРУ никогда не гоняется за двумя зайцами одновременно. И оттого ГРУ столь успешно.

— Надеюсь, Суворов, ты не бросишь меня возле дома. Я красивая женщина, меня на лестнице изнасиловать могут, отвечать ты будешь.
— В Вене этого не бывает.
— Все равно, я боюсь одна.

В этой жизни она ничего не боится, я знаю таких женщин: зверь в юбке.

В лифте мы одни, она смеется:
— Ты уверен, что Володя ночью не вернется?
— Он на задании.
— А ты не боишься меня одну ночью оставлять, меня украсть могут.

Лифт плавно остановился, я открываю перед ней дверь. Она квартирную ключом отпирает.

— Ты что сегодня ночью делаешь?

— Сплю.

— С кем же ты спишь, Суворов?

— Один.

— И я одна,— вздыхает она.

Она переступает порог и вдруг оборачивается ко мне. Глаза жгучие. Лицо чистенькой девочки-отличницы. Это самая коварная порода женщин. Ненавижу таких.

4

Эвакуация всегда производится только самолетом, быстро. И полицейский контроль только один раз.

Эвакуация всегда производится днем: ночью полиция более подозрительна, утром новая смена — свежие силы. Впрочем, самолеты в основном в дальние рейсы не уходят — поэтому эвакуация днем.

Расписания рейсов Аэрофлота в направлении Москвы из большинства стран составлены так, чтобы самолет уходил днем. Не везде это возможно, но, где возможно, сделано именно так. Не каждым рейсом Аэрофлота людей эвакуируют. Но если потребуется, все предусмотрено заранее.

Бывший капитан ГРУ, бывший помощник военного атташе сидит на табуретке. Голова на груди. Он не связан. Он просто сидит. Но у него больше нет желания кричать и буянить. Он уже прошел первую стадию конвейера. Он признался: да, была Библия в почтовом ящике. Нет, религией не интересовался. Да, проявил халатность. Да, бросил в мусорный ящик. Третий слева. Библия уже на столе лежит. Нашли ее.

Доказательство! Библия в целлофановом пакете. Пока я твою жену возил, из тебя, капитан, в это время первый слой показаний извлекли. Да, обманывал Навигатора и раньше. Посещал проституток четыре раза. Нет, с западными разведками не связан. Вербовочных предложений от них не получал. Нет, секретных сведений им не передавал.

Эвакуация.

— Спирт.

Вместо медицинского спирта мы обычно джин «Гордон» используем. Из командирского бара.

— Шприц.

Шприц одноразовый. Точно как в Спецназе. Но это не «Блаженная смерть», это просто «Блаженство».

Место укола надо тщательно протереть проспиртованной ваткой, чтобы не было заражения.

Аэропорт. Грохот двигателей. Блестящий пол. Сувениры. Много сувениров. Куклы в национальных нарядах. Зажигалки «Ронсон». Контроль билетов. Багаж? Нет багажа. Краткосрочная командировка. Предъявите паспорта!

Наши паспорта зеленого цвета. «Именем Союза Советских Социалистических Республик, министр иностранных дел Союза ССР...» Проходите.

Нас трое. Бывший капитан. Я. Вице-консул. Бывший капитан путешествует. Мы — провожающие лица. Якобы. На самом деле мы — прямое обеспечение. А вон там у киоска с бутылками — генеральный консул СССР. Общее обеспечение. Оградить! Предотвратить! Отмазать!

Теперь к самолету. «Дипломатическая почта» — это про нас. Проходим.

Через поле — к самолету. Совсем недалеко, даже автобуса не надо. Ту-134. Два трапа. Задний для всех. Передний — для особо важных персон и для дипломатической почты, для нас то есть. У трапа еще одна стюардесса. Чего зубы скалишь, радуешься? Но откуда ей, серой, знать, что бывший капитан уже не особо важная персона? Откуда ей знать, что улыбается он просто потому, что его «Блаженством» кольнули.

У трапа — дипломатические курьеры. Двое. Крупные. Они знают, что за груз у них сегодня. Они вооружены и не скрывают этого. Такова международная дипломатическая практика. Таковы правила, установленные еще Венским конгрессом 1815 года...

Они помогают бывшему капитану подняться по трапу. У бывшего капитана почему-то ноги на ступени трапа не попадают. Тащатся ноги. Ну это ничего. Поможем. У двери два больших человека чуть развернули бывшего капитана боком: втроем в дверь не войдешь. Я вновь вижу их лица. Бывший советский военный дипломат улыбается тихой доброй улыбкой. Кому улыбается? Может быть, даже мне.

И я улыбаюсь ему.

ГЛАВА ПЯТНАДЦАТАЯ

1

— Надевай,— приказывает Навигатор. Я надеваю на голову прозрачный шлем. Он делает то же самое. Теперь мы на космонавтов похожи. Наши шлемы соединены гибкими прозрачными трубами.

Подслушать то, что говорят в командирском кабинете, невозможно. Даже теоретически. Но если в дополнение ко всем системам защиты он приказывает еще воспользоваться и переговорным устройством, то, значит, речь пойдет о чем-то совсем интересном.

— Ты делаешь успехи. Не только в добывании. Недавно ты прошел серию проверок, организованных Аквариумом и мной лично. Ты не догадывался о проверках, но прошел их блестяще. Сейчас ты в доверии нулевой категории...

Если это правда, то ГРУ меня слегка переоценивает. За мной грешки числятся. Я не святой. А может быть, Навигатор мне всей правды не говорит. Не зря его Лукавым зовут.

— ГРУ доверяет тебе проведение операции чрезвычайной важности. В Вену в ближайшее время

396

прибывает Друг. Он важен для нас. Насколько важен, можешь судить сам: им руководит генерал-полковник Мещеряков лично. Кто этот Друг, я не знаю и не имею права знать. А тебе и тем более этого знать не полагается. Понятно, что с таким человеком мы не встречаемся лично. Никогда. Он работает через систему тайников и сигналов. Однако ГРУ готово провести встречу с ним в любой момент. Мы должны быть уверены, что контакт может быть установлен в любых обстоятельствах, в любое время. Поэтому раз в несколько лет проводятся контрольные встречи. Он получает боевой вызов и идет на связь. Но мы в контакт не вступаем. Только смотрим издалека за ним. Его выход — это подтверждение ГРУ, что связь работает нормально. Кроме того, мы проверяем безопасность вокруг него. Сейчас будет проведена такая операция. Приказом начальника ГРУ контрольную операцию проводить тебе. Для тебя будет снят номер в отеле. Проверяться будешь двое суток с мощным обеспечением. Исколесишь всю страну. Машину свою бросишь в Инсбруке. Исчезнешь. Растворишься. В Вене появишься, как призрак. Проведешь окончательную проверку. Войдешь в отель через ресторан. Незаметно вверх. Все будет подготовлено. У тебя будет «Минокс» с телеобъективом. Аппарат заряжен пленкой «Микрат 93 Щит». Пленка имеет два слоя: отвлекающий и боевой. На отвлекающем слое сделаны снимки австрийских военных аэродромов. Боевой слой ты будешь использовать для работы. Если тебя арестуют — попытайся пленку вырвать из камеры и засветить ее. Если это не удастся, они проявят ее. Они получат изображения аэродромов, но проявителем уничтожат боевой слой. Пусть они примут тебя за мелкого шпиона. Все понял?

— Да.

— Тогда слушай дальше. Друг в точно определенное время выйдет к витрине обувного магазина. Ты будешь находиться в ста метрах от него и на восемнадцать метров выше. Отснимешь на пленку появление Друга. Я не знаю, кто это будет. Может быть, женщина, переодетая мужчиной. Может быть, мужчина, переодетый женщиной. Не смущайся, если одежда грязная, а волосы не расчесаны, так лучше для дела. В течение получаса до появления Друга фиксируй на пленку любое движение, которое тебе покажется подозрительным. Как узнать его? Он появится в точно определенное время в точно определенном месте. Свернутая газета в правой руке — опознавательный признак и одновременно сигнал благополучия. Та же газета в левой руке — сигнал опасности. Друг идет на встречу. Он не знает, встретим мы его или нет. Но если он под контролем, он может предотвратить встречу. Этим он спасает нашего офицера и одновременно свою шкуру. Если он под контролем полиции, в его интересах сократить количество контактов с нами. Если через пять минут никто не вступит в контакт с ним, он уйдет и будет вновь выходить на связь, когда мы этого потребуем. Возможно, через десять лет и на другой стороне планеты. И возможно, вновь мы только проверим его, не вступая в контакт. Что неясно?

— Все ясно.

— Последнее. Время и место проведения операции я тебе сообщу внезапно, прямо перед самым началом. В оставшееся до операции время ты не имеешь права иметь никаких контактов с иностранцами. О любом вынужденном контакте докладывать мне лично. О деле не знает никто, даже первый шифровальщик. Телеграмма моим личным шифром была закрыта. В номере гостиницы с тобой не должен оказаться никакой другой фотоаппарат, кроме того, что я тебе дам перед операцией. Лишний фотоаппарат может стоить тебе головы. Будь осторожен с «Миноксом». Он заряжен в Аквариуме и опечатан. Печати почти не видно. Смотри не повреди ее. О том, как выглядит Друг, ты не имеешь права рассказывать никому, даже мне. Опечатанный «Минокс» дипломатической почтой уйдет в Аквариум, и там пленку проявят особым способом. Все понял?

— Все.

— Тогда повтори все с самого начала.

2

Номер отеля подобран со знанием дела. Моя комната угловая. Я могу обозревать сразу три тихие улочки. Вон там обувной магазин. На прилегающих улицах почти никакого движения. До появления Друга три часа десять минут.

Заботливая рука приготовила все, что может мне потребоваться: телеобъектив к «Миноксу» величиной с батарейку электрического фонарика, большой бинокль «Карл Цейс. Йена», хронометр «Омега», набор светофильтров, карта города, термос с горячим кофе. А «Минокс» я с собой принес.

Вот он в ладони. Маленький хромированный прямоугольник с кнопочками и окошечками. «Минок-

лично не вовлечен. Младший лидер и любовница. Американка? Англичанка? Ясно, что иностранка. Советской женщине за рубежом машину иметь не полагается. Тем более спортивную. Зачем ей спортивная? Все машины советскому государству принадлежат, и ими пользуются только те, кто мощь государства бережет и умножает. Если все это не комедия и не проверка, то Младшему лидеру — конец. Амба. Капут. Кранты. Конвейер. Полный конвейер с очень неприятным финишем. Однако все это может быть проверкой. Мало ли как каждого из нас проверяли? Именно так я и должен был действовать. Быстро и решительно. Мои пустые глаза смотрят на пустынную улицу. Никто не нарушает ее спокойствия. Только неприятная сутулая фигура с газетой в руке у витрины обувного магазина прозябает. Что ты там, человече, интересного мог увидеть?

Я откидываюсь на спинку кресла и смотрю в потолок. И вдруг я вскакиваю, опрокинув термос. Я хватаю «Минокс». Я судорожно жму на спуск. Это же ОН! Так, его мать, это ДРУГ! Затвором щелк, щелк. И еще раз. Черт бы побрал всех друзей вместе с генерал-полковником Мещеряковым, вместе с Младшим лидером и его блядью. Время истекло. Друг нехотя бросает газету в урну и исчезает за углом.

Качество кадров может оказаться неудовлетворительным, и это выдаст мое душевное состояние. Это прольет свет на факт, что Младшего лидера я выдавать не хотел, что я колебался.

Я встаю. Отсоединяю телеобъектив. Термос, объектив, бинокль я укладываю в пакет и опускаю в урну. Кто-то после меня все это заберет. «Минокс» в левой руке зажат. Так удобнее вырывать из него пленку при аресте. Ах, если бы меня арестовали. А может, симулировать нападение полиции? Нет, это не пройдет. Генеральный консул в полицию позвонит и узнает, что никто на меня не нападал. Тогда меня на конвейер поставят.

Я выхожу на улицу, и яркое солнце ослепляет меня. Нет. В этом радостном мире все не может быть так плохо. Это была обычная проверка. Обычная провокация ГРУ. И я не клюнул. В академии вам и не такие проверки устраивали. Похлеще. Жизнь самых близких нам людей на карте стояла. А потом выяснялось, что это просто комедии наши начальники разыгрывали. Многие этого не выдержали. Я выдержал. А минуты сомнений нам прощали. Мы все-таки тоже люди.

3

— Откуда Друг появился?

Я мгновение размышляю, соврать или нет.

— Я не видел, товарищ генерал.

— У тебя был хронометр. Разве Друг вышел не точно вовремя?

Я молчу.

— Тебя что-то сбило с толку? Что-то было подозрительным? Непонятным? Необъяснимым? Что-то смутило тебя?

— Ваш первый заместитель...

Нестерпимая тревога в глазах его.

— ...Ваш первый заместитель был на месте встречи за двенадцать минут до появления Друга... с женщиной.

Острые косточки на его кулаках белые-белые. И лицо белое. Он молчит. Он смотрит в стену сквозь меня. Потом он тихо и спокойно спрашивает:

— Ты его, конечно, не успел заснять...

Трудно понять, он спрашивает или утверждает. А может, угрожает.

— Успел...

В глаза я ему боюсь смотреть. Я под ноги себе смотрю. Время тоскливо тянется. Нехотя. Часы на его стенке тикают — тик, тик, тик.

— Что делать будем?

— Не знаю. — Я жму плечами.

— Что делать будем?! — Он бьет по столу кулаком и тут же, брызжа слюной, шипит мне в лицо: — ЧТО ДЕЛАТЬ БУДЕМ?!

— Эвакуацию готовить! — обозлившись, вдруг огрызаюсь я.

Мой крик успокаивает его. Он утихает. Он просто старик горемыка, на которого свалилось тяжелое горе. Он сильный человек. Но система сильнее каждого из нас. Система сильнее всех нас. Система могущественна. Под ее неумолимый топор любой из нас попасть может. Он смотрит в пустоту.

— Знаешь, Витя, полковник Мороз в шестьдесят четвертом году меня от высшей меры отмазал. Я его после этого по всему свету вел за собой. Он вербовал женщин. Но каких женщин! Эх, жизнь. Любил он их. И они его любили. Я знал, что он налево ударяет. Я знал, что у него в каждом городе — любовница. Я прощал ему. И знал я, что попадется он. Знал. Как ты в этой Австрии спрячешься? Ладно. Вдвоем мы эвакуацию сумеем провести?

— Сумеем.

— Шприц в шкафу возьми.

— Взял.

Он нажимает кнопку переговорного устройства:

— Первый шифровальщик.

— Я, товарищ генерал,— отвечает аппарат.

— Первого заместителя ко мне.

— Есть,— отвечает аппарат.

— Садись,—устало говорит командир. Сам он сидит за столом. Левая рука на столе. Правая в ящике стола. Так там и застыла.

Я сзади кресла, на котором теперь Младший лидер сидит. Рука Навигатора в ящике стола уже все сказала Младшему лидеру. А мое присутствие объяснило, что это я его как-то проверял и на чем-то застукал. Он тянется всем телом до хруста в костях. Затем спокойно заводит руки за спинку кресла. Он знает правила игры. Я щелкаю наручниками. Я осторожно поднимаю рукав его пиджака, расстегиваю золотую запонку и открываю его руку. Тонкую белую салфетку (для чистки оптики) я смачиваю джином из зеленой бутылки. Салфеткой я протираю кожу, куда сейчас войдет игла. Тонким штырьком я пробиваю мембрану шприц-тюбика, не касаясь пальцами иглы. Затем, подняв шприц на уровень глаз, нежно двумя пальцами жму на прозрачные стенки флакончика со светлой, чуть мутной жидкостью. Иглу под кожу нужно вводить аккуратно, а содержимое тюбика выдавливать плавно. Затем, не разжимая пальцев (тюбик, как насос, может втянуть всю жидкость в себя снова), я извлекаю иглу и вновь растираю кожу салфеткой с джином.

Кивком головы Лукавый дает мне знак выйти. Я выхожу из кабинета и, закрывая дверь, слышу его лишенный всяких переживаний голос:

— Рассказывай...

4

Мне плохо.

Мне совсем плохо.

Со мной подобного никогда не случалось. Плохо себя чувствуют только слабые люди. Это они придумали себе тысячи болезней и предаются им, попусту теряя время.

Это слабые люди придумали для себя головную боль, приступы слабости, обмороки, угрызения совести. Ничего этого нет. Все эти беды — только в воображении слабых. Я себя к сильным не отношу. Я — нормальный. А нормальный человек не имеет ни головных болей, ни сердечных приступов, ни нервных расстройств. Я никогда не болел, никогда не скулил и никогда не просил ничьей помощи.

Но сегодня мне плохо. Тоска невыносимая. Смертная тоска. Человечка бы зарезать!

Я сижу в маленькой пивной. В углу. Как волк затравленный. Скатерть, на которой лежат мои локти, клетчатая, красная с белым. Чистая скатерть. Кружка пивная большая. Точеная. Пиво по цвету коньяку сродни. Наверное, и вкуса несравненного. Но не чувствую я вкуса. На граненом боку пивной кружки два льва на задних лапках стоят, передними щит держат. Красивый щит и львы красивые. Язычки розовые наружу. Я всяких кошек люблю: и леопардов, и пантер, и домашних котов, черных и сереньких. И тех львов, что на пивных кружках, я тоже люблю. Красивый зверь кот. Даже домашний. Чистый. Сильный. От собаки кот независимостью отличается. А сколько в котах гибкости! Отчего люди котам не поклоняются?

Люди в зале веселые. Они, наверное, все друг друга знают. Все друг другу улыбаются. Напротив меня четверо здоровенных мужиков: шляпы с перышками, штаны кожаные по колено на лямочках. Мужики зело здоровы. Бороды рыжие. Кружкам пустым на их столе уже и места нет. Смеются. Чего зубы скалите? Так бы кружкой и запустил в смеющееся рыло. Хрен с ним, что четверо вас, что кулачищи у вас, почти как у моего командира полка,— как пивные кружки, кулачищи.

Может, броситься на них? Да пусть они меня тут и убьют. Пусть проломят мне череп табуреткой дубовой или австрийской кружкой резной. Так ведь не убьют же. Выкинут из зала и полицию вызовут. А может, на полицейского броситься? Или Брежнев скоро в Вену приезжает с Картером наивным встречаться. Может, на Брежнева броситься? Тут уж точно убьют.

Только разве интересно умирать от руки полицейского или от рук тайных брежневских охранников? Другое дело, когда тебя убивают добрые и сильные люди, как эти напротив.

А они все смеются.

Никогда никому не завидовал. А тут вдруг зависть черная гадюкой подколодной в душу тихонько заползла. Ах, мне бы такие штаны по колено да шляпу с пером. А кружка с пивом у меня уже есть. Что еще человеку для полного счастья надо?

А они хохочут, закатываются. Один закашлялся, а хохот его так и душит. Другой встает, кружка полная в руке, пена через край. Тоже хохочет. А я ему в глаза смотрю. Что в моих глазах — не знаю, только, встретившись взглядом со мной, здоровенный австрияк, всей компании голова, смолк сразу, улыбку погасил. Мне тоже в глаза смотрит. Пристально и внимательно. Глаза у него ясные. Чистые глаза. Смотрит на меня. Губы сжал. Голову набок наклонил.

То ли от моего взгляда холодом смертельным веяло, то ли сообразил он, что я хороню себя сейчас. Что он про меня думал, не знаю. Но, встретившись взглядом со мной, этот матёрый мужичище потускнел как-то. Хохочут все вокруг него. Хмель в счастливых головах играет, а он угрюмый сидит, в пол смотрит. Мне его даже жалко стало. Зачем я человеку своим взглядом весь вечер испортил?

Долго ли, коротко ли, встали они, к выходу идут. Тот, который самый большой, последним. У самой двери останавливается, исподлобья на меня смотрит, а потом вдруг всей тушей своей гигантской к моему столу двинулся. Грозный, как разгневанный танк. Челюсть моя так и заныла в предчувствии зубодробительного удара. Страха во мне никакого. Бей, австрияк, вечер я тебе крепко испортил. У нас за это неизменно по морде бьют. Традиция такая. Подходит. Весь свет мне исполинским своим животом загородил. Бей, австрияк! Я сопротивляться не буду. Бей, не милуй! Рука его тяжелая, пудовая на мое плечо левое легла и слегка сжала его. Сильная рука, но теплая, добрая, совсем не свинцовая. И по той руке вроде как человеческое участие потекло. Своей правой рукой стиснул я руку его. Сжал благодарно. В глаза ему не смотрю. Не знаю почему. Я голову над столом своим склонил. А он к выходу пошел, неуклюжий, не оборачиваясь. Чужой человек. Другой планеты существо. А ведь тоже человек. Добрый. Добрее меня. Стократ добрее.

5

Что происходит со мной? Что за перемены? Что за скачки? Лучше мне. От пива, наверное. А может, от широкой мозолистой лапы, что меня по плечу потрепала, на краю пропасти удержала. Однако что же со мной было? Отчего свет белый для меня померк? Может, это было то, что слабые люди угрызениями совести называют? Нет, конечно. Нет во мне совести, не мучает она меня. И чего мучить? С какой стати? Младшего лидера я предал? Хороший он человек. Но не я его, так он бы меня на конвейер поставил. Работа у нас такая. Выдав Младшего лидера, я ГРУ от всяких случайностей оградил. За такие вещи в Центральном Комитете Кир спасибо говорит. Увезут Младшего лидера, нового пришлют. Стоит ли из-за этого расстраиваться? Если бы каждый волю своим чувствам давал, система давно бы рухнула. А так она стоит и крепнет. И сильна она тем, что избавляется немедленно от любого расслабившегося. От любого, кто своим чувствам волю дает.

Однако расслабился ли я? Несомненно. А видел ли кто меня? Возможно. Можно ли было со стороны мои переживания увидеть? Конечно. Если поза горемыки, если руки плетями, если взгляд потух, это могли обнаружить. Если австрияк понял, что плохо мне, то опытный разведчик, который мог следить за мной, и подавно понял. После эвакуации Младшего лидера Навигатор вполне мог за мной слежку поставить: как Сорок Первый себя ведет? Не расслабился ли?

Что-то случилось со мной, и на несколько часов я потерял контроль над собой. Если Навигатор об этом узнает, то ночью меня ждет эвакуация. Очередной самолет будет только через три дня. Эти дни я в фотолаборатории в темноте проведу. Но сегодня ночью меня обязательно в эту темноту уволокут. Даже обыкновенный самолет, у которого иногда приборы управления отключаются, к полетам не допускают. А разведчика и подавно. Разведчик, теряющий контроль над собой, опасен. Его убирают немедленно.

Из пивной я к своей машине бреду. Если хочешь обнаружить слежку — побольше равнодушия. Почаще под ноги смотри. Успокой следящих. Тогда их и увидишь. Ибо, успокоившись, они ошибаются. Уже много лет я, как летчик-истребитель, все в заднее стекло машины смотрю. Назад смотрю больше, чем вперед. Профессия такая. Но не сейчас. Сейчас я даю возможность тем, кто, возможно, следит за мной, успокоиться и потерять бдительность. Машина моя идет ровно. Никаких фокусов. Никаких попыток уйти в переулки.

По берегу Дуная, через мост, опять вдоль берега. Я не спешу, не делаю рывков, не стараюсь уйти куда-нибудь к железнодорожному полотну. (Хорошо проверяться у железнодорожного полотна.) Я обхожу центр города. Я иду по широким улицам в потоке машин. Хорошо для тех, кто следит. И совершенно плохо для того, кто под слежкой. От Шведенплац я иду в направлении Аспернплац. Но вот резко ухожу в первый переулок налево к Хауптпост и вновь резко вправо. Тут меня светофор остановит. Это я знаю. А знает ли про этот светофор тот, кто следит за мной?

Если кто-то следит, то он должен выскочить следом или потерять меня. А обойти меня тут невозможно по параллельным улицам. Тут я все знаю. Я все тротуары тут истоптал.

Я под светофором. Один. Улочка узкая да извилистая. А ну-ка, кто из-за поворота выскочит? Еще секунда, и будет зеленый свет. Из-за поворота вылетает серый побитый «форд». Тормозами скрипит, молод водитель. Не знал, что светофор за углом. Не думал, что я под светофором стоять могу, его поджидая. А я уже плавно трогаюсь. Зеленый свет. Его лицо очкастое я одним взглядом накрываю — в автомобильное зеркальце. Да, брат. Знаю я твою очкастую рожу. Номер на твоей машине не дипломатический. Но ты — советский дипломат. Я тебя видел в делегации по сокращению вооружений в Европе. Не думал, что ты из нашей своры. Я думал, что ты чистый. Но зачем чистому дипломату в рабочее время по городу шнырять? Зачем из-за поворота на бешеной скорости выскакивать, штрафуют же!

Теперь я не спешу. Лицо свое я равнодушием умыл. Не замечаю ничего, не реагирую ни на что. «Форд» больше не появляется. А может, и появлялся, да я не пытаюсь его обнаружить вновь. Для меня и одного раза достаточно. Мне ясно, за мной следят. Ни капли сомнения в этом.

Водитель «форда» сейчас мучается, наверное: увидел я его или нет, узнал ли? Он, конечно, успокаивает себя, что рассеянный я, что совсем назад не смотрю, что не мог я его заметить.

Интересно, сколько за мной машин Лукавый поставил следить? Ясно, что не одну. Если бы только одна машина в слежке была, то в машине б по меньшей мере два человека сидели. Если один человек в машине, значит, машин несколько. Это каждому ясно. Слежка может завершиться только эвакуацией.

411

И нужно понять командование ГРУ. Если человек теряет контроль над собой после пустякового происшествия, значит, он и в будущем может потерять контроль над собой. В самый ответственный момент. А может, он в прошлом уже терял над собой контроль? Может, враждебные организации воспользовались этим?

Заберут меня сегодня ночью. И если бы я был на месте Навигатора, то поступил бы точно так же: во-первых, немедленно после случившегося поставил слежку, во-вторых, убедившись в неблагополучии,— отдал приказ об эвакуации.

Я не еду в посольство. Посольство — это наручники и укол. Я еду домой. Мне нужно подготовиться к неизбежному. И встретить удар судьбы с достоинством.

6

Дверь своей квартиры я запер изнутри, а окно чуть приоткрыл. Если мне не хватит мужества встретить их лицом к лицу, я прыгну в окно. Ниже меня — семь этажей. Хватит вполне. Путь через окно—это легкий путь, но и его я обдумываю. Это путь для малодушных. Для тех, кто боится конвейера. Если в последний момент я испугаюсь, то воспользуюсь этим путем. Недавно гордый варяг из ГРУ ушел от конвейера именно так — прямо в центре Парижа бросился из окна на камни. Другой варяг ГРУ, из Лондона, работал в очень важном обеспечении в Швейцарии. Ошибся. На конвейер не захотел. Вскрыл вены. А вот борзой майор Анатолий Филатов конвейера не побоялся. И я не побоюсь.

А вообще-то, черт его знает. Хорошо зарекаться сейчас. И все же я не пойду через окно. Я встаю и решительно его закрываю. Это не для меня. На конвейер я не пойду и через окно тоже. Когда постучат, я открою дверь и вцеплюсь кому-то в глотку зубами.

Глянул я на часы. Похолодел. Уже за полночь! Тактику Аквариума я знаю. Эвакуация обычно начинается в 4.00. Аквариум свои удары на рассвете наносит. Самое время сонное. Могут, конечно, и раньше начать, а для этого расстановку людей они должны провести еще раньше. Так что я уже, наверное, опоздал. Вполне возможно, что двое уже ждут своего часа на лестничной площадке, этажом выше. Еще пара где-то у выхода. Кто-то, конечно, и в гараже. Основная группа ждет где-то рядом.

Сейчас у меня только одна возможность — осторожно выйти из квартиры, спуститься на два-три этажа вниз и только тут вызывать лифт, а лифтом прямо в подземный гараж, а из гаража выезжать не через выходные ворота, а через входные, если, конечно, их удастся открыть изнутри...

Замок я открыл неслышно.

Тихо жму на ручку двери, главное, чтоб не скрипнула. Я вздыхаю глубоко и тяну дверь на себя. Полоса света из коридора на полу моей комнаты становится все шире. Затаив дыхание, я потянул ее сильнее, а она заскрипела тихо, тоскливо и протяжно.

Моя машина на солидном расстоянии от дома. Моя машина в тени, в гуще других машин на большой стоянке. Но свой дом я вижу отчетливо. Пока ничего подозрительного вокруг не происходит. Все спит. Все спят.

Вдруг в 3.40 во́ всех окнах моей квартиры вспыхнул свет. Что ж, это именно то, что я предвидел.

Я в лесу. Холодный серый рассвет. Клочья тумана. Ледяная роса. Я еще никуда не бегу. Я тут только для того, чтобы подумать. Я не люблю, когда мои мысли прерывают внезапным настойчивым стуком или звонком в дверь.

Прежде всего мне предстоит выбор: вернуться, сдаться, добровольно пойти на конвейер или... В самый последний момент, оказавшись один на один с системой, миллионы людей такой вопрос себе задавали. Мне совсем неинтересно, что подумают обо мне другие сейчас и позже. Посторонние меня все равно осудят, как осудили миллионы моих предшественников. В самом деле, если люди шли под коммунистический топор, не протестуя, то их сейчас осуждают: рабские души, не способные протестовать, туда вам и дорога. Но если люди не шли добровольно на убой, они должны были или убегать, или драться. Этих тоже осуждают: изменники, предатели, пособники врага! Если я добровольно сдамся — дурак, холуй, раб. Если не сдамся — предатель.

Считайте меня, братцы, преступником, холуем не считайте. Но и преступником меня считайте не очень большим. Все, кто окружал Ленина, оказались изменниками, предателями и шпионами иностранных разведок, включая Троцкого, Зиновьева, Каменева, Рыкова, Бухарина и прочих. Кто же тогда Ленин? Ленин — главарь шайки изменников, шпионов и террористов. Как же назвать всех тех, кто верой и правдой Ленину служил? Кто ему сейчас поклоняется? Со Сталиным то же самое получилось. И он был окружен врагами, шпионами, развратниками, антипартийцами. И сам оказался уркой. Как же назвать всех, кто выполнял приказы этого урки? Рано или поздно все наши лидеры войдут в число предателей, волюнтаристов, проходимцев, болтунов и развратников. Убежать от них — конечно, преступление. А оставаться и выполнять их приказы?

Холодно в лесу, зябко. Не привык я долго думать. И философия — не моя область. Но на один вопрос я обязан ответить сам себе: бегу я потому, что ненавижу систему, или потому, что система наступила мне на хвост? На этот вопрос я даю самому себе совершенно четкий ответ: я ненавижу систему давно, я всегда был против нее, я готов был рисковать своей головой ради того, чтобы заменить существующую систему, чем угодно, даже военной диктатурой. Но. Если бы система мне на хвост не наступила, я бы не убежал. Я бы продолжал ей служить верой и правдой и достиг бы больших результатов. Не знаю, начал бы я протестовать позже или нет, но в данный момент я просто спасаю свою шкуру.

Ответ на главный вопрос получился четким и для меня неутешительным. Надо было, Витя, раньше начинать! Надо было бежать при первой возможности. А еще лучше, встретить западную разведку и передавать ей материалы об Аквариуме, как делали Пеньковский, Константинов, Филатов. Не очень хорошо, Витя, получилось. Можно ли ситуацию исправить? Нет. Поздно. А может быть, и не поздно. Если мне удастся вырваться из Аквариума, я буду жить тихо, не рыпаясь, или я могу... Что же я могу?

Я сижу неподвижно несколько минут, а затем формулирую сам для себя вывод: я предатель и изменник. Я заслуживаю высшей меры за то, что самовольно

415

покидаю систему. Я заслуживаю той же высшей меры за то, что не боролся против нее. Сейчас я спасаю свою шкуру, но, если я вырвусь из этого переплета, я начинаю борьбу против нее, рискуя спасенной шкурой. Если мне удастся бежать, я не буду сидеть молча. Я буду упорно работать. По многу часов в день. Если мне не удастся сделать что-либо серьезное, я хотя бы напишу несколько книг. По 15 часов в день буду писать. По одной книге в год. Но это второстепенное. Кроме этого, я попытаюсь нанести им настоящий серьезный урон. Я знаю как. Они меня учили — как. Я буду смелым. Я буду рисковать. И шкурой своей я не очень дорожу.

Остается последний вопрос: куда бежать? Вопрос легкий — в Британию. Британия выгнала однажды 105 советских дипломатов. Резидентуры КГБ и ГРУ в полном составе. На такое никто, кроме Британии, не отважился. Раз они свои интересы могут защищать, может, они и мои смогут защитить. 105! Статистика в пользу Британии.

Теперь нужно решать, как связаться с правительством Великобритании. Путь один — через представителей этого правительства. Чем меньше бюрократических ступеней, тем решение будет принято быстрее. Но к послу меня не пустят. Итак, я иду к любому высокопоставленному английскому дипломату. У британского, американского, французского посольств меня наверняка ждут ребята из Аквариума. Значит, надо идти в частный дом. Лукавый, конечно, и это предусмотрел, но контролировать подходы к домам всех западных дипломатов высокого ранга он не сможет. Кроме того, я пойду пешком, спрятав машину в лесу.

7

Дом у английского дипломата большой, белый, с колоннами. Дорожки мелкими камешками усыпаны. Сад роскошный. Я небрит. Я в черной кожаной куртке. Я без машины. Я совсем не похож на дипломата. А вообще-то я уже и не дипломат. Я больше не представляю своей страны. Наоборот, моя страна сейчас ищет меня везде, где только возможно.

В доме английского дипломата все не так, как в обычных домах. У него звонка нет. Вместо звонка на двери — блестящая бронзовая лисья мордочка. Этой мордочкой нужно об дверь стучать. Мне очень важно, чтобы появился хозяин, а не кто-то из его слуг. Мне везет. Сегодня суббота, он не на работе, и слуг его в доме тоже нет.

— Здравствуйте.

— Здравствуйте.

Я протягиваю свой дипломатический паспорт. Он полистал его и вернул мне. Заходите.

— У меня послание к правительству Ее Величества.

— В посольство, пожалуйста.

— Я не могу в посольство. Я передаю это письмо через вас.

— Я его не принимаю. — Он встал и открыл дверь передо мной. — Я не шпион, и в эти шпионские трюки меня, пожалуйста, не ввязывайте.

— Это не шпионаж... больше. Это письмо правительству Ее Величества. Вы можете его принять или нет, но сейчас я буду звонить в британское посольство и скажу, что письмо правительству находится у вас... Я оставлю его тут, а вы делайте с ним что хотите.

Он смотрит на меня взглядом, в котором нет ничего для меня хорошего.

— Давайте ваше письмо.

— Дайте мне конверт, пожалуйста.

— У вас даже нет конверта, — возмущается он.

— К сожалению...

Он кладет передо мной пачку бумаги, конверты, ручку. Бумагу я отодвигаю в сторону, из кармана достаю пачку карточек с названиями и адресами кафе и ресторанов. Каждый шпион всегда имеет в запасе десятка два таких карточек. Чтобы не объяснять новому другу место встречи, проще дать ему карточку: я приглашаю вас сюда.

Я быстро просматриваю все. Выбираю одну. И несколько секунд думаю над тем, что же мне писать. Потом беру ручку и пишу три буквы: GRU. Карточку вкладываю в конверт. Конверт заклеиваю. Пишу адресата — «правительству Ее Величества». На конверте ставлю свою персональную печать «173-В-41».

— Это все?

— Все. До свидания.

Я снова в лесу. Вот моя машина. Я гоню ее дальше и дальше. Теперь встреча с местной полицией тоже может быть опасной. Советское посольство могло сообщить в полицию, что один советский дипломат сошел с ума и носится по стране. Могут сообщить в Интерпол, что я украл миллион и убежал. Могут заявить протест правительству и сказать, что власти Австралии меня захватили силой и что меня нужно немедленно вернуть — иначе... Они умеют делать громкие заявления. Теперь мне нужна телефонная связь с британским посольством. Я должен объяснить ситуацию, пока какой-нибудь деревенский полицейский пост не остановил меня и не вызвал советского консула. Тогда будет поздно объяснять что-нибудь. Тогда после первой встречи с консулом у меня вдруг пойдет обильная слюна, я начну смеяться или плакать, и за мной пришлют специальный самолет. Пока слюна еще не пошла, я буду пытаться... Укромные телефоны у меня на примете есть.

— Алло, британское посольство, я направил послание... Я знаю, что меня не соединят с послом, но мне нужен кто-то ответственный... Мне не надо его имя, вы сами там решайте... Я направил послание...

Наконец они кого-то нашли.

— Слушаю... кто говорит?

— Я направил послание. Тот, с кем я его направил, знает мое имя...

— Правда?

— Да. Спросите его.

Трубка молчит некоторое время. Потом оживает.

— Вы представляете свою страну?

— Нет. Я представляю только себя.

Трубка снова молчит.

— Чего же вы хотите?

— Я хочу, чтобы вы сейчас вскрыли пакет и послание передали британскому правительству.

Трубка молчит. В трубке какое-то сопение.

— Я не могу вскрыть конверт, так как он адресован не мне, а правительству...

— Пожалуйста, вскройте пакет. Это я его подписывал. Я так подписал, чтобы его содержание не стало известно многим. Но вам я даю право его вскрыть...

Далеко в телефонных глубинах какое-то шептание.

— Это очень странное послание. Тут какой-то ресторан...

— Да не это... Посмотрите на обороте...

— Но и тут странное послание. Тут только какие-то буквы.

— Вот их и передайте...

— Вы с ума сошли. Послание из трех букв не может быть важным.

— Это будет решать правительство Ее Величества: важное послание или нет...

Трубка молчит. Какое-то потрескивание, не то шипение... Потом она оживает:

— Я нашел компромисс. Я не буду посылать радиосообщение, я перешлю ваше сообщение дипломатической почтой! — В его голосе радость школьника, который решил трудную задачу.

— Черт побери вас с вашими британскими компромиссами. Сообщение может быть важное или нет, не мне решать, но оно срочное. Через час, а может быть, и раньше будет уже слишком поздно. Но знайте, что я настойчивый, и если начал дело, то его не брошу. Я буду вам звонить еще. Через пятнадцать минут. Пожалуйста, покажите послу мое послание.

— Посла сегодня нет.

— Тогда покажите его кому угодно. Своей секретарше, к примеру. Может, она газеты читает. Может, она подскажет вам решение...

Я бросаю трубку.

Я меняю место. Я обхожу деревни. Я обхожу людей. Во мне звучит жутким ритмом страшная песня «Охота на волков». Совсем недавно я чувствовал себя затравленным зверем, но силы вернулись ко мне. Мертвой хваткой я вцепился в рулевое колесо, как летчик-смертник в штурвал своего самолета. Живым они меня не возьмут. Ах, расшибу любого, кто поперек пути встанет. А на крайний случай у меня отвертка огромная в запасе. Эх, кому-то я ее в горло всажу по самую рокоятку. Жизнь продаю! Подходи, налетай! Но дорого уступлю!

Звоню в британское посольство. Попытка вторая и последняя. Я редко кого дважды просил. А трижды никогда. И никогда впредь. Впрочем, немного мне осталось...

Я обещал позвонить через пятнадцать минут. Но вышло только через сорок три: у намеченного мной телефона людно было.

— Британское посольство?

— Да. — Но изменилось решительно все. Короткий ответ звучит резко и четко, как военная команда. Все тот же мужской голос: — У вас все хорошо? Мы волновались. Вы так долго не звонили...

— Мое послание...

— Мы передали ваше послание в Лондон. Это очень важное сообщение. Мы уже получили ответ. Вас ждут. Вы готовы?

— Да.

— Адрес на карточке — это место, где вас надо встретить?

— Да.

— На карточке не указано время. Это означает, что вас надо встретить как можно быстрее?

— Да.

— Мы так и думали. Наши официальные представители уже там.

— Спасибо. — Это слово я почему-то произнес по-русски. Не знаю, понял ли он меня.

ИЗДАТЕЛЬСТВО АСТ ПРЕДЛАГАЕТ

АНДРЕЙ ВОРОНИН

Его книгами зачитывается вся Россия. Его героями невозможно не восхищаться. Глеб Сиверов по кличке «Слепой», Борис Рублев — «Комбат», Илларион Забродов, инструктор спецназа ГРУ...
Пока идет дележ денег, мирских благ, о них не вспоминают. Но когда случается беда, от которой не откупишься, они сами приходят на помощь — ведь они из тех немногих, кто еще не забыл смысл слов «дружба», «честь», «Родина»...
Читайте новые книги в сериалах: «Слепой», «Комбат», «Атаман», «Му—Му», «Инструктор спецназа ГРУ», а также роман «Банда возвращается» — продолжение супербоевика «Наперегонки со смертью».

Книги издательства АСТ можно заказать по адресу:
107140, Москва, а/я 140 АСТ – "Книги по почте".
Издательство высылает бесплатный каталог.

ИЗДАТЕЛЬСТВО АСТ ПРЕДЛАГАЕТ

НОВАЯ СЕРИЯ
СОВРЕМЕННЫХ СУПЕРБОЕВИКОВ
«ГОСПОДИН АДВОКАТ»

«Господин адвокат» — это новая серия романов Фридриха Незнанского, герой которой — коллега и соратник хорошо знакомого читателям Александра Турецкого, бывший следователь при Генеральном прокуроре России, а ныне член Коллегии адвокатов Юрий Гордеев.

Закулисные интриги и коррупция в судебной системе, «алиби правосудия», ложные обвинения и оправдательные приговоры преступникам, подкуп, шантаж, угрозы и заказные убийства — такова скрытая от постороннего глаза сторона обычных на первый взгляд процессов. Именно та сторона, с которой имеет дело «господин адвокат»...

Книги издательства АСТ можно заказать по адресу:
107140, Москва, а/я 140 АСТ –"Книги по почте".
Издательство высылает бесплатный каталог.

ИЗДАТЕЛЬСТВО АСТ ПРЕДЛАГАЕТ

ВСЕМИРНАЯ ИСТОРИЯ В ЛИЦАХ

ЦЕЗАРЬ

НАПОЛЕОН БОНАПАРТ

СЕМЬ ВОЖДЕЙ

«Всемирная история в лицах» — это книги о тех, кто творил историю и историей стал. Великие полководцы и политики, императоры и короли — самые заметные личности с античных времен и до наших дней, от Юлия Цезаря до «вождей» коммунистического Советского Союза. В чем заключался феномен каждого из этих людей, как оказывались они у кормила власти? Кем они были — консерваторами или, наоборот, отважными реформаторами? Какой, наконец, была личная жизнь тех, кто вращал колесо истории? Обо всем этом серия «Всемирная история в лицах» рассказывает с энциклопедической точностью и полнотой, но в то же время в увлекательной и доступной форме...

Книги издательства АСТ можно заказать по адресу:
107140, Москва, а/я 140 АСТ –"Книги по почте".
Издательство высылает бесплатный каталог.

ИЗДАТЕЛЬСТВО АСТ ПРЕДЛАГАЕТ

СЕКРЕТНЫЕ МАТЕРИАЛЫ

ГОБЛИНЫ

На основе телесериала
КРИСА КАРТЕРА

ЛУЧШИЕ
КНИЖНЫЕ
СЕРИИ

СЕКРЕТНЫЕ МАТЕРИАЛЫ

Это книги, написанные по мотивам самого знаменито-
го телесериала планеты, бесценный подарок для
всех, кто верит, что мир паранормального ежесекунд-
но сталкивается с миром нормального. Монстры и му-
танты, вампиры и оборотни, компьютерный разум и
пришельцы из космоса — вот с чем приходится иметь
дело агентам ФБР Малдеру и Скалли, специалистам
по расследованию преступлений, далеко выходящих
за грань привычного...

**Книги издательства АСТ можно заказать по
адресу: 107140, Москва, а/я 140 АСТ —
"Книги по почте".**

Издательство высылает бесплатный каталог.

ЛУЧШИЕ
КНИГИ
ДЛЯ ВСЕХ И ДЛЯ КАЖДОГО

◆ **Любителям крутого детектива** — романы Фридриха Незнанского, Эдуарда Тополя, Владимира Шитова, Виктора Пронина, суперсериалы Андрея Воронина "Комбат", "Слепой", "Му-му", "Атаман", а также классики детективного жанра – А.Кристи и Дж.Х.Чейз.

◆ **Сенсационные документально-художественные произведения** Виктора Суворова; приоткрывающие завесу тайн кремлевских обитателей книги Валентины Красковой и Ларисы Васильевой, а также уникальная серия "Всемирная история в лицах".

◆ **Для увлекающихся таинственным и необъяснимым** — серии "Линия судьбы", "Уроки колдовства", "Энциклопедия загадочного и неведомого", "Энциклопедия тайн и сенсаций", "Великие пророки", "Необъяснимые явления".

◆ **Поклонникам любовного романа** — произведения "королев" жанра: Дж.Макнот, Д.Линдсей, Б.Смолл, Дж.Коллинз, С.Браун, Б.Картленд, Дж.Остен, сестер Бронте, Д.Стил - в сериях "Шарм", "Очарование", "Страсть", "Интрига", "Обольщение", "Рандеву".

◆ **Полные собрания бестселлеров** Стивена Кинга и Сидни Шелдона.

◆ **Почитателям фантастики** — циклы романов Р.Асприна, Р.Джордана, А.Сапковского, Т.Гудкайнда, Г.Кука, К.Сташефа, а также самое полное собрание произведений братьев Стругацких.

◆ **Любителям приключенческого жанра** — "Новая библиотека приключений и фантастики", где читатель встретится с героями произведений А.К. Дойла, А.Дюма, Г.Манна, Г.Сенкевича, Р.Желязны и Р.Шекли.

◆ **Популярнейшие многотомные детские энциклопедии:** "Всё обо всем", "Я познаю мир", "Всё обо всех".

◆ **Уникальные издания** "Современная энциклопедия для девочек", "Современная энциклопедия для мальчиков".

◆ **Лучшие серии для самых маленьких** – "Моя первая библиотека", "Русские народные сказки", "Фигурные книжки-игрушки", а также незаменимые "Азбука" и "Букварь".

◆ **Замечательные книги известных детских авторов:** Э.Успенского, А.Волкова, Н.Носова, Л.Толстого, С.Маршака, К.Чуковского, А.Барто, А.Линдгрен.

◆ **Школьникам и студентам** – книги и серии "Справочник школьника", "Школа классики", "Справочник абитуриента", "333 лучших школьных сочинения", "Все произведения школьной программы в кратком изложении".

◆ **Богатый выбор** учебников, словарей, справочников по решению задач, пособий для подготовки к экзаменам. А также разнообразная энциклопедическая и прикладная литература на любой вкус.

Все эти и многие другие издания вы можете приобрести по почте, заказав
БЕСПЛАТНЫЙ КАТАЛОГ
По адресу: 107140, Москва, а/я 140. "Книги по почте".

Москвичей и гостей столицы приглашаем посетить московские фирменные магазины издательской группы "АСТ" по адресам:

Каретный ряд, д.5/10. Тел.: 299-6584, 209-6601.   Арбат, д.12. Тел. 291-6101.
Звездный бульвар, д.21. Тел. 974-1805.   Татарская, д.14. Тел. 959-2095.
Б.Факельный пер., д.3. Тел. 911-2107.   Луганская, д.7 Тел. 322-2822

2-я Владимирская, д.52. Тел. 306-1898.

Суворов Виктор

Аквариум

Художественный редактор О.Н. Адаскина
Компьютерный дизайн: И.А. Герцев
Технический редактор Н.Н. Хотулева

Подписано в печать с готовых диапозитивов 13.03.00.
Формат 84×108¹/₃₂. Печать высокая с ФПФ.
Бумага типографская. Усл. печ. л. 22,68.
Тираж 5000 экз. Заказ 525.

Налоговая льгота – общероссийский классификатор
продукции ОК-00-93, том 2; 953000 – книги, брошюры

Гигиенический сертификат
№ 77.ЦС.01.952.П.01659.Т.98 от 01.09.98 г.

ООО "Фирма "Издательство АСТ"
ЛР № 066236 от 22.12.98.
366720, РФ, Республика Ингушетия,
г.Назрань, ул.Московская, 13а
Наши электронные адреса:
WWW.AST.RU
E-mail: astpub@aha.ru

При участии ООО «Харвест». Лицензия ЛВ № 32 от 27.08.97.
220013, Минск, ул. Я. Коласа, 35-305.

Ордена Трудового Красного Знамени полиграфкомбинат
ППП им. Я. Коласа. 220005, Минск, ул. Красная, 23.